Harry Potter™

i KOMNATA TAJEMNIC

Dotychczas ukazały się cztery tomy serii:

HARRY POTTER I KAMIEŃ FILOZOFICZNY

*

HARRY POTTER I KOMNATA TAJEMNIC

*

HARRY POTTER I WIĘZIEŃ AZKABANU

*

HARRY POTTER I CZARA OGNIA

JOANNE K. ROWLING

Harry Potter™

i KOMNATA TAJEMNIC

Ilustrowała
MARY GRANDPRÉ

Tłumaczył
ANDRZEJ POLKOWSKI

MEDIA RODZINA

Tytuł oryginału
HARRY POTTER AND THE CHAMBER OF SECRETS

Opracowanie polskiej wersji okładki
Jacek Pietrzyński

Wydanie poprawione

ISBN 83-7278-012-9

Harbor Point, Sp. z o.o.
Media Rodzina
ul. Pasieka 24, 61-657 Poznań
tel. 820-34-75, fax 820-34-11
www.MediaRodzina.com.pl

Łamanie komputerowe
perfekt s.c., ul. Grodziska 11, 60-363 Poznań
tel. 867-12-67, fax 867-26-43
dtp@perfekt.pl

Druk i oprawa: Poznańskie Zakłady Graficzne S.A.

Dla Séana P.F. Harrisa,
mojego przyjaciela na dobre i na złe

ROZDZIAŁ PIERWSZY

Najgorsze urodziny

Nie po raz pierwszy w domu przy Privet Drive numer cztery śniadanie przerwała awantura. Wczesnym rankiem pana Dursleya obudziło głośne bębnienie dochodzące z pokoju jego siostrzeńca Harry'ego.

— To już trzeci raz w tym tygodniu! — ryknął na niego poprzez stół. — Jeśli nie potrafisz zapanować nad tą sową, będziesz się musiał z nią pożegnać!

Harry jeszcze raz spróbował to wyjaśnić.

— Ona się nudzi. Lubi sobie polatać. Gdybym mógł ją wypuszczać w nocy...

— Czy ja wyglądam na głupca? — warknął wuj Vernon. Z krzaczastego wąsa zwisał mu kawałek smażonego jajka. — Dobrze wiem, co będzie, jak się ją wypuści.

I wymienił posępne spojrzenie ze swoją żoną Petunią.

Harry próbował coś odpowiedzieć, ale jego słowa zagłuszyło długie i głośne beknięcie ich syna Dudleya.

— Chcę więcej bekonu — oświadczył.

— Jest jeszcze trochę na patelni, syneczku — odpowiedziała ciotka Petunia, spoglądając tkliwie na swojego potężnego syna. — Najedz się dobrze, mój skarbie. Jedz, jedz, jeśli tylko masz ochotę... Tym szkolnym jedzeniem chyba się nie najesz...

— Ależ to nonsens, Petunio! Kiedy *ja* byłem w Smeltingu, nigdy nie chodziłem głodny — oświadczył stanowczo wuj Vernon. — Dudley na pewno dostaje tam tyle, ile zechce, prawda, synu?

Dudley, którego wielki zadek przelewał się przez kuchenne krzesło, wyszczerzył zęby i zwrócił się do Harry'ego.

— Podaj mi patelnię.

— Zapomniałeś magicznego słowa — odpowiedział ze złością Harry.

Skutek tego krótkiego zdania był piorunujący: Dudley zaczerpnął rozpaczliwie powietrza, jakby się dusił, i opadł na oparcie krzesła z łoskotem, który wstrząsnął całą kuchnią; pani Dursley wrzasnęła krótko i zakryła sobie usta dłońmi; pan Dursley zerwał się na nogi, a żyły na skroniach zaczęły mu szybko pulsować.

— Chodziło mi o „proszę"! — powiedział prędko Harry. — Nie chciałem...

— CO JA CI MÓWIŁEM?! — zagrzmiał wuj, opryskując stół śliną. — NIE MÓWIŁEM CI, ŻEBYŚ NIE UŻYWAŁ TEGO SŁOWA NA „M" W NASZYM DOMU?

— Ale ja...

— JAK ŚMIESZ GROZIĆ DUDLEYOWI! — ryknął wuj Vernon, waląc pięścią w stół. — OSTRZEGAŁEM CIĘ! NIE ZAMIERZAM TOLEROWAĆ TWOJEJ ANORMALNOŚCI POD TYM DACHEM!

Harry przeniósł spojrzenie z purpurowej twarzy wuja na blade oblicze ciotki, która próbowała ocucić Dudleya.

— Dobrze, wuju, dobrze — powiedział.

Wuj Vernon usiadł, oddychając jak zasapany nosorożec i zezując na Harry'ego swoimi małymi, świdrującymi oczkami.

Od czasu, gdy Harry przyjechał do domu na letnie wakacje, wuj Vernon sprawiał wrażenie bomby, która może wybuchnąć w każdej chwili, ponieważ Harry *nie był* normalnym chłopcem. Prawdę mówiąc, Harry był tak daleki od normalności, jak to tylko możliwe.

Harry Potter był czarodziejem — czarodziejem, który właśnie ukończył pierwszy rok nauki w Hogwarcie — Szkole Magii i Czarodziejstwa. A jeśli Dursleyowie nie cieszyli się z jego powrotu na wakacje, trudno to w ogóle porównać z tym, jak czuł się sam Harry.

Tak bardzo tęsknił za Hogwartem, że przypominało to nieustanny ból brzucha. Tęsknił za zamkiem z jego tajemnymi przejściami i duchami, za lekcjami (może z wyjątkiem tych ze Snape'em, nauczycielem eliksirów), za pocztą przynoszoną przez sowę, za ucztami w Wielkiej Sali, za spaniem w wielkim łóżku z czterema kolumienkami i kotarami w dormitorium na szczycie wieży, za wizytami u gajowego Hagrida w jego chatce na skraju parku, tuż przy Zakazanym Lesie, a zwłaszcza za quidditchem, najpopularniejszą dyscypliną sportową w świecie czarodziejów (sześć „bramek" na tyczkach, cztery latające piłki i czternastu graczy na miotłach).

Jego podręczniki magii, jego różdżka, szaty, kocioł do warzenia eliksirów i najnowocześniejsza miotła — Nimbus Dwa Tysiące — spoczywały zamknięte przez wuja Vernona w komórce pod schodami. Dursleyów w ogóle nie obchodziło, że Harry może utracić miejsce w drużynie quidditcha, jeśli nie będzie ćwiczył przez całe lato. W nosie mieli to, że Harry wróci do szkoły, nie odrobiwszy żadnej pracy wakacyjnej. Dursleyowie byli mugolami (ludźmi, w których żyłach nie płynie nawet kropla krwi czarodziejów) i posiadanie w swojej rodzinie czarodzieja uważali za największą hańbę. Wuj Vernon zamknął nawet w klatce Hedwigę, sowę Harry'ego, aby go pozbawić możliwości porozumiewania się ze światem czarodziejów.

Harry nie był ani trochę podobny do reszty rodziny. Wuj Vernon był wysoki i tęgi i miał sumiaste czarne wąsy; ciotka Petunia miała końską twarz i była koścista; Dudley miał płowe włosy, był różowy i przypominał prosiaka. Natomiast Harry był niski i szczupły, miał promieniste zielone oczy i kruczoczarne włosy, zwykle rozczochrane. Nosił okrągłe okulary, a na czole miał wąską bliznę w kształcie błyskawicy.

Właśnie ta blizna sprawiała, że Harry był osobą tak niezwykłą, nawet jak na czarodzieja. Był to jedyny ślad, jaki mu pozostał po bardzo tajemniczym wydarzeniu w dzieciństwie — wydarzeniu, które spowodowało, że jedenaście lat temu podrzucono go na próg domu państwa Dursleyów.

Kiedy Harry miał zaledwie rok, udało mu się uniknąć skutków przekleństwa, jakie rzucił na jego rodzinę największy w dziejach czarnoksiężnik, Voldemort, którego imię wciąż bała się wypowiadać większość czarodziejów i czarownic. W starciu z Voldemortem zginęli rodzice Harry'ego, ale chłopiec przeżył; pozostała mu po tym tylko owa blizna w kształcie błyskawicy. I w jakiś sposób — nikt nie mógł zrozumieć, w jaki — Voldemort utracił swą czarnoksięską moc w chwili, gdy podjął nieudaną próbę uśmiercenia Harry'ego.

Tak więc Harry wychowywał się w domu siostry swojej zmarłej matki i jej męża. Spędził u Dursleyów dziesięć lat, nie rozumiejąc, dlaczego wciąż sprawia, że wokół niego dzieją się różne dziwne rzeczy i wierząc w zapewnienia Dursleyów, że blizna na jego czole to ślad po wypadku samochodowym, w którym zginęli jego rodzice. A potem, dokładnie rok temu, Harry dostał list z Hogwartu i prawda wyszła na jaw. Znalazł się w szkole czarodziejów, gdzie wszyscy wiedzieli o pochodzeniu jego blizny, a każdy znał dobrze jego imię i nazwisko. Niestety, rok szkolny szybko minął i musiał wrócić na letnie wakacje do domu Dursleyów, gdzie go traktowano jak psa, który wytarzał się w czymś śmierdzącym.

Dursleyowie nie pamiętali nawet o tym, że dzisiaj są jego dwunaste urodziny. Harry, rzecz jasna, nie miał wielkich nadziei, bo jeszcze nigdy nie dostał od nich godnego uwagi prezentu, choćby tortu urodzinowego, ale żeby tak zapomnieć całkowicie o jego święcie...

Wuj Vernon odchrząknął znacząco i oznajmił:

— Dzisiaj, jak wszyscy wiemy, jest bardzo ważny dzień.

Harry podniósł głowę, nie wierząc własnym uszom.

— To może być dzień, w którym dokonam największej transakcji w całej swojej karierze — rzekł wuj Vernon.

Harry pochylił głowę nad kawałkiem tostu. No tak, pomyślał z goryczą, wuj Vernon ma na myśli to głupie przyjęcie. Mówił o tym od dwóch tygodni, a właściwie od dwóch tygodni mówił wyłącznie o tym. Na kolacji miał być jakiś bogaty przedsiębiorca budowlany ze swoją żoną, a wuj Vernon miał nadzieję, że nakłoni go do bardzo dużego zamówienia (fabryka wuja Vernona produkowała świdry).

— Myślę, że dobrze by było jeszcze raz przejrzeć plan zajęć i czynności — powiedział wuj Vernon. — Powinniśmy być na swoich stanowiskach o ósmej. Petunio, ty będziesz w...?

— W salonie — odpowiedziała natychmiast ciotka Petunia — gotowa powitać ich w naszym domu z należytą wdzięcznością.

— Bardzo dobrze. A Dudley?

— Ja będę czekał przy drzwiach, żeby im otworzyć.
— Na jego prosiakowatej twarzy rozlał się sztuczny, obleśny uśmiech. — Państwo pozwolą, że wezmę państwa płaszcze.

— Będą nim zachwyceni! — zawołała entuzjastycznie ciotka Petunia.

— Znakomicie, Dudley — pochwalił go wuj Vernon, po czym zwrócił się do Harry'ego. — A ty?

— Ja będę siedział cicho w swojej sypialni, udając, że mnie nie ma — odrzekł Harry bezbarwnym tonem.

— Dokładnie — powiedział dobitnie wuj Vernon. — Wprowadzę ich do salonu, przedstawię ciebie, Petunio, i naleję drinki. O ósmej piętnaście...

— Oznajmię, że kolacja gotowa — powiedziała ciotka Petunia.

— A Dudley powie...

— Czy mogę panią zaprowadzić do jadalni, pani Mason? — powiedział Dudley, oferując ramię niewidzialnej kobiecie.

— Mój doskonały mały dżentelmen! — zagdakała ciotka Petunia.

— A ty? — warknął wuj Vernon, patrząc na Harry'ego.

— Ja będę siedział cicho w swoim pokoju, udając, że mnie nie ma — powiedział tępo Harry.

— Dokładnie. A teraz komplementy. W czasie kolacji trzeba im powiedzieć kilka miłych słów. Masz jakiś pomysł, Petunio?

— Vernon mówił mi, że pan świetnie gra w golfa, panie

Mason... Co za przepiękna sukienka, pani Mason, gdzie ją pani kupiła?...

— Znakomicie... Dudley?

— Może coś takiego: „W szkole pisaliśmy wypracowanie o swoim ulubionym bohaterze i ja napisałem o panu, panie Mason".

To już przekraczało wytrzymałość i ciotki Petunii, i Harry'ego. Ciotka Petunia zalała się łzami i zaczęła tulić do siebie Dudleya, a Harry wsadził głowę pod stół, żeby nie zobaczyli, jak dusi się ze śmiechu.

— A ty, chłopcze?

Harry wynurzył się spod stołu, starając się za wszelką cenę zachować powagę.

— Ja będę siedział cicho w swoim pokoju i udawał, że mnie nie ma — wyrecytował.

— Tak jest i są ku temu powody — rzekł dobitnie wuj Vernon. — Masonowie nie wiedzą o twoim istnieniu i tak ma pozostać. Petunio, po kolacji zabierzesz panią Mason do salonu na kawę, a ja skieruję rozmowę na świdry. Przy odrobinie szczęścia podpiszemy umowę przed wieczornymi wiadomościami o dziesiątej. A jutro o tej porze będziemy sobie wybierać domek letniskowy na Majorce.

Harry'ego nie bardzo to podniecało. Był pewny, że w domku letniskowym na Majorce Dursleyowie będą nim tak samo pomiatać, jak w domu przy Privet Drive.

— No dobrze... Jadę do miasta, żeby kupić smokingi sobie i Dudleyowi. A ty — warknął w kierunku Harry'ego — nie pałętaj się po domu, kiedy twoja ciotka będzie sprzątać.

Harry wyszedł kuchennymi drzwiami. Był piękny, słoneczny dzień. Przeszedł przez trawnik, opadł na ogrodową ławkę i cicho zaśpiewał: „Sto lat... sto lat..."

Żadnych kartek urodzinowych, żadnych prezentów, a w dodatku cały wieczór miał spędzić na udawaniu, że nie istnieje. Spojrzał smętnie na żywopłot. Jeszcze nigdy nie czuł się tak samotny. Nawet za quidditchem nie tęsknił tak, jak za swoimi najlepszymi przyjaciółmi, Ronem Weasleyem i Hermioną Granger. Niestety, nic nie wskazywało, by oni tęsknili za nim. Żadne z nich nie napisało do niego przez całe lato, a przecież Ron obiecywał, że go do siebie zaprosi.

Już niezliczoną ilość razy Harry był bliski otworzenia zaklęciem klatki Hedwigi i wysłania jej do Rona i Hermiony z listem, ale zawsze w końcu dochodził do wniosku, że nie warto ryzykować. Uczniom Hogwartu nie wolno było używać czarów poza szkołą. Harry nie powiedział o tym Dursleyom; wiedział, że tylko dlatego nie zamknęli go w komórce pod schodami, bo bali się, że zamieni ich w żuki gnojowniki. W pierwszych tygodniach po powrocie do domu często zabawiał się w ten sposób, że mruczał coś pod nosem, na co Dudley uciekał z pokoju tak szybko, jak mu na to pozwalały jego krótkie tłuste nóżki. Jednak brak wiadomości od Rona i Hermiony sprawiał, że Harry czuł się kompletnie odcięty od świata czarodziejów i nawet straszenie Dudleya przestało go bawić. A teraz okazało się, że Ron i Hermiona zapomnieli o jego urodzinach.

Wiele by dał za jakąś wiadomość z Hogwartu. Od kogokolwiek, nawet od swojego największego wroga, Dracona Malfoya, po prostu żeby się upewnić, że to wszystko nie było snem...

Nie znaczy to wcale, że w Hogwarcie przez cały rok była sielanka. Przy końcu ostatniego semestru Harry spotkał się oko w oko z samym Voldemortem. Voldemort nie był już największym mistrzem czarnej magii, ale wciąż budził grozę, wciąż knuł i spiskował, wciąż próbował odzyskać potęgę i władzę. Harry'emu udało się po raz drugi wyrwać z jego szponów, ale aż dotąd, po tylu tygodniach, budził się w nocy zlany zimnym potem, zastanawiając się, gdzie teraz może być Voldemort, mając przed oczami jego rozwścieczoną twarz, jego rozszerzone źrenice szaleńca...

Nagle drgnął i wyprostował się na ogrodowej ławce. Od dłuższej chwili wpatrywał się bezwiednie w żywopłot — a teraz dostrzegł, że *żywopłot również się w niego wpatruje.* Wśród liści pojawiła się para wielkich, zielonych oczu.

Harry zerwał się na równe nogi i w tej samej chwili przez trawnik dobiegł go skrzekliwy, szyderczy głos.

— A ja wiem, co dzisiaj jest, aha! — zaśpiewał Dudley, zmierzając w jego stronę.

Wielkie oczy mrugnęły i znikły.

— Co? — zapytał Harry, nie spuszczając wzroku z miejsca, w którym się pojawiły.

— Wiem, co dzisiaj jest — powtórzył Dudley, podchodząc do niego.

— Brawo! — powiedział Harry. — A więc wreszcie nauczyłeś się dni tygodnia.

— Dzisiaj są twoje urodziny. I co, nie dostałeś żadnej kartki? Nie masz żadnych przyjaciół w tej szkole dla dziwolągów?

— Lepiej uważaj, żeby twoja mama nie usłyszała, że mówisz o mojej szkole — odpowiedział chłodno Harry.

Dudley podciągnął sobie spodnie, które ześlizgiwały mu się z tłustego zadka.

— Dlaczego tak się gapisz w ten żywopłot? — zapytał podejrzliwie.

— Zastanawiam się, jakim zaklęciem go podpalić.

Dudley natychmiast odskoczył, a na jego twarzy pojawiło się przerażenie.

— Nie w-wolno ci... Tata ci powiedział, że nie wolno ci robić żadnych czarów... bo cię wyrzuci z d-domu... a nie masz dokąd pójść... nie masz żadnych przyjaciół... nikogo...

— Abrakadabra! — krzyknął Harry. — Hokus-pokus, smenty-rymenty...

— MAAAAAAMO! — zawył Dudley, biegnąc w stronę domu i potykając się o własne nogi. — MAAAAMO! On to znowu robi!

Harry drogo zapłacił za ten dowcip. Ponieważ ani Dudley, ani żywopłot nie ucierpiał, ciotka Petunia wiedziała, że nie użył żadnych czarów, ale i tak ledwo zdołał uniknąć ciosu w głowę mokrą patelnią. Potem wymieniła z tuzin zadań do wykonania i oświadczyła, że nie dostanie nic do zjedzenia, dopóki tego wszystkiego nie zrobi.

Podczas gdy Dudley krążył w pobliżu, zajadając lody, Harry umył okna, wypucował samochód, przystrzygł trawnik, opielił grządki kwiatów, przyciął i podlał róże i pomalował ogrodową ławkę. Słońce grzało mocno, paląc go w plecy. Wiedział, że nie powinien dać się sprowokować Dudleyowi, ale Dudley wypowiedział na głos to, o czym Harry sam myślał... Może naprawdę nie ma *żadnych* przyjaciół?

Chciałbym, żeby teraz zobaczyli słynnego Harry'ego Pottera, pomyślał z goryczą, rozpryskując sztuczny nawóz na grządki. Plecy go bolały, a pot ściekał mu strumieniami po twarzy.

Było pół do ósmej, kiedy w końcu usłyszał głos ciotki Petunii.

— Do domu! Tylko uważaj, idź po gazetach!

Harry poczuł ulgę, gdy znalazł się w chłodnej kuchni. Na lodówce stała już wielka misa leguminy z masą bitej śmietany i kandyzowanymi fiołkami na wierzchu, w piekarniku skwierczała pieczeń wieprzowa.

— Jedz szybko! Masonowie wkrótce tu będą! — warknęła ciotka Petunia, wskazując na dwa kawałki chleba i grudkę sera na kuchennym stole. Miała już na sobie łososiową suknię koktajlową.

Harry umył ręce i zjadł swoją nędzną kolację. Żuł jeszcze ostatni kęs chleba, gdy ciotka Petunia zabrała mu talerz sprzed nosa.

— Na górę!

Przechodząc obok drzwi do salonu, Harry zobaczył wuja Vernona i Dudleya w smokingach, białych koszulach i muszkach. Był już na górze, kiedy rozległ się dzwonek, a u stóp schodów pojawiła się czerwona ze złości twarz wuja Vernona.

— Pamiętaj, chłopcze... niech no tylko coś usłyszę...

Harry wszedł na palcach do swojej sypialni, zamknął drzwi i odwrócił się, żeby rzucić się na łóżko.

Kłopot w tym, że na łóżku ktoś już siedział.

ROZDZIAŁ DRUGI

Ostrzeżenie Zgredka

H arry'emu udało się nie krzyknąć, ale niewiele brakowało. Mały stwór siedzący na jego łóżku miał wielkie
uszy nietoperza i wyłupiaste zielone oczy wielkości piłek
tenisowych. Harry natychmiast poznał te oczy: to one wpatrywały się w niego z żywopłotu.

Z dołu dobiegł głos Dudleya:

— Państwo pozwolą, że wezmę ich płaszcze.

Stwór ześliznął się z łóżka i skłonił tak nisko, że koniec
jego długiego, cienkiego nosa dotknął dywanu. Harry zauważył, że stwór ma na sobie coś, co przypominało starą
poszewkę na poduszkę, z dziurami na ręce i nogi.

— Eee... cześć — powiedział niepewnie Harry.

— Harry Potter! — zapiszczał stwór tak przenikli-
wym głosem, iż Harry był pewny, że słyszą go na dole. —
Ach, sir, Zgredek od tak dawna pragnął pana zobaczyć...
Cóż za zaszczyt...

— Dź-dziękuję — wyjąkał Harry, przemykając się
pod ścianą i siadając przy biurku, tuż obok Hedwigi, która
jak zwykle spała w swojej klatce. Chciał zapytać: „Czym

jesteś?", ale pomyślał, że zabrzmiałoby to zbyt obcesowo, więc zapytał:

— Kim jesteś?

— Jestem Zgredek, łaskawy panie — odpowiedział stwór. — Po prostu Zgredek. Domowy skrzat.

— Och... naprawdę? Eee... nie chcę być nieuprzejmy, ale... to niezbyt szczęśliwa pora na odwiedziny domowego skrzata w mojej sypialni.

Z salonu dobiegł głośny, sztuczny śmiech ciotki Petunii. Skrzat zwiesił głowę.

— Oczywiście bardzo się cieszę — powiedział szybko Harry — ale... ee... czy jest jakiś szczególny powód tych odwiedzin?

— Och, tak, łaskawy panie — odpowiedział duszek.

— Zgredek przyszedł, żeby panu powiedzieć, sir... to dość trudne... Zgredek nie wie, od czego zacząć...

— Usiądź. — Harry wskazał łóżko.

Ku jego przerażeniu, skrzat wybuchnął płaczem, a robił to bardzo hałaśliwie.

— U-usiądź! — zaszlochał. — Jeszcze nigdy, nigdy...

Harry'emu wydało się, że głosy na dole jakby przycichły.

— Bardzo przepraszam — wyszeptał. — Nie chciałem cię urazić, naprawdę.

— Urazić?! — zaskrzeczał przenikliwie skrzat. — Jeszcze nigdy żaden czarodziej nie zaprosił Zgredka, żeby usiadł... jak równy z równym...

Harry, starając się jednocześnie powiedzieć „Ciiiicho!" i mieć uprzejmą minę, zdołał nakłonić Zgredka, by usiadł z powrotem na łóżku, co też skrzat uczynił, nękany głośną czkawką. Przypominał teraz wielką i bardzo brzydką lalkę. W końcu udało mu się opanować czkawkę i zaczął wpatrywać się w Harry'ego z niemym zachwytem.

— Chyba nie spotkałeś wielu przyzwoitych czarodziejów — powiedział Harry, próbując dodać mu otuchy.

Zgredek potrząsnął głową. A potem, bez ostrzeżenia, zeskoczył z łóżka i zaczął walić głową w szybę, wrzeszcząc:

— *Zły* Zgredek! *Niedobry* Zgredek!

— Przestań... co ty wyprawiasz! — syknął Harry, podbiegając do niego i zaciągając go z powrotem na łóżko.

Hedwiga obudziła się z wyjątkowo donośnym skrzekiem i zaczęła tłuc skrzydłami w pręty klatki.

— Zgredek musi się sam ukarać — oznajmił duszek mający już lekkiego zeza. — Zgredek o mały włos nie wyraziłby się źle o swojej rodzinie...

— O swojej rodzinie?

— O rodzinie czarodziejów, której Zgredek służy, sir... Zgredek jest domowym skrzatem... zobowiązanym służyć na wieki jednemu domowi i jednej rodzinie...

— Oni wiedzą, że tutaj jesteś? — zapytał z zaciekawieniem Harry.

— Och, nie, sir, nie... Zgredek będzie musiał ukarać się surowo za to, że tu przyszedł, żeby się zobaczyć z wielmożnym panem, sir. Za karę Zgredek przytrzaśnie sobie uszy drzwiczkami piekarnika. Gdyby się dowiedzieli... och, sir...

— Ale przecież się połapią, jak sobie przytrzaśniesz uszy drzwiczkami piekarnika...

— Nie sądzę, sir. Zgredek wciąż musi się za coś karać. Pozwalają mi na to. Czasami nawet mi przypominają...

— Ale dlaczego po prostu nie odejdziesz? Nie uciekniesz?

— Och, nie, domowy skrzat nie może sam odejść. Trzeba go odprawić. A ta rodzina nigdy Zgredka nie odprawi... Zgredek będzie służył tej rodzinie aż do śmierci, sir...

Harry spojrzał na niego ze zdumieniem.

— A ja myślałem, że już nie wytrzymam następnych czterech tygodni w tym domu — powiedział. — Przy twojej rodzinie Dursleyowie wydają się prawie przyzwoitymi ludźmi. I nikt nie może ci jakoś pomóc? Może ja bym mógł?

Prawie natychmiast pożałował tych słów. Z ust Zgredka popłynęła kaskada jękliwych wyrazów wdzięczności.

— Błagam — szepnął gorączkowo Harry. — Trochę ciszej, proszę. Jeśli Dursleyowie coś usłyszą, jeśli się dowiedzą, że tu jesteś...

— Harry Potter pyta, czy mógłby pomóc Zgredkowi... Zgredek słyszał o twojej wielkości, sir, ale nie znał bezmiaru twojej wspaniałomyślności...

Harry poczuł, że płoną mu policzki.

— Kto ci naopowiadał jakichś bzdur o mojej wielkości? Nie jestem nawet najlepszym uczniem. To Hermiona jest na pierwszym miejscu, ona...

I urwał, bo sama myśl o Hermionie sprawiła mu ból.

— Harry Potter jest wielki, dobry i skromny — rzekł z podziwem Zgredek, a jego wyłupiaste oczy zapłonęły blaskiem. — Harry Potter nawet nie wspomina o swoim zwycięstwie nad Tym, Którego Imienia Nie Wolno Wymawiać.

— Mówisz o Voldemorcie?

Zgredek wetknął sobie pięści do uszu i jęknął:

— Ach, sir, nie wypowiadaj tego imienia! Nie wypowiadaj go!

— Przepraszam — powiedział szybko Harry. — Znam wielu, którzy tego nie lubią... mój przyjaciel Ron...

Znowu urwał. Wspomnienie Rona również sprawiło mu ból.

Skrzat nachylił się do niego, a oczy mu płonęły jak dwa reflektory.

— Zgredek słyszał, jak mówiono — zachrypiał — że Harry Potter spotkał Czarnego Pana po raz drugi, zaledwie parę tygodni temu... I że Harry Potter *znowu* wyszedł z tego cało.

Harry kiwnął głową, a w oczach Zgredka nagle zabłysły łzy.

— Ach, wielmożny panie! — zaszlochał, ocierając twarz rogiem poszewki od poduszki, którą miał na sobie. — Harry Potter jest mężny i odważny! Uniknął już tylu zagrożeń! Ale Zgredek przyszedł, żeby ostrzec Harry'ego Pottera, tak, nawet jeśli będzie musiał za to przytrzasnąć sobie uszy drzwiczkami od pieca... *Harry Potter nie powinien wracać do Hogwartu*.

Zapanowała cisza przerywana tylko szczękaniem widelców i noży w jadalni oraz odległym dudnieniem głosu wuja Vernona.

— C-cooo? — wyjąkał Harry. — Ale ja tam muszę wrócić... semestr zaczyna się pierwszego września. Tylko to powstrzymuje mnie przed ucieczką z tego domu. Nie wiesz, jak tu jest. Ja *nie należę* do tego domu. Ja należę do twojego świata... w Hogwarcie.

— Nie, nie, nie — zaskrzeczał Zgredek, kręcąc tak gwałtownie głową, że uszy mu załopotały. — Harry Potter musi pozostać tam, gdzie jest bezpieczny. Harry Potter jest za wielki, za dobry, abyśmy go stracili. Jeśli Harry Potter wróci do Hogwartu, znajdzie się w śmiertelnym niebezpieczeństwie.

— Dlaczego? — zapytał Harry, zupełnie zbity z tropu.

— Tam jest spisek. Spisek, który ma na celu coś strasznego. Jeśli się powiedzie, w tym roku w Szkole Magii i Czarodziejstwa stanie się coś strasznego — wyszeptał Zgredek, dygocąc na całym ciele. — Zgredek wie o tym od paru miesięcy, sir. Harry Potter nie może narażać się na pewną zgubę. Harry Potter jest zbyt ważną osobą!

— O czym ty mówisz? — zapytał Harry. — Jakie straszne rzeczy? Kto spiskuje?

Zgredek wydał z siebie dziwny odgłos, jakby się czymś dławił, po czym zaczął walić głową w ścianę.

— No dobra! — krzyknął Harry, łapiąc skrzata za ramię, by go powstrzymać. — Nie wolno ci powiedzieć, rozumiem. Ale dlaczego mnie ostrzegasz? — Nagle wpadła mu do głowy niezbyt miła myśl. — Zaraz, zaraz... czy to ma coś wspólnego z Vol... z Sam-Wiesz-Kim? Możesz po prostu potrząsnąć albo kiwnąć głową — dodał pospiesznie, widząc, że głowa Zgredka znowu zbliża się niebezpiecznie do ściany.

Zgredek powoli pokręcił głową.

— Nie... to nie Ten, Którego Imienia Nie Wolno Wymawiać.

Ale wciąż wytrzeszczał oczy, jakby chciał dać Harry'emu coś do zrozumienia. Harry nie miał jednak zielonego pojęcia, o kim mowa.

— On chyba nie ma brata, co?

Zgredek potrząsnął głową i jeszcze bardziej wytrzeszczył oczy.

— No to nie wiem, kto jeszcze mógłby dokonać jakichś strasznych rzeczy w Hogwarcie — powiedział Harry. — Przecież tam jest Dumbledore... chyba wiesz, kto to jest Dumbledore, co?

Skrzat skinął głową.

— Zgredek dobrze wie, sir. Albus Dumbledore jest największym dyrektorem, jakiego miał Hogwart. Zgredek słyszał, że moc Dumbledore'a równa jest mocy Tego, Którego Imienia Nie Wolno Wymawiać, nawet u szczytu jego potęgi. Ale... sir — zniżył głos do natarczywego szeptu — są moce, których nawet Dumbledore nie... moce, których żaden przyzwoity czarodziej nie...

I zanim Harry zdążył go powstrzymać, zeskoczył z łóżka, chwycił z biurka lampę i zaczął się nią okładać po głowie, wydając z siebie ogłuszające wrzaski.

Na dole nagle zaległa cisza. Dwie sekundy później Harry usłyszał dochodzące z przedpokoju kroki wuja Vernona i jego głos:

— Ach, ten nieznośny Dudley znowu nie wyłączył telewizora!

— Szybko! Schowaj się! — syknął Harry, wpychając Zgredka do szafy, zamykając za nim drzwi i rzucając się na łóżko w ostatniej chwili, kiedy poruszyła się klamka w drzwiach pokoju.

— Co ty... do diabła... wyprawiasz? — zapytał wuj Vernon przez zaciśnięte zęby, zbliżając nabiegłą krwią twarz do twarzy Harry'ego. — Właśnie zniszczyłeś mi puentę najlepszego dowcipu o japońskim graczu w golfa... Jeszcze jeden dźwięk, a pożałujesz, że się urodziłeś, przeklęty bachorze!

I wyszedł z pokoju, starając się nie robić hałasu.

Harry, trzęsąc się cały, wypuścił Zgredka z szafy.

— Widzisz, jak tu jest? Już rozumiesz, dlaczego muszę wrócić do Hogwartu? To jedyne miejsce, w którym mam... no, *myślę*, że mam przyjaciół.

— Przyjaciół, którzy nawet nie napiszą do Harry'ego Pottera? — zapytał chytrze skrzat.

— Myślę, że są po prostu... zajęci — odrzekł Harry ze złością. — A ty skąd wiesz, że moi przyjaciele do mnie nie piszą?

Zgredek przestąpił dwa razy z nogi na nogę.

— Niech się Harry Potter nie złości na Zgredka... Zgredek zrobił to dla jego dobra...

— Zatrzymywałeś moje listy?

— Zgredek ma je tutaj — odpowiedział duszek.

Odsunąwszy się od Harry'ego na bezpieczną odległość, wyjął gruby plik kopert z poszewki na poduszkę, w którą był odziany. Harry poznał z daleka kaligrafię Hermiony, niedbałe pismo Rona, a nawet jakieś gryzmoły, które mogły być pismem gajowego Hogwartu, Hagrida.

Zgredek zerknął z niepokojem na Harry'ego.

— Niech się Harry Potter nie gniewa... Zgredek miał nadzieję... no, jeśli Harry Potter pomyśli, że jego przyjaciele o nim zapomnieli... może nie zechce wrócić do szkoły...

Harry nie słuchał. Wyciągnął szybko rękę, chcąc mu wyrwać listy, ale Zgredek jeszcze szybciej odskoczył.

— Harry Potter je dostanie, jeśli da Zgredkowi słowo, że nie wróci do Hogwartu. Ach, jaśnie wielmożny czarodzieju, tam czeka cię straszliwe niebezpieczeństwo! Powiedz, że tam nie wrócisz!

— Nie — powiedział Harry ze złością. — Oddaj mi listy od moich przyjaciół!

— A więc Harry Potter nie pozostawia Zgredkowi wyboru — rzekł ponuro duszek.

I zanim Harry zdążył się ruszyć z miejsca, podbiegł do drzwi, otworzył je i zbiegł po schodach.

Harry'emu zaschło w ustach, żołądek podskoczył mu do gardła, ale rzucił się za nim w pogoń, starając się nie robić hałasu. Przeskoczył przez ostatnie sześć stopni, wylądował jak kot na dywanie i rozejrzał się, szukając Zgredka. Z jadalni dobiegł go głos wuja Vernona: „...niech pan opowie Petunii tę zabawną historię o amerykańskich hydraulikach, panie Mason, bardzo chciała ją usłyszeć..."

Harry przebiegł przez przedpokój, wpadł do kuchni i poczuł, że po prostu nie ma już żołądka. Wspaniała legumina ciotki Petunii unosiła się pod sufitem. Na szczycie kredensu siedział Zgredek.

— Nie — zachrypiał Harry. — Błagam cię... oni mnie zabiją...

— Harry Potter musi przyrzec, że nie wróci do szkoły...

— Zgredku... błagam...

— To proszę to przyrzec.

— Nie mogę!

Zgredek spojrzał na niego z żalem.

— Więc Zgredek musi to zrobić. Dla dobra Harry'ego.

Legumina spadła na podłogę z okropnym łoskotem. Krem obryzgał ściany i szyby w oknach. Po chwili rozległ się donośny trzask, jakby ktoś strzelił z bata, i Zgredek zniknął.

W pokoju jadalnym rozległy się krzyki i po chwili do kuchni wpadł wuj Vernon. Harry stał pośrodku, nie mogąc ruszyć się z miejsca, cały umazany leguminą ciotki Petunii.

Z początku wydawało się, że wuj Vernon zbagatelizuje to wydarzenie („To tylko nasz siostrzeniec... okropnie nerwowy... obcy ludzie wyprowadzają go z równowagi, więc trzymamy go na górze"). Zagonił zszokowanych Masonów z powrotem do pokoju jadalnego, przyrzekł Harry'emu, że obedrze go ze skóry, i wręczył mu mopa. Ciotka Petunia wygrzebała z lodówki jakieś lody, a Harry, wciąż dygocąc, zaczął doprowadzać kuchnię do porządku.

Wuj Vernon miałby jeszcze szansę zawarcia transakcji życia — gdyby nie sowa.

Ciotka Petunia właśnie częstowała wszystkich miętowymi pralinkami, kiedy przez okno jadalni wpadła wielka sowa uszata, upuściła list prosto na głowę pani Mason i wyleciała. Pani Mason wrzasnęła jak upiór i wybiegła z domu, wykrzykując coś o wariatach. Pan Mason został jeszcze przez chwilę, żeby powiedzieć Dursleyom, że jego żona panicznie boi się wszelkich ptaków, i zapytać, czy uważają to za dowcipne.

Harry stał w kuchni, ściskając w ręku kij mopa, kiedy wuj Vernon zbliżył się do niego z diabelskim błyskiem w małych oczkach.

— Przeczytaj to!' — syknął mściwie, wyciągając do niego list, który dostarczyła sowa. — No, dalej, czytaj! Harry wziął list. Nie były to życzenia urodzinowe.

Szanowny Panie Potter,

z naszego poufnego źródła otrzymaliśmy właśnie wiadomość, że tego wieczoru, o godzinie dziewiątej dwadzieścia, w miejscu Pańskiego przebywania użyto Zaklęcia Swobodnego Zwisu.

Jak Pan wie, niepełnoletnim czarodziejom nie wolno używać czarów poza szkołą. Dalsze takie poczynania mogą doprowadzić do usunięcia Pana z rzeczonej szkoły (Ustawa o Uzasadnionych Restrykcjach wobec Niepełnoletnich Czarodziejów, 1875, paragraf C).

Pragniemy również Panu przypomnieć, że wszelka działalność magiczna, która mogłaby być zauważona przez obywateli pozamagicznych (mugoli) stanowi poważne wykroczenie, zgodnie z 13 rozdziałem Zasad Tajności Międzynarodowej Konfederacji Czarodziejów.

Życzę udanych wakacji!

Z wyrazami szacunku

Mafalda Hopkirk

WYDZIAŁ NIEWŁAŚCIWEGO UŻYWANIA CZARÓW
Ministerstwo Magii

Harry podniósł głowę znad listu i głośno przełknął ślinę.

— Nie powiedziałeś nam, że nie wolno ci używać czarów poza szkołą — rzekł wuj Vernon, a w jego oczach tańczyły iskierki szaleństwa. — Pewno zapomniałeś... wyleciało ci to z pamięci... Rzucił się na Harry'ego z obnażonymi zębami, jak wielki buldog.

— No więc ja też mam dla ciebie wiadomość, chłopcze... Zamykam cię... Już nigdy nie wrócisz do tej szkoły... nigdy... A jeśli spróbujesz uwolnić się za pomocą magii... sami cię wyrzucą!

I chichocąc jak wariat, zaciągnął Harry'ego na górę. Wuj Vernon nie rzucał pogróżek na wiatr. Następnego ranka sprowadził ślusarza, który wprawił kraty w okno sypialni Harry'ego. Sam zrobił w drzwiach małą klapkę, jaką zwykle robi się dla kota, aby można było przez nią podawać małe ilości jedzenia. Odtąd wypuszczano Harry'ego tylko dwa razy dziennie, rano i wieczorem, żeby skorzystał z łazienki.

Trzy dni później nic nie wskazywało, by Dursleyom zmiękły serca i Harry zrozumiał, że znalazł się w sytuacji bez wyjścia. Leżał na łóżku, patrząc przez kraty na zachodzące słońce, i zastanawiał się smętnie, jaka go czeka przyszłość. Co mu przyjdzie z uwolnienia się z sypialni za pomocą czarów, skoro wyrzucą go za to z Hogwartu? Z drugiej strony, dalsze życie w domu przy Privet Drive stało się nie do zniesienia. Odkąd Dursleyowie upewnili się, że nie obudzą się zamienieni w nietoperze, utracił swoją jedyną broń. Zgredek może i ustrzegł go przed strasznymi wydarzeniami w Hogwarcie, ale wszystko wskazywało na to, że tutaj czeka go po prostu śmierć z głodu.

Klapka w drzwiach zagrzechotała i pojawiła się ręka ciotki Petunii z miską zupy z puszki. Harry'emu żołądek skręcał się z głodu, więc zeskoczył z łóżka i porwał miskę. Zupa była zimna, ale wypił połowę jednym łykiem. Potem podszedł do klatki Hedwigi i zgarnął rozmokłe jarzyny do jej pustej miseczki. Nastroszyła pióra i spojrzała na niego z głęboką odrazą.

— Nie ma co odwracać dzioba, to wszystko, co mamy — powiedział ponuro Harry.

Postawił pustą miskę przy drzwiach i opadł z powrotem na łóżko, czując, że jest jeszcze bardziej głodny niż przed wypiciem zupy.

Założywszy, że za cztery tygodnie będzie jeszcze żywy, co się stanie, jeśli nie stawi się w Hogwarcie? Czy wyślą kogoś, żeby sprawdzić, dlaczego nie przyjechał? Zdołają przekonać Dursleyów, żeby go wypuścili?

W pokoju robiło się coraz ciemniej. Wyczerpany, czując, jak mu okropnie burczy w brzuchu, przeżuwając wciąż i wciąż te same pytania, na które nie było odpowiedzi, w końcu zasnął.

Śniło mu się, że siedzi w klatce w zoo. Na klatce była tabliczka: NIEPEŁNOLETNI CZARODZIEJ. Ludzie wytrzeszczali na niego oczy przez kraty, kiedy tak leżał na kupce słomy, wygłodniały i słaby. W tłumie zobaczył twarz Zgredka i zawołał do niego, błagając o pomoc, ale Zgredek odpowiedział: „Harry Potter jest tutaj bezpieczny, sir!" i zniknął. A potem pojawili się Dursleyowie i Dudley zabębnił kijem po kratach, naśmiewając się z niego.

— Przestań — wymamrotał Harry, bo bębnienie huczało mu w obolałej głowie. — Zostaw mnie w spokoju... przestań... próbuję się zdrzemnąć... Otworzył oczy. Przez kraty w oknie świecił księżyc.

I ktoś naprawdę *wytrzeszczał na niego oczy* zza krat: ktoś piegowaty, rudowłosy, z długim nosem...

Zza okna patrzył na niego Ron Weasley.

ROZDZIAŁ TRZECI

Nora

R on! — wydyszał Harry, podchodząc na palcach do
okna i otwierając je, żeby mogli porozmawiać przez
kraty. — Ron, jak ci się udało... Co to...?!
Rozdziawił usta, bo to, co zobaczył, zupełnie go zatkało.
Ron wychylał się z tylnego okna starego turkusowego samochodu, zaparkowanego *w powietrzu*. Z przednich siedzeń
szczerzyli do niego zęby Fred i George, dwaj bracia bliźniacy
Rona.

— Nic ci nie jest, Harry?
— Co się dzieje, Harry? — zapytał Ron. — Dlaczego nie odpowiadałeś na moje listy? Zapraszałem cię ze
dwanaście razy, a potem ojciec wrócił do domu i powiedział,
że dostałeś oficjalne ostrzeżenie za użycie czarów w obecności mugoli...
— To nie ja... Ale skąd on się o tym dowiedział?
— Pracuje w ministerstwie — odrzekł Ron. — Przecież
dobrze wiesz, że nie wolno nam używać zaklęć poza szkołą...
— A wy to niby co? — powiedział Harry, gapiąc się
na latający samochód.

— Och, nie, to się nie liczy... Tylko go pożyczyliśmy, to wóz ojca, wcale go nie zaczarowaliśmy. Ale używać czarów na oczach tych mugoli, u których mieszkasz...

— Już ci mówiłem, to nie ja... ale musiałbym ci za długo tłumaczyć. Słuchaj, mógłbyś wyjaśnić w Hogwarcie, że Dursleyowie mnie zamknęli i nie pozwalają mi wrócić do szkoły, i że oczywiście nie mogę się sam uwolnić za pomocą czarów, bo w ministerstwie pomyślą, że to już drugie zaklęcie użyte przeze mnie w ciągu trzech dni, więc...

— Przestań nawijać — przerwał mu Ron. — Zabieramy cię do naszego domu.

— Ale przecież wy też nie możecie używać czarów...

— Nie musimy — rzekł Ron, wskazując głową na przednie siedzenia i szczerząc zęby. — Zapomniałeś, kto mi towarzyszy.

— Przywiąż to do kraty — powiedział Fred, rzucając Harry'emu koniec liny.

— Jeśli Dursleyowie się obudzą, już mnie więcej nie zobaczycie — powiedział Harry, przywiązując linę do kraty.

— Nie łam się — mruknął Fred, uruchamiając silnik — i odejdź od okna.

Harry cofnął się w głąb, tuż obok klatki z Hedwigą, która zdawała się rozumieć, że chodzi o coś ważnego, i siedziała cicho. Fred dodał gazu, silnik zaryczał, a potem nagle coś okropnie chrupnęło i krata runęła w dół, kiedy samochód ruszył prosto w powietrze. Harry podbiegł do okna i zobaczył kratę dyndającą na linie parę stóp nad ziemią. Ron, dysząc ciężko, wciągał ją do samochodu. Harry nasłuchiwał z niepokojem, ale z sypialni Dursleyów nie dochodził żaden dźwięk.

Kiedy krata spoczywała już bezpiecznie na tylnym siedzeniu obok Rona, Fred cofnął samochód i ustawił go tak blisko okna, jak to było możliwe.

— Właź — powiedział Ron.

— Ale... moje przybory szkolne... różdżka... miotła...

— Gdzie one są?

— Zamknięte w komórce pod schodami, a ja nie mogę stąd wyjść...

— Nie ma problemu — odezwał się George. — Harry, odsuń się.

Fred i George wleźli przez okno do pokoju Harry'ego. Harry z powątpiewaniem patrzył, jak George wyjmuje z kieszeni zwykłą spinkę do włosów i zaczyna nią grzebać w zamku.

— Wielu czarodziejów uważa, że takie sztuczki mugoli to strata czasu — powiedział Fred — ale my sądzimy, że warto je znać, nawet jeśli rzeczywiście zajmują trochę czasu.

W zamku coś kliknęło i drzwi się otworzyły.

— No więc... my pójdziemy po twój kufer... a ty zbierz, co ci będzie potrzebne, i podaj Ronowi — szepnął George.

— Uważajcie na dolny stopień, skrzypi — szepnął za nimi Harry, kiedy zniknęli w ciemnym korytarzu.

Zaczął krążyć po pokoju, zbierając swoje rzeczy i podając je przez okno Ronowi. Potem poszedł pomóc bliźniakom wciągnąć po schodach ciężki kufer. Z sypialni Dursleyów dobiegł kaszel wuja Vernona.

W końcu, dysząc i sapiąc, wtaszczyli kufer i ustawili w otwartym oknie. Fred i Ron ciągnęli go z samochodu, a Harry i George pchali od strony sypialni. Kufer przeciskał się przez okno cal po calu.

Wuj Vernon zakaszlał po raz drugi.

— Jeszcze trochę — wysapał Fred — jeszcze jedno mocne pchnięcie...

* 33 *

Harry i George naprężyli mięśnie i kufer wylądował na tylnym siedzeniu samochodu.

— Dobra, zmywamy się stąd — szepnął George.

Lecz kiedy Harry wspiął się już na parapet, usłyszał za sobą donośny skrzek, a po chwili grzmot głosu wuja Vernona:

— TA PIEKIELNA SOWA!

— Zapomniałem o Hedwidze!

Harry przebiegł przez pokój, słysząc pstryknięcie kontaktu na korytarzu. Chwycił klatkę z Hedwigą, rzucił się do okna i podał ją Ronowi. Wspinał się już na parapet, kiedy wuj Vernon załomotał w drzwi, które otworzyły się i rąbnęły o ścianę.

Przez ułamek sekundy wuj Vernon stał w drzwiach jak zamurowany, a potem zaryczał jak rozwścieczony byk i rzucił się ku Harry'emu, chwytając go za kostkę.

Ron, Fred i George złapali Harry'ego za ramiona i ciągnęli ze wszystkich sił.

— Petunio! — ryczał wuj Vernon. — Petunio, on ucieka! ON UCIEKA!

Weasleyowie szarpnęli mocno i noga Harry'ego wyśliznęła się z uścisku wuja Vernona. Gdy tylko Harry znalazł się w samochodzie i zatrzasnął drzwiczki, Ron ryknął:

— Fred, gazu!

Samochód wystrzelił ku księżycowi.

Harry nie mógł uwierzyć — był wolny! Opuścił szybę, nocne powietrze zmierzwiło mu włosy. Spojrzał za siebie, na szybko malejące dachy Privet Drive. Wuj Vernon, ciotka Petunia i Dudley tkwili w oknie sypialni Harry'ego, jakby ich zamurowało.

— Do zobaczenia w następne wakacje! — krzyknął Harry.

Weasleyowie ryknęli śmiechem, a Harry opadł na oparcie fotela, szczerząc zęby.

— Wypuśćmy Hedwigę — powiedział do Rona. — Może lecieć za nami. Już dawno nie miała okazji do wyprostowania skrzydeł.

George wręczył Ronowi spinkę do włosów i po chwili uradowana Hedwiga wyleciała przez okno i pomknęła za nimi jak duch.

— No więc opowiadaj, Harry — powiedział niecierpliwie Ron. — Co się stało?

Harry opowiedział im o Zgredku, o jego ostrzeżeniu oraz smętnym końcu leguminy z fiołkami. Kiedy skończył, zapadła głucha cisza.

— Podejrzana sprawa — oświadczył w końcu Fred.

— Śmierdzi z daleka — zgodził się George. — Więc nie mówił ci nawet, kto coś knuje?

— Chyba nie mógł — powiedział Harry. — Za każdym razem, kiedy już mi się zdawało, że zaraz powie coś konkretnego, zaczynał walić głową w ścianę.

Fred i George spojrzeli po sobie.

— Co, myślicie, że robił mnie w konia? — zapytał Harry.

— No cóż — rzekł Fred — można to tak ująć... Te domowe skrzaty dysponują dość dużą mocą magiczną, ale zwykle nie mogą jej użyć bez pozwolenia swoich panów. Założę się, że ktoś wysłał tego starego zgreda, żeby cię powstrzymać od powrotu do Hogwartu. Coś w rodzaju dowcipu. Nie przychodzi ci do głowy, komu w szkole mogłeś podpaść?

— Tak — powiedzieli razem Harry i Ron.

— Draco Malfoy — wyjaśnił Harry. — On mnie nienawidzi.

— Draco Malfoy? — powtórzył George, obracając się do niego. — Ale chyba nie syn Lucjusza Malfoya?

— Może on, przecież to bardzo rzadkie nazwisko, no nie? A co?

— Słyszałem, jak tata o nim mówił, że to zagorzały sprzymierzeniec Sami-Wiecie-Kogo.

— A kiedy Sami-Wiecie-Kto zniknął — rzekł Fred, wykręcając szyję, żeby spojrzeć na Harry'ego — Lucjusz Malfoy wrócił, przekonując wszystkich, że nie miał z nim nic wspólnego. Wciskał kit... Tata uważa, że Lucjusz należał do ścisłego grona zwolenników Sami-Wiecie-Kogo.

Harry słyszał już te pogłoski o rodzinie Malfoya, więc nie był tym zaskoczony. Draco Malfoy mógł sprawić, że nawet Dudley Dursley wyglądałby jak grzeczny, myślący i wrażliwy chłopiec.

— Przecież nie wiemy, czy Malfoyowie mają domowego skrzata... — powiedział.

— To jest możliwe. Takie skrzaty służą zwykle w bogatych domach starych czarodziejskich rodzin — zauważył Fred.

— Tak, mama zawsze marzyła o tym, żeby mieć skrzata... żeby za nią prasował — dodał George. — Ale mamy tylko parszywego ghula na strychu i pełno gnomów w ogrodzie. Domowe skrzaty bywają zwykle w wielkich starych dworach i zamkach, u nas się takiego nie spotka...

Harry milczał. Sądząc po tym, że Draco Malfoy miał wszystko w najlepszym gatunku, jego rodzina musiała mieć mnóstwo złota. Tak, Malfoy bardzo dobrze pasował do bogatego dworu. Wysłanie domowego sługi, by powstrzymał Harry'ego od powrotu do Hogwartu, też do niego znakomicie pasowało. Czyżby rzeczywiście palnął głupstwo, traktując Zgredka poważnie?

— W każdym razie cieszę się, że wpadliśmy na pomysł. żeby cię odwiedzić — powiedział Ron. — Zacząłem się poważnie martwić, kiedy nie odpowiedziałeś na żaden z moich listów. Z początku myślałem, że to wina Errola...

— Jakiego Errola?

— To nasz puchacz. Bardzo stary. Już nie raz zdarzyło mu się nawalić. Więc próbowałem pożyczyć Hermesa...

— Kogo?

— To puchacz, którego mama i tata kupili Percy'emu, kiedy został prefektem — wyjaśnił Fred.

— Ale Percy nie chciał mi go pożyczyć — ciągnął Ron. — Powiedział, że będzie mu potrzebny.

— Tego lata Percy bardzo dziwnie się zachowywał — zauważył George, marszcząc czoło. — I rzeczywiście wciąż wysyłał listy... I często przesiadywał w swoim pokoju, zamykając się na klucz... Pewnie polerował odznakę prefekta... Fred, trochę za bardzo na zachód — dodał, wskazując na kompas na tablicy rozdzielczej.

— Powiedzieliście tacie, że wzięliście jego samochód? — zapytał Harry, dobrze wiedząc, jaką usłyszy odpowiedź.

— Eee... no... nie — odrzekł Ron. — Musiał iść na noc do pracy. Ale mam nadzieję, że odstawimy go do garażu, zanim mama zauważy, że go wzięliśmy.

— A co właściwie wasz tata robi w Ministerstwie Magii?

— Pracuje w najnudniejszym wydziale — odpowiedział Ron. — Urząd Niewłaściwego Użycia Produktów Mugoli.

— Czego?

— No wiesz, chodzi o różne rzeczy produkowane przez mugoli, które zostają zaczarowane, a potem trafiają do któregoś z ich sklepów lub domów. Na przykład w zeszłym roku zmarła pewna starsza wiedźma, a jej komplet do herbaty sprzedano do sklepu z antykami. No i kupiła go jakaś mugolka, przyniosła do domu i próbowała podać w nim herbatę gościom. To był koszmar... Tata pracował nad tym całymi tygodniami.

— Co się stało?

— Dzbanek dostał świra i porozlewał gorącą herbatę po całym pokoju, a jednego faceta musieli zabrać do szpitala, bo szczypce do cukru zakleszczyły mu nos i nie chciały się oderwać. Tata miał kupę roboty, w tym urzędzie jest tylko on i jeden stary czarodziej, musieli użyć kilku silnych zaklęć utraty pamięci i wielu innych sztuczek, żeby to jakoś zatuszować...

— Ale twój tata... to auto...

Fred roześmiał się.

— Wiesz, ojciec ma fioła na punkcie rzeczy produkowanych przez mugoli, w szopie mamy kupę tych śmieci. Rozkłada je na części, zaczarowuje i składa z powrotem. Gdyby dokonał rewizji w naszym domu, musiałby się sam aresztować. Mama dostaje szału.

— O, tam jest główna droga — odezwał się George, wyglądając przez okno. — Będziemy w domu za dziesięć minut... W sam raz, bo już się robi jasno...

Na wschodzie widać już było bladoróżową poświatę.

Fred obniżył lot samochodu i Harry zobaczył ciemną szachownicę pól i plamy drzew.

— Jesteśmy tuż za wioską — oznajmił George.

Samochód zniżał się coraz bardziej. Krawędź jasnoczerwonego słońca przeświecała przez drzewa.

— Lądujemy! — zawołał Fred, a koła podskoczyły na gruncie. Wylądowali na małym podwórku koło walącego się garażu i Harry po raz pierwszy zobaczył dom Weasleyów.

Wyglądał, jakby kiedyś był dużym kamiennym chlewem, do którego tu i tam dobudowano dodatkowe pomieszczenia, aż urósł na kilka pięter i tak się przechylił, że przed zawaleniem musiały go chyba chronić czary. Z czerwonego dachu wyrastały cztery albo i pięć kominów. Na koślawej tabliczce tuż przy wejściu widniał napis: NORA. Wokół drzwi leżał stos gumowych butów i bardzo zardzewiały kocioł. Po podwórku wałęsało się kilkanaście brązowych kurczaków.

— Nic specjalnego — bąknął Ron.

— Jest wspaniały! — zawołał Harry, wspominając Privet Drive.

Wysiedli z samochodu.

— No dobra, idziemy na górę, tylko po cichu — powiedział Fred — i czekamy, aż mama zawoła nas na śniadanie. Wtedy ty, Ron, zbiegniesz na dół i zawołasz: „Mamo, zobacz, kto tu się w nocy zjawił!", a ona ucieszy się na widok Harry'ego i nikt się nie dowie, że braliśmy auto.

— Dobra — zgodził się Ron. — Chodź, Harry, ja śpię na...

Ron pozieleniał na twarzy, utkwiwszy wzrok w domu. Wszyscy odwrócili się w tamtą stronę.

Przez podwórko kroczyła pani Weasley, a kurczaki umykały spod jej stóp. Zadziwiające, jak ta niska, pulchna, o miłej twarzy kobieta mogła w tej chwili tak bardzo przypominać tygrysa szablastego.

— Ach... — westchnął Fred.

— A niech to szlag — powiedział George.

Pani Weasley zatrzymała się przed nimi, wsparła ręce na biodrach i przyjrzała się po kolei ich twarzom. Miała na sobie szlafrok w kwiatki; z jednej kieszeni wystawała różdżka.

— No tak — powiedziała.

— Dzień dobry, mamo — rzekł George tonem, który tylko jemu wydawał się beztroski.

— Czy wy w ogóle macie pojęcie, jak ja się o was martwiłam? — zapytała pani Weasley groźnym szeptem.

— Przepraszamy, mamo, ale... zrozum... musieliśmy...

Wszyscy trzej synowie pani Weasley byli od niej wyżsi, ale teraz skulili się tak, że patrzyła na nich z góry.

— Puste łóżka! Żadnej kartki! Samochód zniknął... przecież mogliście się gdzieś rozbić... Ja się zamartwiam przez całą noc... a wy? Pomyśleliście o tym? No nie, jak długo żyję... Poczekajcie, aż wróci wasz ojciec... Ani Bill, ani Charlie, ani Percy nigdy nam czegoś takiego nie zrobili...

— Percy Perfekt — mruknął Fred.

— MÓGŁBYŚ SIĘ OD NIEGO CZEGOŚ NAUCZYĆ! — ryknęła pani Weasley, celując palcem w jego pierś. — Mogliście się pozabijać, mogli was zobaczyć, wasz ojciec mógł przez was stracić pracę...

Trwało to bardzo długo. Pani Weasley zupełnie ochrypła, zanim zwróciła się do Harry'ego, który trzymał się z boku.

— Bardzo się cieszę, że cię widzę, Harry — powiedziała. — Wchodź, kochaneczku, zaraz ci coś zrobię na śniadanie.

Odwróciła się i weszła z powrotem do domu, a Harry, zerknąwszy nerwowo na Rona, który kiwnął zachęcająco głową, poszedł za nią.

Kuchnia była mała i zagracona. Pośrodku stał wyszorowany drewniany stół otoczony krzesłami i Harry usiadł na brzegu jednego z nich, rozglądając się dokoła. Jeszcze nigdy nie był w domu czarodziejów.

Zegar na ścianie miał tylko jedną wskazówkę. Zamiast cyfr na tarczy widniały różne napisy, na przykład: „Czas zaparzyć herbatę", „Czas nakarmić kurczaki", „Jesteś już spóźniona". Gzyms kominka zawalony był książkami o tytułach takich, jak: *Zaczaruj swój ser*, *Czary przy pieczeniu* i *Uczta w jedną minutę*. I jeśli Harry'ego nie zawodził słuch, stare radio stojące tuż przy zlewie właśnie oznajmiło: „A teraz Godzina Czarów, a w niej wasza ulubiona śpiewająca czarownica Celestyna Warbeck".

Pani Weasley zaczęła krzątać się po kuchni, przygotowując śniadanie w nieco chaotyczny sposób i rzucając znad patelni wściekłe spojrzenia na swoich synów. Co jakiś czas mruczała pod nosem: „Nie mam pojęcia, co wy sobie myśleliście", „Nigdy bym w to nie uwierzyła" i tym podobnie.

— Nie mam pretensji do *ciebie*, kochanie — zapewniła Harry'ego, nakładając mu na talerz z osiem albo dziewięć parówek. — Artur i ja bardzo się o ciebie martwiliśmy. Właśnie zeszłego wieczoru powiedzieliśmy sobie, że jeśli nie odpiszesz Ronowi do piątku, pojedziemy tam i sami cię zabierzemy. Ale... naprawdę — teraz zsuwała mu na talerz trzy jajka sadzone — latanie nielegalnym autem po całym kraju... przecież ktoś mógł was zobaczyć...

Machnęła od niechcenia różdżką w stronę zlewu i spoczywające w nim brudne naczynia zaczęły się same zmywać, poszczękując delikatnie.

— Były *chmury*, mamo! — odezwał się Fred.

— Nie gadaj, kiedy jesz! — warknęła pani Weasley.

— Głodzili go, mamo! Chcieli go zagłodzić na śmierć — powiedział George.

— Ty też siedź cicho! — fuknęła pani Weasley, ale twarz jej złagodniała, kiedy zaczęła kroić Harry'emu chleb i smarować kromki masłem.

W tym momencie pojawiła się mała, rudowłosa osóbka

w nocnej koszuli, która pisnęła cicho i natychmiast wybiegła z kuchni.

— To Ginny — szepnął Ron do Harry'ego. — Moja siostra. Gadała o tobie przez całe lato.

— Tak, marzy o twoim autografie, Harry — dodał Fred, szczerząc zęby, ale uchwycił spojrzenie matki i zamilkł, pochylając się nad talerzem.

Nikt już nic nie powiedział do czasu, kiedy wszystkie talerze były puste, a trwało to zaskakująco krótko.

— A niech to, ale jestem skonany — ziewnął Fred, odkładając nóż i widelec. — Chyba pójdę do łóżka i...

— Nie ma mowy — warknęła pani Weasley. — Włóczyłeś się przez całą noc na własne życzenie. Masz mi odgnomić ogród. Nie mogę sobie dać z nimi rady.

— Ale... mamo...

— A wy mu pomożecie — powiedziała, rzucając gniewne spojrzenie na Rona i George'a. — Ty możesz się położyć, kochaneczku — dodała, patrząc na Harry'ego. — Nie prosiłeś ich, żeby cię wozili tym przeklętym samochodem.

Harry'emu wcale nie chciało się spać.

— Pomogę Ronowi. Jeszcze nigdy nie widziałem odgnomiania...

— To bardzo miłe z twojej strony, kochanie, ale to nudne zajęcie — powiedziała pani Weasley. — No dobrze, zaraz zobaczymy, co Lockhart ma na ten temat do powiedzenia.

I ze stosu książek nad kominkiem wzięła opasły tom. George jęknął.

— Mamo, przecież wiemy, jak odgnomić ogród.

Harry zerknął na okładkę książki. Wymyślnymi złotymi literami było tam napisane: *Poradnik zwalczania szkodników domowych* Gilderoya Lockharta. Była tam również wielka fotografia dobrze odżywionego czarodzieja z pofalowanymi jasnymi włosami i bystrymi oczami. Jak zawsze w świecie czarodziejów, fotografia poruszała się: czarodziej, zapewne ów Gilderoy Lockhart, mrugał do nich łobuzersko. Pani Weasley uśmiechnęła się do niego.

— Ach, on jest naprawdę nadzwyczajny... Wie wszystko o szkodnikach domowych... w każdym razie to wspaniała książka...

— Mama się w nim podkochuje — oznajmił Fred teatralnym szeptem.

— Nie bądź śmieszny, Fred — powiedziała pani Weasley, ale się zarumieniła. — No dobrze, jeśli uważacie, że jesteście mądrzejsi od Lockharta, idźcie i sami zróbcie z nimi porządek. I radzę wam, żeby w ogrodzie nie było ani jednego gnoma, kiedy przyjdę na inspekcję.

Ziewając i gderając, Weasleyowie wyszli na zewnątrz, a Harry za nimi. Ogród był duży i wyglądał tak, jak powinien wyglądać ogród. Dursleyom na pewno by się nie spodobał — było w nim pełno chwastów, a trawy dawno nikt nie strzygł — ale przy murach rosły powykrzywiane drzewa, z każdej grządki wyrastały rośliny, jakich Harry nigdy w życiu nie widział, a w wielkiej zielonej sadzawce gęsto było od żab.

— Wiesz, mugole też mają gnomy w ogrodach — powiedział Ronowi, kiedy szli przez trawnik.

— Aha, widziałem te ich podróbki, które nazywają gnomami — odpowiedział Ron, pochylając się i zaglądając pod krzak peonii. — Podobne do małych grubych świętych Mikołajów z wędkami...

Krzak zadygotał, coś się pod nim gwałtownie zaczęło szamotać i Ron wyprostował się.

— To jest gnom — oznajmił mściwym tonem.

Gnom z całą pewnością nie przypominał świętego Mikołaja. Był mały, skórzasty, z dużą łysą głową pokrytą guzami, bardzo przypominającą kartofel. Ron trzymał go z daleka od siebie, a gnom wyrywał się i wierzgał zrogowaciałymi nóżkami. Ron złapał go za kostki u nóg, głową w dół.

— Oto, co się z nimi robi. — Ron uniósł gnoma i zaczął nim wywijać nad głową jak lassem. Widząc przerażoną minę Harry'ego, dodał: — Nic mu się nie stanie... Trzeba je po prostu skołować, żeby nie mogły odnaleźć drogi do swoich dziur.

I puścił kostki gnoma, który poszybował ze dwadzieścia stóp w powietrzu i z głuchym łupnięciem wylądował na polu za żywopłotem.

— Żałosne — mruknął Fred. — Założę się, że mój wyląduje za tamtym pniakiem.

Harry szybko nauczył się nie żałować gnomów. Postanowił sam przerzucić jednego poza żywopłot, ale gnom, wyczuwając słabość, zatopił ostre jak brzytwa zęby w jego palcu, tak że Harry strząsnął go z wielkim trudem, a wówczas...

— Uau, Harry, to był rzut... Chyba z pięćdziesiąt metrów!

W powietrzu zaroiło się od latających gnomów.

— Jak widzisz, nie są zbyt inteligentne — powiedział George, łapiąc z pięć albo sześć gnomów za jednym razem.

— Jak tylko się połapią, że zaczyna się odgnomianie, wszystkie wyłażą, żeby popatrzeć. Głupole, powinny już dawno skumać, że trzeba się chować.

Wkrótce tłum gnomów na polu zaczął oddalać się od ogrodu.

— Wrócą — rzekł Ron, kiedy patrzyli, jak gnomy znikają pod żywopłotem na drugim końcu pola. — Uwielbiają nasz ogród. Tata jest dla nich za miękki, uważa, że są takie śmieszne...

W tym momencie rozległ się łoskot frontowych drzwi.

— Wrócił! — krzyknął George. — Tata wrócił!

Pobiegli w stronę domu.

Pan Weasley siedział już na kuchennym krześle; zdjął okulary, a oczy miał zamknięte. Był to chudy mężczyzna zaczynający łysieć, ale reszta włosów, jaka mu jeszcze pozostała, była ruda jak włosy jego dzieci. Miał na sobie długą zieloną szatę, zakurzoną i bardzo znoszoną.

— Co za noc — wymamrotał, sięgając po kubek z herbatą, kiedy wszyscy usiedli wokół niego. — Dziewięć interwencji. Dziewięć! A stary Mundungus Fletcher próbował rzucić na mnie urok, kiedy się odwróciłem...

Wypił wielki łyk herbaty i westchnął.

— Znalazłeś coś, tato? — zapytał z przejęciem Fred.

— Parę samokurczących się kluczy i gryzący kociołek — odpowiedział pan Weasley. — Ale było też trochę naprawdę wrednych świństw, tyle że nie podpadających pod mój wydział. Zabrali Mortlake'a na przesłuchanie w sprawie jakichś wyjątkowo dziwnych fretek, ale to problem Komisji do spraw Eksperymentalnych Zaklęć... na szczęście...

— A po co właściwie czarować klucze, żeby się kurczyły? — zapytał George.

— A, to takie żarty z mugoli... — westchnął pan Weasley. — Sprzedaje im się klucz, który kurczy się tak, że właściwie znika, więc nie mogą go znaleźć, jak im jest potrzebny... Oczywiście, bardzo trudno kogoś o to oskarżyć, bo żaden mugol za nic w świecie nie przyzna, że jego klucze kurczą się do zera... Będzie przysięgał, że wciąż je gubi. Mugole zrobią wszystko, żeby tylko nie uwierzyć w istnienie magii, nawet jak spotkają się z nią twarzą w twarz... Ale nigdy byście nie uwierzyli, co się nieraz trafia do odczarowania...

— Na przykład SAMOCHODY?

Pojawiła się pani Weasley z długim pogrzebaczem w ręku. Pan Weasley gwałtownie otworzył oczy i spojrzał z lękiem na żonę.

— S-samochody, kochanie?

— Tak, Arturze, samochody — odpowiedziała pani Weasley, a jej oczy miotały groźne iskry. — Wyobraź sobie czarodzieja, który kupuje stary pordzewiały samochód i mówi swojej żonie, że chce tylko zobaczyć, jak takie auto działa, a tak naprawdę zaczarowuje je po cichu, żeby *latało*.

Pan Weasley zamrugał nerwowo.

— No cóż, kochanie, myślę, że miałby do tego prawo, nawet gdyby... ee... no, na pewno lepiej by zrobił... tego... no, mówiąc swojej żonie prawdę... Widzisz, w prawie jest pewna luka... dopóki *nie zamierza* latać samochodem, to sam fakt, że jego samochód lata, nie...

— Arturze Weasley, dobrze wiedziałeś, że będzie taka luka, kiedy tworzyłeś to prawo! — zagrzmiała pani Weasley. — A zrobiłeś to, żeby swobodnie majstrować przy tych wszystkich rupieciach mugoli, które znosisz do swojej szopy! I dowiedz się, że Harry przybył tu dziś rano samochodem, którym ty nie zamierzałeś latać!

— Harry? — zapytał pan Weasley. — Jaki Harry?

Rozejrzał się, zobaczył Harry'ego i podskoczył.

— O Boże, to przecież Harry Potter! Bardzo mi miło cię poznać, Harry, Ron wiele o tobie opowiadał...

— TWOI SYNOWIE POLECIELI TYM SAMOCHODEM DO DOMU HARRY'EGO I Z POWROTEM! —

wrzasnęła pani Weasley. — Co masz na ten temat do powiedzenia, no?

— Naprawdę? — Pan Weasley był wyraźnie podekscytowany. — I co, wszystko działało? To z-znaczy — dodał szybko, widząc iskry sypiące się z oczu pani Weasley — t-to bardzo brzydko, chłopcy... naprawdę bardzo nieładnie....

— Zostawmy ich, niech to załatwią między sobą — mruknął Ron do Harry'ego. — Chodź, pokażę ci moją sypialnię.

Wymknęli się z kuchni, a potem poszli wąskim korytarzem w stronę niezbyt pewnie wyglądających schodów, które biegły zygzakiem przez całą wysokość domu. Na trzecim piętrze były otwarte na oścież drzwi. Harry zdążył uchwycić spojrzeniem parę brązowych, wpatrzonych w niego oczu, zanim drzwi zamknęły się z hukiem.

— Ginny — wyjaśnił Ron. — Nie masz pojęcia, jakie to dziwne, że jest taka nieśmiała, normalnie usta jej się nie zamykają...

Wspięli się jeszcze wyżej, aż stanęli przed drzwiami pokrytymi złuszczoną farbą, z małą tabliczką, na której było napisane: POKÓJ RONALDA.

Harry wszedł do środka, prawie dotykając głową pochyłego sufitu, i gwałtownie zamrugał. Wydawało mu się, że wszedł do pieca — niemal wszystko było tu pomarańczowe: narzuta na łóżku, ściany, nawet sufit. Dopiero po chwili zdał sobie sprawę, że Ron pokrył wszystko plakatami przedstawiającymi siedem postaci w pomarańczowych szatach, trzymających miotły i wymachujących nimi energicznie.

— Twoja drużyna quidditcha? — zapytał Harry.

— Armaty Chudleya — odrzekł z dumą Ron, wskazując na pomarańczową narzutę na łóżku, na której były wyhaftowane olbrzymie czarne litery AC i kula armatnia.

— Dziewiąte miejsce w lidze.

W kącie leżał bezładny stos podręczników szkolnych, tuż obok stosu komiksów z serii *Przygody Martina Miggsa, szalonego mugola*. Na parapecie stało akwarium pełne żabiego skrzeku, a na nim leżała różdżka Rona. Obok drzemał w plamie słońca jego tłusty szczur Parszywek.

Harry przeszedł ostrożnie nad talią samotasujących się kart, rozrzuconych na podłodze, i wyjrzał przez małe okno. Na polu zobaczył grupę gnomów, przemykających jeden po drugim przez żywopłot ogrodu Weasleyów. Odwrócił się, żeby spojrzeć na Rona, który wpatrywał się w niego z niepokojem, jakby na coś czekał.

— Jest trochę ciasno — powiedział szybko Ron. — Twój pokój u mugoli jest o wiele większy. No i tuż nade mną, na strychu, mieszka ghul, bez przerwy wali w rury i jęczy...

Ale Harry uśmiechnął się od ucha do ucha i powiedział:

— To najwspanialszy dom, jaki widziałem w życiu...

Ronowi zapłonęły uszy.

ROZDZIAŁ CZWARTY

W księgarni
Esy i Floresy

Trudno było w ogóle porównywać życie w Norze z życiem przy Privet Drive. Dursleyowie lubili ustalony ład i porządek; dom Weasleyów pełen był niespodzianek i dziwności. Harry doznał wstrząsu, kiedy spojrzał w lustro nad kominkiem w kuchni, a ono wrzasnęło: „Koszula ci wystaje ze spodni, łazęgo!" Ghul na strychu wył i bębnił w rury, kiedy tylko wydawało mu się, że w domu jest za spokojnie, a małe eksplozje dobiegające z sypialni Freda i George'a uważane były za coś zupełnie normalnego. Ale tym, co Harry'emu wydało się najbardziej niezwykłe, nie było mówiące lustro czy hałasujący ghul: był to fakt, że tutaj wszyscy zdawali się go lubić. Pani Weasley załamywała ręce nad stanem jego skarpetek i starała się wmusić w niego cztery dokładki przy każdym posiłku. Pan Weasley prosił, żeby Harry siadał przy stole obok niego, bo mógł wówczas bombardować go pytaniami o urządzenia mugoli, na przykład o to, jak działa hydrant albo poczta.

— Fascynujące! — zawołał, kiedy Harry opowiedział mu drobiazgowo, jak działa telefon. — Naprawdę, bardzo *pomysłowe!* Ileż ci mugole wynajdują sposobów, żeby się obywać bez magii!

Pewnego słonecznego poranka, mniej więcej tydzień po jego przybyciu do Nory, Harry dostał wiadomość z Hogwartu. On i Ron zeszli na śniadanie i zastali już w kuchni państwo Weasleyów i Ginny. Kiedy Ginny ujrzała Harry'ego, miska z owsianką wypadła jej z rąk na podłogę. Dziwnym zbiegiem okoliczności Ginny wszystko wylatywało z rąk, kiedy Harry wchodził do pokoju. Zanurkowała pod stół, żeby podnieść miskę i wynurzyła się spod niego z twarzą czerwoną jak zachodzące słońce. Harry udając, że nic nie zauważył, usiadł i wziął tost, który mu podała pani Weasley.

— Listy ze szkoły — powiedział pan Weasley, podając Harry'emu i Ronowi jednakowe koperty z żółtawego pergaminu, zaadresowane zielonym atramentem. — Dumbledore już wie, że tu jesteś, Harry... Co za człowiek, przed nim nic się nie ukryje... Wy też dostaliście listy — dodał na widok Freda i George'a, którzy wmaszerowali do kuchni w piżamach.

Przez kilka minut było bardzo cicho, kiedy cała czwórka czytała swoje listy. Harry dowiedział się, że ma, jak poprzednio, wsiąść do pociągu ekspresowego Londyn-Hogwart, odchodzącego ze stacji na King's Cross pierwszego września. Do listu była dołączona lista książek, które będą mu potrzebne w nowym roku szkolnym.

Uczniowie drugiego roku powinni mieć:
Standardową księgę zaklęć (2 stopień) Mirandy Goshawk
Jak pozbyć się upiora Gilderoya Lockharta

Jak zaprzyjaźnić się z ghulami Gilderoya Lockharta
Wakacje z wiedźmami Gilderoya Lockharta
Wędrówki z trollami Gilderoya Lockharta
Podróże z wampirami Gilderoya Lockharta
Włóczęgi z wilkołakami Gilderoya Lockharta
Rok z yeti Gilderoya Lockharta

Fred, który skończył czytać swój list, zerknął na listę Harry'ego.

— Tobie też napisali, żebyś kupił te wszystkie książki Lockharta! — zawołał. — Nowy nauczyciel obrony przed czarną magią musi być jego fanem... Założę się, że to czarownica.

W tym momencie uchwycił spojrzenie matki i szybko zajął się marmoladą.

— Nie wiem, czy będzie nas na to stać — rzekł George, rzucając krótkie spojrzenie na rodziców. — Książki Lockharta są bardzo drogie...

— Jakoś sobie poradzimy — mruknęła pani Weasley, ale wyglądała na zatroskaną. — Mam nadzieję, że większość rzeczy dla Ginny kupimy z drugiej ręki.

— Och, to i ty idziesz w tym roku do Hogwartu? — zapytał Harry małą Ginny.

Kiwnęła głową, spłoniwszy się aż po cebulki rudych włosów, i wsadziła łokieć do maselniczki. Na szczęście nikt tego nie zauważył prócz Harry'ego, bo właśnie wkroczył Percy, starszy brat Rona. Był już ubrany, a na piersiach miał odznakę prefekta.

— Dzień dobry! — powitał wszystkich dziarskim tonem. — Piękny dzień.

Usiadł na jedynym wolnym krześle, ale natychmiast podskoczył, wyciągając spod siebie szarą, wylenialą miotełkę z piór — w każdym razie tak sądził Harry, dopóki nie zobaczył, że miotełka oddycha.

— Errol! — krzyknął Ron, biorąc od niego puchacza i wyjmując mu list spod skrzydła. — Nareszcie... to list od Hermiony. Napisałem jej, że zamierzamy cię uwolnić z domu Dursleyów, Harry.

Spróbował posadzić Errola na kołku wbitym w ścianę przy kuchennych drzwiach, ale ptak natychmiast spadł, więc położył go na suszarce do naczyń, mrucząc: „żałosne".

Potem rozerwał kopertę i przeczytał na głos list od Hermiony:

Kochany Ronie, i Ty, Harry, jeśli tam jesteś,

mam nadzieję, że wszystko dobrze poszło i że Harry jest OK i że Ty, Ron, nie zrobiłeś czegoś sprzecznego z prawem, żeby go stamtąd wyrwać, ponieważ wtedy nie tylko Ty byś miał kłopoty, ale i on. Naprawdę bardzo się tym niepokoję i jeśli Harry jest już wolny, cały i zdrowy, natychmiast mi o tym napisz, ale może lepiej skorzystaj z jakiejś innej sowy, bo wydaje mi się, że jeszcze jedna podróż z pocztą zupełnie wykończy Twojego puchacza.

Oczywiście jestem bardzo zajęta, bo mamy tyle zadane

— Czy ona zwariowała? — zapytał Ron z przerażeniem w głosie, przecież są wakacje! — *a w przyszłą środę jedziemy do Londynu, żeby mi kupić książki. Może byśmy się spotkali na ulicy Pokątnej?*

Napisz mi szybko, co się dzieje, ucałowania od Hermiony.

— No cóż, to mi bardzo odpowiada, możemy pojechać i kupić wszystko, czego potrzebujecie — powiedziała pani Weasley, zabierając się do sprzątania ze stołu. — A tak w ogóle, to co zamierzacie dzisiaj robić?

Harry, Ron, Fred i George postanowili pójść na wzgórze, na małe pastwisko należące do państwa Weasleyów. Otoczone było drzewami, które zasłaniały je od strony wioski, więc mogli tam poćwiczyć quidditcha, pamiętając, żeby nie podlatywać za wysoko. Nie mogli użyć prawdziwych piłek, bo gdyby wymknęły się spod kontroli i zaczęły latać nad wioską, trudno byłoby to mugolom wyjaśnić, więc używali jabłek. Po kolei dosiadali Nimbusa Dwa Tysiące Harry'ego, najlepszej miotły, jaką mieli — stara Spadająca Gwiazda Rona była tak powolna, że często wyprzedzały ją motyle.

Pięć minut później wspinali już się na wzgórze z miotłami na ramionach. Zapytali Percy'ego, czy nie chce z nimi pograć, ale oświadczył, że jest zajęty. Jak dotąd Harry widywał go tylko w czasie posiłków; przez resztę dnia Percy przesiadywał zamknięty w swoim pokoju.

— Chciałbym wiedzieć, co się z nim dzieje — powiedział Fred, marszcząc czoło. — W każdym razie nie jest sobą. Dzień przed twoim przybyciem nadeszły jego wyniki egzaminacyjne: dostał dwunastkę, a wyglądał, jakby go to wcale nie ucieszyło.

— Chodzi o liczbę poziomów Standardowych Umiejętności Magicznych — wyjaśnił George, widząc zdumione spojrzenie Harry'ego. — Bill też miał dwunastkę. Zanim się obejrzymy, będziemy mieć w rodzinie kolejnego prymusa. Chyba nie zniosę takiej hańby.

Bill był najstarszym z braci Weasleyów. On i następny w kolejności starszeństwa Charlie już ukończyli Hogwart. Harry nie poznał żadnego z nich, ale wiedział, że Charlie jest w Rumunii, gdzie studiuje smoki, a Bill pracuje dla banku Gringotta w Egipcie.

— Nie mam pojęcia, jak starzy poradzą sobie w tym roku z wydatkami na nasze pomoce naukowe — powiedział po chwili George. — Pięć kompletów dzieł Lockharta! A przecież Ginny musi mieć szaty, różdżkę i całą resztę...

Harry milczał. Czuł się trochę niezręcznie. W podziemiach banku Gringotta spoczywała mała fortuna, którą mu pozostawili w spadku rodzice. Oczywiście, pieniądze miał tylko w świecie czarodziejów; za galeony, sykle i knuty nie mógł nic kupić w sklepach mugoli. O swoim koncie u Gringotta nigdy Dursleyom nie wspominał. Podejrzewał, że ich odraza do wszystkiego, co miało jakikolwiek związek z magią, nie objęłaby wielkiego stosu złota.

W najbliższą środę pani Weasley obudziła ich wcześnie. Po zjedzeniu po pół tuzina kanapek z bekonem włożyli płaszcze, a pani Weasley zdjęła z gzymsu kominka stary wazon i zajrzała do środka.

— Wiele już nie zostało, Arturze — westchnęła. — Będziemy musieli dzisiaj trochę dokupić... No, ale goście mają pierwszeństwo! W twoje ręce, Harry!

I wręczyła mu wazon.

Harry rozejrzał się: wszyscy na niego patrzyli.

— Aaa... co mam robić? — wyjąkał.

— On nigdy nie podróżował za pomocą proszku Fiuu — powiedział nagle Ron. — Wybacz mi, Harry, zapomniałem.

— Nigdy? — zdumiał się pan Weasley. — No to w jaki sposób dostałeś się na ulicę Pokątną, żeby kupić przybory szkolne?

— Dojechałem tam metrem...

— Naprawdę? — zdziwił się jeszcze bardziej pan Weasley. — A więc są jakieś *ekspiratory*? Ale powiedz mi, jak...

— Nie teraz, Arturze — przerwała mu pani Weasley.

— Harry, proszek Fiuu jest o wiele szybszy, ale jeśli nigdy w ten sposób nie podróżowałeś, to... no... naprawdę nie wiem, czy...

— Da sobie radę, mamo — odezwał się Fred. — Harry, patrz, jak my to robimy.

Wziął z wazonu szczyptę błyszczącego proszku, podszedł do kominka i rzucił go w płomienie.

Ogień zahuczał, płomienie zrobiły się szmaragdowozielone i urosły ponad Freda, który wkroczył w nie, wołając: „ulica Pokątna!" — i zniknął.

— Musisz to wypowiedzieć wyraźnie — pouczyła Harry'ego pani Weasley, kiedy George wsadził rękę do wazonu.

— I musisz uważać, żeby wyjść właściwym rusztem...

— Właściwym czym? — zapytał nerwowo Harry, a ogień ponownie zahuczał i George również zniknął.

— Widzisz, do wyboru jest bardzo dużo czarodziejskich kominków, ale jeśli wypowiesz adres wyraźnie...

— Nic mu nie będzie, Molly, przestań go straszyć — powiedział pan Weasley, sięgając po proszek.

— Ależ kochanie, a jak się zgubi, to co powiemy jego ciotce i wujowi?

— To ich na pewno nie zmartwi — wyjaśnił Harry. — Jeśli pomylę kominy, Dudley uzna to za wspaniały dowcip, proszę się nie przejmować.

— No dobrze... więc idziesz po Arturze — powiedziała pani Weasley. — Tylko pamiętaj, kiedy będziesz w płomieniach, powiedz wyraźnie, dokąd chcesz się udać...

— I trzymaj łokcie przy sobie — poradził mu Ron.

— I zamknij oczy — dodała pani Weasley. — Ta sadza...

— I uważaj — powiedział Ron — bo możesz wypaść ze złego komina...

— Ale nie panikuj i nie wyskakuj za wcześnie, poczekaj, aż zobaczysz Freda i George'a.

Starając się to wszystko zapamiętać, Harry zabrał szczyptę proszku Fiuu i podszedł do kominka. Wziął głęboki oddech, wrzucił proszek do ognia i wkroczył w płomienie. Nie poczuł wcale gorąca, tylko ciepły powiew. Otworzył usta i natychmiast połknął mnóstwo popiołu.

— U-u-ulica P-pokątna — wykrztusił.

Poczuł się tak, jakby jakaś potężna siła wessała go do otworu w gigantycznej wannie. Wydawało mu się, że obraca się z przerażającą szybkością... Uszy napełnił mu ogłuszający ryk... Starał się mieć oczy otwarte, ale od wirowania zielonych płomieni zrobiło mu się niedobrze... Coś uderzyło go w łokieć, więc przycisnął go mocno do boku, wciąż obracając się i obracając... Potem... jakby czyjeś zimne ręce zaczęły go chlastać po twarzy... Przez okulary zobaczył rozmazany rząd mijających go szybko kominków i pokojów za nimi... Kanapki z bekonem zaczęły mu niebezpiecznie wirować w brzuchu... Mimo woli zamknął ponownie oczy, a potem... spadł twarzą do przodu na zimne, kamienne palenisko, czując, że rozbija okulary.

Oszołomiony i potłuczony, cały pokryty sadzą, dźwignął się na nogi, przytrzymując na nosie połamane okulary. Był zupełnie sam, ale *gdzie* był, nie miał pojęcia. Wszystko wskazywało na to, że stoi przed kamiennym kominkiem w czymś, co wyglądało jak wielki, mroczny sklep czarodziejów — ale nie było w nim niczego, co mogłoby się kiedykolwiek znaleźć na liście pomocy szkolnych niezbędnych w Hogwarcie.

W pobliżu stała gablotka z wyschłą ludzką ręką spoczywającą na poduszce, a obok leżała poplamiona krwią talia kart i wytrzeszczone szklane oko. Ze ścian łypały wykrzywione złośliwie maski, na ladzie rozłożone były najróżniejsze ludzkie kości, a z sufitu zwieszały się jakieś szpikulce. Co gorzej, mroczna, wąska uliczka, którą Harry zobaczył przez zakurzone okno, na pewno nie była ulicą Pokątną.

Im szybciej się stąd wydostanie, tym lepiej. Nos wciąż bolał go nieznośnie od uderzenia w palenisko kominka, ale ruszył na palcach ku drzwiom. Zanim jednak przebył połowę drogi, za witryną sklepową pojawiły się dwie postacie — a jedna z nich była ostatnią osobą, jaką Harry chciałby spotkać, zwłaszcza że nie miał pojęcia, gdzie się znajduje, cały był ubabrany kopciem, a na nosie miał połamane okulary. Był to bowiem z całą pewnością Draco Malfoy.

Harry rozejrzał się szybko dookoła i dostrzegł wielką czarną szafę; szybko wskoczył do środka i zamknął za sobą drzwi, pozostawiając małą szparę, aby widzieć wnętrze sklepu. Kilka sekund później zadzwonił dzwonek przy drzwiach i wszedł Malfoy.

Mężczyzna, który mu towarzyszył, musiał być jego ojcem. Miał taką samą bladą, piegowatą twarz i identyczne zimne, szare oczy. Pan Malfoy przemierzył sklep, przyglądając się od niechcenia wyłożonym przedmiotom, wziął dzwonek z lady i zadzwonił nim parę razy, po czym odwrócił się do swojego syna i powiedział:

— Tylko niczego nie dotykaj.

Malfoy, który właśnie sięgał po szklane oko, odrzekł:

— Myślałem, że chcesz mi kupić jakiś prezent.

— Powiedziałem, że kupię ci wyścigową miotłę.

— Co mi po miotle, skoro nie jestem w drużynie? — zapytał Malfoy z nadąsaną miną. — W zeszłym roku Harry Potter dostał Nimbusa Dwa Tysiące. Za specjalnym pozwoleniem Dumbledore'a, żeby mógł grać w drużynie Gryffindoru. A wcale nie jest taki dobry, jest po prostu sławny... sławny z powodu tej głupiej blizny na czole...

Pochylił się, żeby obejrzeć półkę pełną czaszek.

— Każdy myśli, że on jest taki *mądry*... ten cudowny *Potter* ze swoją *blizną* i swoją *miotłą*...

— Mówiłeś mi to już przynajmniej z tuzin razy — powiedział pan Malfoy, mierząc syna krytycznym spojrzeniem — i muszę ci jeszcze raz przypomnieć: nie jest... rozsądne... sprawiać wrażenie, że się nie lubi Harry'ego Pottera, teraz, kiedy większość uznała go za bohatera, który sprawił, że Czarny Pan znowu zniknął... Ach, pan Borgin.

Za ladą pojawił się przygarbiony mężczyzna, odgarniając tłuste włosy z twarzy.

— Pan Malfoy... cóż za przyjemność widzieć pana znowu — przemówił pan Borgin głosem równie oleistym jak jego włosy. — To prawdziwa rozkosz... o... i młody panicz Malfoy... ach, jestem naprawdę oczarowany. Czym mogę panom służyć? Muszę panom pokazać coś zupełnie wyjątkowego, właśnie mi przywieźli, a cena jest naprawdę umiarkowana...

— Dzisiaj nie kupuję, panie Borgin, dzisiaj sprzedaję — oznajmił pan Malfoy.

— Sprzedaje pan? — Uśmiech na twarzy pana Borgina lekko przybladł.

— Na pewno pan słyszał, że ministerstwo przeprowadza coraz więcej inspekcji — rzekł pan Malfoy, wyjmując zwinięty pergamin z wewnętrznej kieszeni i rozwijając go tak, żeby pan Borgin mógł go przeczytać. — Mam w domu parę... ee... drobiazgów, które mogłyby sprawić mi pewien kłopot, gdyby ministerstwo...

Pan Borgin umieścił na nosie binokle i spojrzał na listę.

— Ale chyba ministerstwo nie zamierza pana niepokoić, sir?

Pan Malfoy wydął usta.

— Jeszcze mi nie złożono wizyty. Nazwisko Malfoy wciąż budzi pewien respekt. Ministerstwo robi się jednak coraz bardziej wścibskie. Krążą pogłoski o nowej Ustawie Tajności... Założę się, że stoi za tym ten pogryziony przez pchły, zakochany w mugolach głupiec, Artur Weasley...

Harry poczuł, jak ogarnia go fala gniewu.

— ...a jak pan widzi, niektóre z tych trucizn mogłyby się *wydać*...

— Ależ rozumiem, sir, oczywiście — powiedział pan Borgin. — Zaraz, popatrzmy...

— Mogę to dostać? — przerwał im Draco, wskazując na wyschniętą rękę na poduszce.

— Ach, to Ręka Glorii! — zawołał pan Borgin, przerywając badanie listy pana Malfoya i spiesząc w kierunku jego syna. — Wystarczy wetknąć świecę, a będzie świeciła tylko temu, kto trzyma rękę! Najlepszy przyjaciel złodziei i włamywaczy! Pański syn ma naprawdę dobry gust, sir.

— Mam nadzieję, że mój syn ma nieco większe ambicje, Borgin — powiedział chłodno pan Malfoy.

— Bez obrazy, sir, nie miałem nic złego na myśli...

— Chociaż jeśli będzie nadal dostawał takie stopnie jak dotąd — dodał pan Malfoy jeszcze chłodniejszym tonem — może się okazać, że to najodpowiedniejsze dla niego zajęcie.

— To nie moja wina — zaskrzeczał Draco. — Nauczyciele mają swoich pupilków... Ta Hermiona Granger...

— Powinieneś się wstydzić, że jakaś dziewczyna, której rodzice nie są czarodziejami, bije cię na głowę przy każdym egzaminie — warknął pan Malfoy.

— Ha! — szepnął do siebie Harry, ciesząc się, że ma możność oglądania Dracona Malfoya zbitego z tropu i jednocześnie wściekłego.

— Wszędzie to samo — przemówił pan Borgin swoim oleistym głosem. — Czysta krew coraz mniej się liczy...

— Nie dla mnie — oświadczył sucho pan Malfoy, a nozdrza mu poczerwieniały.

— Ani nie dla mnie, sir — zapewnił go pan Borgin z głębokim ukłonem.

— W takim razie może wrócimy do mojej listy. Trochę mi się spieszy, Borgin, mam dzisiaj ważną sprawę do załatwienia.

Zaczęli się targować. Harry obserwował z niepokojem Dracona, który zbliżał się niebezpiecznie do jego kryjówki, oglądając przedmioty wystawione na sprzedaż. Zatrzymał się przy długim sznurze wisielca, a potem z głupim uśmiechem odczytał kartkę przywiązaną do wspaniałego naszyjnika z opali: *Ostrożnie! Nie dotykać. Na kamieniach ciąży przekleństwo. Dotychczasowa liczba ofiar: dziewiętnastu mugoli.*

Draco odwrócił się i na wprost siebie zobaczył czarną szafę. Zbliżył się... wyciągnął rękę...

— Załatwione — rozległ się głos pana Malfoya. — Draconie, idziemy!

Harry otarł czoło rękawem.

— Do widzenia, Borgin, jutro oczekuję pana we dworze, zabierze pan te rzeczy.

Chwilę później drzwi się zamknęły, a pan Borgin natychmiast pozbył się swoich oleistych manier.

— Do widzenia, *panie* Malfoy, a jeśli to, co mówią, jest prawdą, nie sprzedał mi pan nawet połowy tego, co ukrywa pan w swoim *dworze*...

Mrucząc coś pod nosem, pan Borgin zniknął na zapleczu. Harry odczekał chwilę, bojąc się, że sprzedawca wróci, a potem wyślizgnął się cicho z szafy, minął szklane gabloty i szybko opuścił sklep.

Rozejrzał się, przytrzymując połamane okulary. Znajdował się w jakimś obskurnym zaułku ponurych sklepów, które mogły przyciągać jedynie adeptów czarnej magii. Ten, który właśnie opuścił, Borgin i Burkes, wyglądał na największy, ale naprzeciwko zobaczył brudną wystawę z wysuszonymi, skurczonymi głowami, a nieco dalej olbrzymią klatkę pełną wielkich czarnych pająków. W ciemnej bramie stało dwóch czarodziejów w wyświechtanych szatach, którzy przyglądali mu się podejrzliwie, szepcąc coś do siebie. Harry, czując się bardzo niepewnie, ruszył przed siebie z nadzieją, że jakoś się wydostanie.

Ze starej drewnianej tabliczki wiszącej nad sklepem sprzedającym zatrute świece dowiedział się, że znajduje się na ulicy Śmiertelnego Nokturnu, ale niewiele mu to powiedziało, bo nigdy o takim miejscu nie słyszał. Podejrzewał, że w kominku Weasleyów nie wymówił adresu dość wyraźnie, mając usta pełne popiołu. Starając się zachować spokój, zastanawiał się, co robić dalej.

— Chyba się nie zgubiłeś, kochasiu? — rozległ się tuż przy jego uchu głos, który sprawił, że aż podskoczył.

Stała przed nim sędziwa wiedźma trzymająca tacę pełną czegoś, co przypominało ludzkie paznokcie. Łypnęła na niego, ukazując omszałe zęby. Harry cofnął się.

— Dziękuję, wszystko w porządku — wyjąkał. — Ja tylko...

— HARRY! Cholibka, a co ty tutaj robisz?

Harry'emu serce zabiło mocno. Wiedźma również się wzdrygnęła, rozsypując masę paznokci u swoich stóp i miotając przekleństwa na widok masywnej postaci Hagrida, gajowego Hogwartu, który kroczył ku nim żwawo, a jego małe czarne oczy pobłyskiwały nad wielką rozczochraną brodą.

— Hagrid! — zachrypiał z ulgą Harry. — Zabłądziłem... Ten proszek Fiuu...

Hagrid chwycił Harry'ego za kark i odciągnął od wiedź-
my, wytrącając jej tacę z rąk. Jej wrzaski towarzyszyły im
przez całą ciemną, krętą uliczkę, dopóki nie wyszli na słońce.
Harry zobaczył w oddali znajomą śnieżnobiałą fasadę z mar-
muru: bank Gringotta. Hagrid wyprowadził go prosto na
ulicę Pokątną.

— Wyglądasz jak łachmyta! — gderał Hagrid, otrze-
pując Harry'ego z sadzy tak gwałtownie, że mało brakowało, a wepchnąłby go do beczki ze smoczym łajnem, stojącej
przed jakąś apteką. — Włóczyć się samemu po Nokturnie... daj spokój, Harry, przecież to parszywe miejsce...
Cholibka, jakby cię tak ktoś zobaczył...

— Zdałem sobie z tego sprawę — powiedział Harry,
uchylając się, bo Hagrid zamierzał wyczyścić go ponownie.
— Mówiłem ci już, zabłądziłem... A ty co tam właściwie
robiłeś?

— Szukałem skutecznego środka na ślimaki — zagrzmiał Hagrid. — Żerają mi całą sałatę. A ty co, chyba
nie jesteś sam?

— Jestem z Weasleyami, ale się rozdzieliliśmy. Muszę
ich odnaleźć...

Ruszyli razem w dół ulicy.

— Nie chciało się odpisać staremu Hagridowi, co? —
burknął olbrzym.

Harry musiał biec, żeby dotrzymać mu kroku (trzy jego
kroki na jeden krok Hagrida). W biegu opowiedział mu
o Zgredku i Dursleyach.

— Wredne mugole — warknął Hagrid. — Gdybym
wiedział...

— Harry! Harry! Tutaj!

Harry zobaczył Hermionę Granger stojącą na szczycie białych schodów wiodących do banku Gringotta. Zbiegła na dół, aby się z nimi spotkać; jej gęste brązowe włosy powiewały jak końska grzywa.

— Co się stało z twoimi okularami? Cześć, Hagrid... Och, cudownie jest was znowu zobaczyć... Idziesz do Gringotta, Harry?

— Najpierw muszę odnaleźć Weasleyów.

— I idę o zakład, że wiele czasu ci to nie zajmie — zauważył Hagrid.

Harry i Hermiona rozejrzeli się dookoła i po chwili zobaczyli Rona, Freda, George'a, Percy'ego i pana Weasleya spieszących ku nim zatłoczoną ulicą.

— Harry — wysapał pan Weasley — mieliśmy nadzieję, że poleciałeś tylko o jeden ruszt dalej... — Otarł z potu łysinę. — Molly wychodzi z siebie... o, już idzie.

— Gdzie wylądowałeś? — zapytał Ron.

— Na Nokturnie — odpowiedział za Harry'ego Hagrid.

— Fantastycznie! — zawołali razem Fred i George.

— Nam nigdy na to nie pozwolono — powiedział z zazdrością Ron.

— Ja myślę — zahuczał Hagrid.

Nadbiegła pani Weasley. Torebka dyndała jej w jednej ręce, drugą ciągnęła za sobą Ginny.

— Och, Harry... kochanie... mogłeś się zgubić...

Łapiąc z trudem oddech, wyciągnęła z torby wielką szczotkę do ubrań i zabrała się do tych miejsc na ubraniu Harry'ego, których nie zdołał oczyścić z sadzy Hagrid. Pan Weasley wziął okulary Harry'ego, stuknął w nie swoją różdżką i kiedy mu je oddał, były jak nowe.

— No, na mnie już czas — oznajmił Hagrid, którego pani Weasley wciąż trzymała za rękę („Nokturn! Gdybyś go nie spotkał, Hagridzie!"). — Do zobaczenia w Hogwarcie!

I odszedł wielkimi krokami, a jego ramiona i głowa wyrastały ponad tłum.

— Zgadnijcie, kogo widziałem u Borgina i Burkesa? — zapytał Harry Rona i Hermionę, kiedy szli po schodach do Gringotta. — Malfoya i jego ojca.

— Czy Lucjusz Malfoy coś kupił? — zapytał pan Weasley, idący za nimi.

— Nie, raczej sprzedawał.

— A więc strach go obleciał — powiedział pan Weasley z ponurą satysfakcją. — Och, tak bym chciał przyłapać na czymś Lucjusza Malfoya...

— Bądź ostrożny, Arturze — upomniała męża pani Weasley ostrym tonem, kiedy mijali kłaniającego się im nisko goblina. — Zawsze ci powtarzam, że nie warto porywać się z motyką na słońce.

— Więc uważasz, że nie mogę się mierzyć z Lucjuszem Malfoyem, tak? — oburzył się pan Weasley, ale w tym momencie jego uwagę pochłonął widok rodziców Hermiony, którzy stali przy kontuarze biegnącym przez całą długość marmurowej sali i czekali, aż Hermiona ich przedstawi. Wyglądali na lekko zdenerwowanych.

— Ojej, jesteście *mugolami*! — zawołał uradowany pan Weasley. — Musimy to oblać! Co was tutaj sprowadza? Ach, zmieniacie pieniądze mugoli... Molly, popatrz! — Wskazał na banknot dziesięciofuntowy w ręku pana Grangera.

— Spotkamy się tutaj, jak będziemy wracali — powiedział Ron Hermionie, kiedy pojawił się jeszcze jeden goblin, aby zaprowadzić Weasleyów i Harry'ego do ich skrytek w podziemiach banku.

Do skrytek jechało się małymi, prowadzonymi przez gobliny wózkami, które toczyły się po miniaturowych szynach labiryntem podziemnych tuneli. Harry'emu bardzo się podobała jazda z zawrotną szybkością do skrytki Weasleyów, ale poczuł się okropnie — chyba jeszcze gorzej niż na ulicy Śmiertelnego Nokturnu — kiedy ją otworzono. Wewnątrz była mała kupka srebrnych syklów i tylko jeden złoty galeon. Pani Weasley uważnie zbadała całą skrytkę, zanim zgarnęła wszystko, co w niej było, do torebki. Harry poczuł się jeszcze gorzej, kiedy dojechali do jego skarbca. Starał się zasłonić sobą wnętrze, pospiesznie wrzucając garście monet do skórzanej torby.

Na marmurowych schodach przed bankiem wszyscy się rozdzielili. Percy bąknął, że musi sobie kupić nowe pióro. Fred i George natknęli się na swojego przyjaciela z Hogwartu, Lee Jordana. Pani Weasley zabrała Ginny do sklepu z używanymi szatami. Pan Weasley nalegał, by Grangerowie skoczyli z nim na jednego do Dziurawego Kotła.

— Spotkamy się wszyscy za godzinę w księgarni Esy i Floresy, żeby wam kupić książki — powiedziała pani Weasley, zanim odeszła z Ginny. — Tylko żebyście mi nawet nie zaglądali na ulicę Śmiertelnego Nokturnu! — krzyknęła za oddalającymi się szybko bliźniakami.

Harry, Ron i Hermiona ruszyli krętą, brukowaną ulicą. Złote, srebrne i brązowe monety podzwaniały w kieszeni Harry'ego, domagając się wydania, więc kupił trzy wielkie truskawkowo-orzechowe lody, którymi się raczyli, spacerując po ulicy i przyglądając się fascynującym wystawom. Ron gapił się długo na komplet szat w barwach Armat Chudleya na wystawie MARKOWEGO SPRZĘTU DO QUIDDITCHA, póki ich Hermiona nie odciągnęła, żeby kupić obok atrament i pergamin. W CZARODZIEJSKICH NIESPODZIANKACH GAMBOLA i Japesa spotkali Freda, George'a i Lee Jordana, którzy oglądali „Słynny zestaw doktora Filibustera dla początkujących — zimne fajerwerki", a w maleńkim sklepiku, pełnym połamanych różdżek, rozklekotanych mosiężnych wag i starych, poplamionych eliksirami płaszczy znaleźli Percy'ego pochłoniętego niewielką, przeraźliwie nudną książką pod tytułem: *Prefekci, którzy zdobyli władzę.*

— *Studium prefektów Hogwartu i ich przyszłych karier* — przeczytał Ron na głos z tylnej okładki. — To brzmi fascynująco...

— Odwal się — warknął Percy.

— Jest bardzo ambitny, wszystko sobie zaplanował... chce zostać ministrem magii... — opowiadał Ron Harry'emu i Hermionie, kiedy zostawili Percy'ego sam na sam z marzeniami i książką.

Godzinę później szli już ku księgarni Esy i Floresy, a nie byli bynajmniej jedynymi osobami, które tam zmierzały. Kiedy podeszli bliżej, ku swojemu zaskoczeniu ujrzeli tłum, który kłębił się przy drzwiach, usiłując dostać się do środka. Powód tego niespodziewanego zainteresowania książkami stał się jasny, kiedy odczytali napis na wielkim transparencie biegnącym przez górne okna:

GILDEROY LOCKHART
będzie podpisywał egzemplarze swojej autobiografii

Moje magiczne ja

dzisiaj, od 12.30 do 16.30

— Możemy go zobaczyć! — zapiszczała Hermiona.

— Przecież to on jest autorem prawie wszystkich książek z naszej listy!

Tłum składał się głównie z czarownic w wieku pani Weasley. W drzwiach stał zafrasowany czarodziej, powtarzając:

— Spokojnie, moje panie... proszę się nie pchać... proszę uważać na książki... no proszę...

Harry, Ron i Hermiona wśliznęli się do środka. Długa kolejka wiła się przez cały sklep do miejsca, w którym Gilderoy Lockhart miał podpisywać swoją książkę. Każde z nich złapało egzemplarz *Jak pozbyć się upiora* i znalazło w ogonku resztę Weasleyów, stojących tam z panem i panią Granger.

— O, jesteście już, to dobrze — ucieszyła się pani Weasley. Była nieco zadyszana i nieustannie poprawiała włosy. — Za minutę go zobaczymy...

Gilderoy Lockhart pojawił się dostojnym krokiem, usiadł przy stoliku otoczonym swoimi wielkimi fotografiami, które mrugały i szczerzyły do publiczności olśniewająco białe zęby. Prawdziwy Lockhart miał na sobie wyjątkowo niebieską szatę, która wspaniale współgrała z jego oczami; spiczasta tiara czarodzieja, osadzona na pofalowanych włosach, była zawadiacko przekrzywiona.

Niski, wyglądający na drażliwego jegomość tańczył wokół stolika, robiąc zdjęcia wielkim czarnym aparatem, z którego za każdym naciśnięciem migawki strzelał oślepiający flesz i buchały kłęby purpurowego dymu.

— Z drogi, ty tam! — warknął na Rona, cofając się, żeby mieć lepsze ujęcie. — Pracuję dla „Proroka Codziennego".

— Też mi coś — mruknął Ron, rozcierając stopę, na którą mu nadepnął fotograf.

Gilderoy Lockhart to usłyszał. Spojrzał, zobaczył Rona — i wtedy zauważył Harry'ego. Wytrzeszczył oczy. A potem zerwał się na nogi i zawołał:

— Czy to możliwe? Harry Potter?

Tłum rozstąpił się, zaszumiało od podekscytowanych szeptów. Lockhart podbiegł, chwycił Harry'ego za ramię i wyciągnął na środek. Rozległy się oklaski i wiwaty. Harry zrobił się czerwony jak burak, kiedy Lockhart uścisnął mu dłoń i trzymał ją długo, potrząsając, żeby fotograf, który szalał wokoło, spowijając Weasleyów chmurą dymu, zrobił im zdjęcie.

— Miły uśmiech, Harry — powiedział Lockhart przez swoje olśniewające zęby. — Ty i ja warci jesteśmy pierwszej strony.

Kiedy w końcu puścił rękę Harry'ego, ten prawie nie czuł palców. Próbował wycofać się między Weasleyów, ale Lockhart zarzucił mu rękę na ramiona i przyciągnął do swego boku.

— Panie i panowie! — zawołał, uciszając tłum drugą ręką. — Cóż to za niezwykła chwila! Najlepsza chwila na złożenie pewnego oświadczenia, nad którym zastanawiałem się od pewnego czasu! Kiedy ten oto młodzieniec wkroczył dziś do Esów i Floresów, zamierzał jedynie kupić moją autobiografię, którą teraz chciałbym mu wręczyć... za darmo, rzecz jasna. — Tłum znowu okazał swoją radość. — Nie miał pojęcia — ciągnął Lockhart, wstrząsając Harrym, aż okulary zjechały mu na czubek nosa — że wkrótce otrzyma o wiele, o wiele więcej niż książkę *Moje magiczne ja*. On i jego koledzy szkolni naprawdę otrzymują moje prawdziwe, magiczne ja. Tak, panie i panowie, mam wielką przyjemność i zaszczyt oznajmić, że we wrześniu obejmuję stanowisko nauczyciela obrony przed czarną magią w Szkole Magii i Czarodziejstwa w Hogwarcie!

Jego słowa wywołały burzę oklasków i wiwatów, a Harry poczuł, że ktoś wkłada mu w dłonie cały stos dzieł wszystkich Gilderoya Lockharta. Słaniając się pod ich ciężarem, wycofał się z kręgu światła do ciemnego kąta księgarni, gdzie stała Ginny ze swoim nowym kociołkiem.

— Masz, to dla ciebie — wymamrotał Harry, wkładając książki do kociołka. — Ja sobie kupię...

— Ale podobało ci się, co, Potter? — usłyszał głos, który bez trudu rozpoznał.

Wyprostował się i stanął twarzą w twarz z Draconem Malfoyem, który jak zwykle uśmiechał się szyderczo.

— *Słynny* Harry Potter — powiedział Malfoy. — Nie może wejść nawet do księgarni, żeby nie trafić na pierwszą stronę.

— Daj mu spokój, on tego wszystkiego nie chce! — zawołała Ginny.

Po raz pierwszy przemówiła w obecności Harry'ego. Wpatrywała się w Malfoya, a oczy jej płonęły.

— Potter, widzę, że masz *dziewczynę*! — wycedził Malfoy.

Ginny poczerwieniała. Tymczasem przecisnęli się do nich Ron i Hermiona, oboje z naręczami książek Lockharta.

— Ach, to ty — powiedział Ron, patrząc na Malfoya jak na coś obrzydliwego, co przywarło mu do podeszwy. — Założę się, że zaskoczył cię widok Harry'ego tutaj, co?

— Nie aż tak, jak widok ciebie kupującego coś w sklepie, Weasley — odciął się Malfoy. — Twoi starzy musieli chyba z miesiąc głodować, żeby ci kupić tyle książek.

Ron zrobił się równie czerwony jak Ginny. Wrzucił swoje książki do kociołka i natarł na Malfoya, ale Harry i Hermiona złapali go w porę za marynarkę.

— Ron! — rozległ się głos pana Weasleya, który przedzierał się ku nim z Fredem i George'em. — Co ty wyrabiasz? Tu można zwariować, wychodzimy.

— No, no, no... Artur Weasley.

To był pan Malfoy. Stanął z ręką na ramieniu syna, uśmiechając się identycznie jak on.

— Witam, Lucjuszu — powitał go chłodno pan Weasley, skłoniwszy lekko głowę.

— Mówią, że macie dużo roboty w ministerstwie. Te wszystkie inspekcje, interwencje, rewizje... Mam nadzieję, że płacą wam za nadgodziny?

Sięgnął do kociołka Ginny i spośród błyszczących tomów Lockharta wyjął stary, zniszczony egzemplarz *Wprowadzenia do transmutacji dla początkujących*.

— Jak widać, chyba nie — oznajmił. — Powiedz mi, Weasley, jaką masz korzyść z hańbienia tytułu czarodzieja, skoro nawet ci za to dobrze nie płacą?

Pan Weasley poczerwieniał jeszcze bardziej niż Ron i Ginny.

— Mamy bardzo różne pojęcie tego, co hańbi czarodzieja, Malfoy — odpowiedział.

— Najwyraźniej — rzekł pan Malfoy, kierując swoje blade oczy na pana i panią Granger, którzy przyglądali mu się uważnie. — To towarzystwo, w którym przebywasz, Weasley... A ja myślałem, że twoja rodzina nie może już stoczyć się niżej...

Kociołek Ginny przewrócił się z łoskotem, kiedy pan Weasley rzucił się na pana Malfoya, popychając go na półkę z książkami. Tuziny ciężkich ksiąg z zaklęciami zwaliły się wszystkim na głowy, Fred i George wrzasnęli: „Dołóż mu, tato!", pani Weasley krzyknęła: „Nie, Arturze, nie!", tłum cofnął się gwałtownie, zwalając kilka następnych półek z książkami, jeden ze sprzedawców zawołał: „Panowie, proszę... proszę!" — a po chwili ponad tym wszystkim zagrzmiał głos: „Dość tego, chłopaki, dość tej bójki..."

Przez morze książek kroczył ku nim Hagrid. W jednej chwili rozdzielił pana Weasleya i pana Malfoya. Pan Weasley miał rozciętą wargę, a pan Malfoy miał oko podbite przez opasły tom *Encyklopedii muchomorów*. Wciąż trzymał wyświechtany podręcznik transmutacji. Odrzucił go, oczy mu płonęły złością.

— Proszę... oto twoja książka, dziewczyno... najlepsza, na jaką stać twojego ojca...

Wyrwał się z uścisku Hagrida, skinął na syna i obaj opuścili księgarnię.

— Trzeba go było potraktować jak zdechłego szczura, Arturze — rzekł Hagrid, prawie unosząc pana Weasleya w powietrze, podczas gdy ten usiłował doprowadzić się do porządku. — To parszywe zgniłki, wszyscy o tym wiedzą. Pamiętaj, jak któryś z Malfoyów coś do ciebie mówi, to go nawet nie słuchaj. Zła krew, ot co. No dobra, zabierajmy się stąd.

Sprzedawca sprawiał wrażenie, jakby chciał ich zatrzymać, ale sięgał Hagridowi zaledwie do pasa, więc chyba się rozmyślił. Wyszli na ulicę; Grangerowie trzęśli się ze strachu, a pani Weasley dygotała z furii.

— *Wspaniały* przykład dla dzieci... brać udział w *bijatyce* w miejscu publicznym... co sobie musiał pomyśleć Gilderoy Lockhart...

— Był zachwycony — powiedział Fred. — Nie słyszałaś, co mówił, jak wychodziliśmy? Prosił tego faceta z „Proroka Codziennego", żeby wspomniał o tej bójce w swoim sprawozdaniu... to przecież świetna reklama...

Ale wszyscy mieli dość markotne miny, kiedy dotarli do Dziurawego Kotła, gdzie znaleźli kominek, którym Harry i Weasleyowie mieli powrócić do Nory za pomocą proszku Fiuu. Pożegnali się z Grangerami, którzy przez pub wracali do świata mugoli. Pan Weasley zaczął ich wypytywać, jak działają przystanki autobusowe, ale szybko umilkł, kiedy spojrzał na swoją żonę.

Przed użyciem proszku Fiuu Harry zdjął okulary i włożył do kieszeni. Jednego był pewien: to nie był jego ulubiony sposób podróżowania.

ROZDZIAŁ PIĄTY

Wierzba bijąca

Koniec letnich wakacji zbliżał się nieuchronnie — dla Harry'ego o wiele za szybko. Tęsknił za powrotem do Hogwartu, ale miesiąc spędzony w Norze był najszczęśliwszym okresem w jego życiu. Trudno mu było nie zazdrościć Ronowi, kiedy myślał o Dursleyach, i o powitaniu, jakie go czeka, gdy następnym razem zawita na Privet Drive.

Nadszedł ostatni wieczór. Pani Weasley przygotowała wspaniałą kolację, a na koniec podała ulubiony deser Harry'ego, karmelowy budyń. Fred i George uświetnili wieczór pokazem sztucznych ogni doktora Filibustera: cała kuchnia wypełniła się czerwonymi i niebieskimi gwiazdami, które przynajmniej przez godzinę odbijały się od sufitu i ścian. W końcu przyszedł czas na ostatni kubek gorącej czekolady i trzeba było kłaść się spać.

Następnego ranka dość długo trwało, zanim byli gotowi do drogi. Wstali o pianiu koguta, ale jakoś wciąż było coś do zrobienia. Pani Weasley miotała się po domu w ponurym nastroju, szukając zapasowych skarpetek i piór, wszyscy co chwila wpadali na siebie na schodach, w niekompletnych strojach i z kawałkami tostów w rękach, a pan Weasley cudem uniknął złamania nogi, kiedy dźwigając przez podwórko kufer Ginny, potknął się o samotnego kurczaka.

Harry nie mógł sobie wyobrazić, w jaki sposób w jednym małym samochodzie zmieści się osiem osób, sześć kufrów, dwie sowy i szczur. Nie wiedział, rzecz jasna, że pan Weasley wyposażył swojego forda anglię w kilka nowych wynalazków.

— Molly nie musi o tym wiedzieć — szepnął do Harry'ego, otwierając bagażnik, który powiększył się w zaczarowany sposób tak, że wszystkie kufry zmieściły się bez trudu.

W końcu wszyscy zapakowali się do samochodu. Pani Weasley zerknęła do tyłu, gdzie Harry, Ron, Fred, George i Percy siedzieli zupełnie wygodnie, i powiedziała:

— Ci mugole chyba potrafią więcej, niż nam się wydaje.

— Ona i Ginny zajęły przednie siedzenie, obok kierowcy, które rozciągnęło się tak, że przypominało ławkę z parku.

— Jak się patrzy z zewnątrz, nie ma się pojęcia, że w środku jest tyle miejsca, prawda?

Pan Weasley uruchomił silnik i wyjechali na drogę. Harry odwrócił się, żeby rzucić ostatnie spojrzenie na Norę, ale nie miał czasu pomyśleć, kiedy tu wróci, bo samochód cofnął się na podwórko: George zapomniał swojego pudła ze sztucznymi ogniami doktora Filibustera. Pięć minut później zatrzymali się ponownie, tym razem jeszcze przed bramą, żeby Fred mógł pobiec do domu po swoją różdżkę. Już byli na szosie, kiedy Ginny jęknęła, że zostawiła swój pamiętnik. Kiedy w końcu wgramoliła się do samochodu, było już trochę późno i wszyscy zaczęli się denerwować.

Pan Weasley spojrzał na zegarek, a potem na swoją żonę.

— Molly, kochanie...

— NIE, Arturze.

— Nikt nie zobaczy. Ten mały guzik to Dopalacz Niewidzialności... raz dwa wzbijemy się ponad chmury... i będziemy za dziesięć minut na miejscu, a nikt nie będzie na tyle mądry, żeby...

— Powiedziałam NIE, Arturze. Nie w biały dzień.

Na King's Cross dotarli kwadrans przed jedenastą. Pan Weasley pobiegł przez ulicę, żeby przyprowadzić wózki bagażowe i wszyscy popędzili na dworzec.

Harry podróżował już ekspresem do Hogwartu w ubiegłym roku. Sztuczka polegała na tym, żeby dostać się na peron numer dziewięć i trzy czwarte, który dla mugoli był niewidzialny. Wystarczyło iść prosto na solidną żelazną barierkę oddzielającą perony dziewiąty i dziesiąty. To nie bolało, ale trzeba było uważać, żeby mugole nie zauważyli, jak się znika.

— Najpierw Percy — oznajmiła pani Weasley, zerkając nerwowo na wielki zegar nad głową, który pokazywał, że mają tylko pięć minut, żeby niepostrzeżenie zniknąć za barierką.

Percy ruszył śmiało prosto na żelazną barierkę i zniknął. Następnie zniknął pan Weasley, a po nim Fred i George.

— Ja wezmę Ginny, a wy dwaj pójdziecie po nas — powiedziała pani Weasley, chwytając Ginny za rękę i idąc w stronę barierki. Po chwili już ich nie było.

— Idziemy razem, mamy tylko minutę — powiedział Ron do Harry'ego.

Harry upewnił się, że klatka z Hedwigą spoczywa bezpiecznie na szczycie kufra i ustawił swój wózek naprzeciw barierki. Czuł się dość pewnie; to, co miał zrobić, było o wiele łatwiejsze od podróżowania za pomocą proszku Fiuu. Obaj pochylili się nisko nad rączkami wózków i ruszyli w stronę bariery, nabierając rozpędu. Kilka kroków przed nią przyspieszyli i...

ŁUUP.

Oba wózki uderzyły w barierkę i odbiły się od niej z łoskotem. Wózek Rona odskoczył na bok, Harry został zwalony z nóg, a klatka z Hedwigą spadła z wózka i pomknęła po śliskiej posadzce, co spotkało się z gwałtownym i bardzo głośnym sprzeciwem przerażonej sowy. Cała ta scena wzbudziła, rzecz jasna, ogólne zainteresowanie, więc natychmiast pojawił się strażnik, który ryknął:

— Co wy tu wyprawiacie, szczeniaki?

— Straciłem panowanie nad wózkiem — wyjąkał Harry, podnosząc się i obmacując żebra.

Ron pobiegł po Hedwigę, która robiła taki raban, że rozległy się głosy ostro potępiające znęcanie się nad zwierzętami.

— Dlaczego nie udało nam się przejść? — syknął Harry do Rona.

— Nie wiem...

Ron rozejrzał się. Z tuzin mugoli wciąż im się przyglądało.

— Spóźnimy się na pociąg — szepnął. — Nie rozumiem, dlaczego przejście się nie otworzyło...

Harry spojrzał na olbrzymi zegar i poczuł niemiły ucisk w żołądku. Dziesięć sekund... dziewięć sekund...

Odciągnął wózek, ustawił go dokładnie pod kątem prostym do barierki i popchnął z całej siły. Żelazo nie puściło. Trzy sekundy... dwie sekundy... jedna sekunda...

— Odjechał — powiedział Ron z niedowierzaniem. — Pociąg odjechał. Co będzie, jak mama i tata nie będą mogli do nas wrócić? Masz jakieś pieniądze mugoli?

Harry roześmiał się ponuro.

— Od sześciu lat nie dostałem od Dursleyów ani pensa.

Ron przycisnął ucho do zimnej barierki.

— Nic nie słychać. I co teraz zrobimy? Nie mam pojęcia, kiedy starzy stamtąd wrócą.

Rozejrzeli się. Ludzie wciąż się na nich gapili, głównie dlatego, że Hedwiga skrzeczała, jakby ją odzierano z piór.

— Lepiej stąd wyjdźmy i poczekajmy przy samochodzie — powiedział Harry. — Wzbudzamy zbyt duże zaintere...

— Harry! — przerwał mu Ron, a oczy mu zapłonęły.

— Samochód!

— Co z samochodem?

— Możemy nim polecieć do Hogwartu!

— Ale... myślałem, że...

— Uwięźliśmy tu, prawda? I musimy dostać się do szkoły, tak? A nawet małoletni czarodziej może użyć czarów w nagłych wypadkach, paragraf dziewiętnasty czy coś koło tego tej tam ustawy o tajności...

Panika opuściła Harry'ego; zamiast niej poczuł prawdziwe podniecenie.

— Potrafisz tym latać?

— Nie ma problemu — odrzekł Ron, kierując wózek do wyjścia. — Chodź, jak się pospieszymy, to dogonimy ekspres do Hogwartu.

I pomaszerowali do wyjścia przez tłum zaciekawionych mugoli, a potem ku bocznej uliczce, na której był zaparkowany stary ford anglia.

Ron otworzył przepastny bagażnik, stukając kilka razy różdżką w pokrywę. Trwało to dość długo, ale w końcu wtaszczyli kufry do środka, postawili klatkę z Hedwigą na tylnym siedzeniu, a sami wsiedli z przodu.

— Zobacz, czy ktoś się nie gapi — powiedział Ron, włączając zapłon różdżką.

Harry wytknął głowę przez okno: na głównej ulicy ruch był nadal duży, ale w okolicy nie zauważył nikogo.

— W porządku.

Ron nacisnął srebrny guzik na tablicy rozdzielczej. Samochód nagle zniknął — i oni też. Harry czuł wibrację fotela, słyszał ryk silnika, czuł własne ręce na kolanach i okulary na nosie, ale odnosił wrażenie, że zamienił się w parę oczu unoszących się kilka stóp nad ziemią na obskurnej uliczce pełnej zaparkowanych samochodów.

— Startujemy — usłyszał z prawej strony głos Rona.

Obdrapane domy po obu stronach nagle uciekły w dół, a po kilku sekundach ujrzeli pod sobą Londyn, zadymiony i połyskujący. A potem coś strzeliło i zobaczyli samochód i siebie.

— A niech to!... — krzyknął Ron, uderzając w guzik Dopalacza Niewidzialności. — Coś tu nie gra...

Nagle samochód zniknął... ale tylko na chwilę, bo po chwili pojawił się ponownie.

— Naciskaj na guzik! — ryknął Ron i z całej siły przydepnął pedał gazu.

Wystrzelili prosto w niskie, wełniste chmury. Otoczyła ich gęsta mgła.

— Co teraz? — zapytał Harry, mrugając rozpaczliwie, jakby w ten sposób można było przebić wzrokiem chmurę.

— Musimy zobaczyć pociąg, żeby wiedzieć, w którą stronę lecieć — odpowiedział Ron.

— Zanurkuj... szybko...

Opadli poniżej poziomu chmur i zaczęli się wiercić na siedzeniach, żeby coś zobaczyć w dole...

— Widzę! — krzyknął Harry. — Przed nami... tam!

Ekspres do Hogwartu wił się pod nimi jak szkarłatny wąż.

— Jedzie na północ — powiedział Ron, zerkając na kompas na tablicy rozdzielczej. — W porządku, trzeba po prostu sprawdzać kierunek co pół godziny. Nie puszczaj tego guzika...

I znowu wystrzelili w chmury. W chwilę później wynurzyli się z nich w pełnię blasku słońca.

Znaleźli się w zupełnie innym świecie. Koła samochodu muskały powierzchnię kędzierzawych chmur, niebo było nieskończoną niebieskością, słońce oślepiającą bielą.

— Teraz musimy tylko uważać na samoloty — mruknął Ron.

Popatrzyli na siebie i wybuchnęli śmiechem; śmiali się i śmiali, nie mogąc przestać.

Poczuli się tak, jakby razem zapadli w jakiś bajkowy sen. To jest dopiero podróż, pomyślał Harry, mknąc ponad wąwozami i kopułami śnieżnobiałych chmur w samochodzie pełnym gorącego, jasnego blasku słońca, z pękatą torebką toffi w schowku, wyobrażając sobie zazdrość na twarzach Freda i George'a, kiedy oni wylądują gładko na łące przy zamku Hogwart.

Co jakiś czas nurkowali w dół, żeby sprawdzić, czy lecą w dobrym kierunku. Za każdym razem, kiedy wynurzali się z chmur, pojawiał się inny widok. Wkrótce pozostawili za sobą Londyn, a zobaczyli schludne zielone pola, potem rozległe fiołkowe wrzosowiska, wioski z maleńkimi kościołami i jakieś wielkie miasto, w którym maleńkie samochodziki roiły się jak wielobarwne mrówki.

Kilka godzin później Harry doszedł do wniosku, że nie jest już tak fajnie, jak na początku. Po zjedzeniu torebki toffi okropnie chciało im się pić. Pozdejmowali bluzy, ale i tak koszulka Harry'ego kleiła się do oparcia, a okulary wciąż zjeżdżały mu na czubek spoconego nosa. Przestał zwracać uwagę na fantastyczne kształty obłoków i z tęsknotą myślał o pociągu sunącym po szynach całe mile pod nimi, w którym można było kupić sobie zimnego soku z dyni od zażywnej czarownicy z bufetowym wózkiem. *Dlaczego* nie udało im się dostać na peron numer dziewięć i trzy czwarte?

— Chyba już blisko, co? — zachrypiał Ron parę godzin później, gdy słońce zaczęło chować się pod chmury, barwiąc je czerwienią i fioletem. — Uwaga, nurkujemy!

Pociąg wciąż był pod nimi, posuwając się po krętym torze między ośnieżonymi szczytami gór. Pod baldachimem chmur było o wiele ciemniej.

Ron nacisnął pedał gazu i znowu wznieśli się ponad chmury, ale tym razem silnik zaczął dziwnie wyć.

Wymienili zaniepokojone spojrzenia.

— Prawdopodobnie się zmęczył — powiedział Ron.

— Tak daleko nikt nim jeszcze nie jeździł...

I obaj zaczęli udawać, że nie słyszą coraz głośniejszego wycia silnika i nie widzą, że robi się coraz ciemniej. Na czarnym niebie pojawiły się gwiazdy. Harry włożył bluzę, starając się nie zwracać uwagi na to, że wycieraczki poruszają się coraz wolniej, jakby miały już dość.

— Już niedaleko — powiedział Ron, bardziej do samochodu niż do Harry'ego, i kilka razy stuknął palcami w tablicę rozdzielczą.

— Tam! — ryknął Harry tak, że Ron i Hedwiga podskoczyli. — Przed nami!

Na tle ciemnego horyzontu, na szczycie urwiska nad jeziorem zamajaczyły wieżyczki i baszty zamku Hogwart.

Samochód zaczął dygotać i wyraźnie tracił prędkość.

— No, jeszcze trochę — powiedział Ron błagalnym

tonem, lekko szarpiąc kierownicą. — Już prawie jesteśmy na miejscu... jeszcze trochę...

Silnik jęknął. Spod maski tryskały gejzery pary. Harry bezwiednie wpił palce w brzegi siedzenia, widząc, jak jezioro zaczyna się przybliżać.

Samochód szarpnął nieprzyjemnie. Wyglądając przez okno, Harry ujrzał pod sobą gładką, czarną, szklistą powierzchnię wody. Zaciśnięte na kierownicy palce Rona zrobiły się białe. Samochód ponownie szarpnął.

— Błagam — jęknął Ron przez zaciśnięte zęby.

Byli nad jeziorem... zamek czerniał tuż przed nimi... Ron nacisnął pedał.

Silnik strzelił, zakrztusił się i ucichł na dobre.

— Och — stęknął Ron w głuchej ciszy.

Przód samochodu zanurkował w dół. Spadali, nabierając szybkości, prosto w masywny mur zamku.

— NIEEEEE! — ryknął Ron, gwałtownie obracając kierownicą.

Prawie się otarli o kamienny mur, kiedy samochód zatoczył wielki łuk i poszybował nad ciemnymi cieplarniami, potem nad grządkami warzyw i nad czarnymi trawnikami, przez cały czas tracąc wysokość.

Ron puścił kierownicę i wyciągnął różdżkę z tylnej kieszeni spodni.

— STOP! STOP! — wrzasnął, waląc różdżką w tablicę rozdzielczą i przednią szybę, ale wciąż spadali, a ziemia zbliżała się ku nim z przerażającą szybkością.

— UWAGA! DRZEWO! — zawył Harry, wyciągając rękę do kierownicy, ale było już za późno...

ŁUUP.

Samochód uderzył w pień drzewa z ogłuszającym łoskotem i runął na ziemię. Spod rozdartej maski buchała para,

Hedwiga wrzeszczała ze strachu, na czole Harry'ego pulsował guz wielkości piłki golfowej, a na prawo od niego cicho pojękiwał Ron.

— Nic ci nie jest? — zapytał Harry.

— Moja różdżka — wyjąkał Ron. — Spójrz na moją różdżkę.

Różdżka złamała się prawie na pół; koniec zwisał żałośnie na paru drzazgach.

Harry otworzył usta, żeby powiedzieć, że w szkole na pewno uda się ją naprawić, ale nie wypowiedział ani jednego słowa. W tym samym momencie coś rąbnęło w bok samochodu z siłą szarżującego byka, a kiedy ukradkiem zerknął na Rona, kolejny, równie potężny cios ugodził w dach.

— Co to było?

Przerażony Ron wciągnął głośno powietrze i wytrzeszczył oczy, a Harry odwrócił głowę akurat, by zobaczyć, jak gałąź grubości pytona uderza w przednią szybę. Zaatakowało ich drzewo, na które wpadli. Pień przygiął się nisko, a sękate gałęzie waliły w samochód, gdzie tylko mogły go dosięgnąć.

— Aaaach! — wydyszał Ron, kiedy następna powykrzywiana gałąź zrobiła duże wygięcie w drzwiach od jego strony. Szyba przednia dygotała od serii uderzeń twardych jak knykcie gałązek, a gruby jak taran konar walił z furią w dach, który uginał się niebezpiecznie...

— Uciekamy! — krzyknął Ron, rzucając się na drzwi całym ciężarem.

W następnej chwili znalazł się w ramionach Harry'ego, odrzucony przez kolejne potężne uderzenie.

— Już po nas! — jęknął, gdy dach wygiął się złowieszczo.

Nagle poczuli wibrację pod stopami — silnik ponownie zaskoczył.

— DO TYŁU! — ryknął Harry i samochód cofnął się gwałtownie.

Drzewo nadal próbowało ich dosięgnąć; słyszeli okropne trzeszczenie korzeni, gdy cały pień wyciągnął się ku nim drapieżnie, chlaszcząc gałęziami w powietrzu. Byli już jednak poza ich zasięgiem.

— Mało brakowało — wysapał Ron. — Dobra robota, samochodziku.

Był to jednak ostatni, bohaterski wyczyn starego forda. Silnik strzelił dwukrotnie, drzwi się otworzyły, Harry poczuł, jak jego fotel chwieje się gwałtownie, a w następnej chwili leżał już na wilgotnej murawie. Bagażnik wyrzucał z siebie kufry, które lądowały na trawie z głuchym grzmotem. Klatka z Hedwigą zatoczyła wielki łuk w powietrzu i otworzyła się, spadając na ziemię, a sowa zaskrzeczała ze złością i poszybowała w stronę zamku, nie oglądając się za siebie. A pogięty, obdrapany i zionący parą samochód potoczył się w ciemność z okropnym zgrzytem, jękiem i dudnieniem. Tylne światła zamrugały gniewnie.

— Wracaj! — krzyknął Ron, wymachując swoją połamaną różdżką. — Tata mnie zabije!

Ale samochód po raz ostatni strzelił z rury wydechowej i zniknął im z oczu.

— Możesz uwierzyć w takiego pecha? — zapytał Ron, schylając się po swojego szczura Parszywka. — Tyle tu drzew, a musieliśmy rąbnąć akurat w takie, które się wścieka i oddaje?

Spojrzał przez ramię na prastare drzewo, które wciąż wymachiwało groźnie gałęziami.

— Chodź — powiedział Harry markotnie. — Musimy jak najszybciej znaleźć się w szkole.

Nie był to wcale ów triumfalny powrót, który obaj sobie wymarzyli. Poobijani i zziębnięci powlekli swoje kufry po trawiastym zboczu, ku dębowym wrotom zamku.

— Uczta pewnie już się zaczęła — mruknął Ron, rzucając swój kufer u stóp frontowych schodów i podchodząc, by spojrzeć przez jasno oświetlone okna. — Hej, Harry, zobacz... ceremonia Przydziału!

Harry podbiegł do niego i razem zajrzeli do Wielkiej Sali. Niezliczone świece wisiały w powietrzu nad czterema długimi stołami, zastawionymi roziskrzonymi złotymi talerzami i pucharami. A wyżej zaczarowane sklepienie, które zawsze odzwierciedlało niebo, jarzyło się miriadami gwiazd.

Ponad lasem czarnych spiczastych tiar na głowach uczniów Harry zobaczył wystraszonych pierwszoroczniaków wchodzących do sali. Była wśród nich Ginny, której trudno było nie zauważyć z powodu płomienistych włosów. Tymczasem profesor McGonagall, w okularach i z włosami splecionymi w ciasny kok, kładła już na stoliku słynną Tiarę Przydziału.

Rok w rok ów stary kapelusz, połatany, wystrzępiony i brudny, dzielił nowych uczniów na cztery domy Hogwartu (Gryffindor, Hufflepuff, Ravenclaw i Slytherin). Harry dobrze pamiętał chwilę — a było to dokładnie rok temu — w której włożył Tiarę Przydziału i zamarł w oczekiwaniu na decyzję, słysząc jej mamrotanie w uszach. Przez kilka strasznych chwil lękał się, że dostanie przydział do Slytherinu, domu, z którego wyszło najwięcej czarnoksiężników i wiedźm w dziejach Hogwartu, ale na szczęście trafił do Gryffindoru, razem z Ronem, Hermioną i resztą Weasleyów. W ostatnim semetrze Harry i Ron pomogli Gryfonom zdobyć Puchar Domów, zwyciężając Ślizgonów po raz pierwszy od siedmiu lat.

Właśnie wywołano małego chłopca o mysich włosach. Harry wyłowił spojrzeniem profesora Dumbledore'a, dyrektora Hogwartu, który obserwował ceremonię Przydziału zza stołu nauczycielskiego. Jego długa srebrna broda i okulary-połówki jaśniały w blasku świec. Kilka krzeseł dalej siedział Gilderoy Lockhart w akwamarynowej szacie. A na końcu stołu rozpierał się Hagrid, olbrzymi i włochaty, popijając ze swojego pucharu.

— Trzymaj się, bo spadniesz... — mruknął Harry do Rona. — Przy stole nauczycielskim jest puste miejsce... Gdzie jest Snape?

Severus Snape był najmniej przez Harry'ego lubianym profesorem, a tak się składało, że Harry był uczniem najmniej lubianym przez Snape'a. Złośliwy, sarkastyczny i powszechnie znienawidzony profesor Snape nauczał eliksirów.

— Może jest chory! — szepnął Ron z nadzieją.

— Może sam odszedł — mruknął Harry — bo znowu nie dali mu obrony przed czarną magią!

— Albo może go wylali! — zawołał Ron. — Przecież nikt go nie znosi, więc...

— A może — rozległ się lodowaty głos tuż za nimi — czeka, żeby usłyszeć, dlaczego wy dwaj nie przyjechaliście pociągiem razem z innymi.

Harry odwrócił się gwałtownie. Przed nimi, w czarnej todze falującej w chłodnym wietrze, stał Severus Snape. Był to chudy mężczyzna o pożółkłej cerze, z haczykowatym nosem i tłustymi, sięgającymi ramion czarnymi włosami. W tym akurat momencie uśmiechał się w sposób, który Harry i Ron rozszyfrowali natychmiast. Znaleźli się w poważnych kłopotach.

— Za mną — warknął Snape.

Nie śmiejąc nawet wymienić spojrzeń, poszli za nim schodami do oświetlonej pochodniami sali wejściowej, rozbrzmiewającej echem ich kroków. Rozkoszna woń potraw napływała z Wielkiej Sali, ale Snape szybko wyprowadził ich z kręgu światła i ciepła, schodząc wąskimi kamiennymi schodkami w dół, do lochów.

— Do środka! — rozkazał, otwierając jakieś drzwi w połowie zimnego korytarza.

Weszli do gabinetu Snape'a, trzęsąc się z zimna i strachu. Na ciemnych półkach wzdłuż ścian stały rzędy szklanych słojów, a temu, co w nich pływało, Harry wolał się w tym momencie nie przyglądać. W kominku nie płonął ogień. Snape zamknął drzwi, odwrócił się i zmierzył ich zimnym spojrzeniem.

— A więc — zaczął niemal łagodnie — słynny Harry Potter i jego wierny towarzysz Weasley gardzą czymś tak przyziemnym jak pociąg, co? Chcieliście pojawić się tutaj z wielkim hukiem, tak?

— Nie, panie profesorze, tylko ta barierka na King's Cross...

— Milczeć! Co zrobiliście z samochodem?

Ron przełknął ślinę. Nie po raz pierwszy Snape zrobił na Harrym wrażenie człowieka, który czyta w cudzych myślach. Chwilę później zrozumiał wszystko, kiedy Snape potrząsnął im przed nosem ostatnim numerem „Proroka Wieczornego".

— Widziano was — syknął, wskazując na wielki tytuł na pierwszej stronie: LATAJĄCY FORD ANGLIA BUDZI SENSACJĘ WŚRÓD MUGOLI.

I zaczął czytać na głos:

— *Dwóch mugoli w Londynie utrzymuje, że widziało*

stary samochód przelatujący nad wieżą Poczty Głównej...
w południe, w Norfolku, pani Hetty Bayliss, wieszając bieliznę...
pan Angus Fleet z Peebles zgłosił policji... razem sześciu
lub siedmiu mugoli. O ile dobrze pamiętam, twój ojciec
pracuje w Urzędzie Niewłaściwego Użycia Produktów mugoli, tak? — zapytał, patrząc na Rona i uśmiechając się
jeszcze bardziej jadowicie. — No, no, no... jego własny
syn...

Harry poczuł się tak, jakby jedna z grubszych gałęzi
wściekłego drzewa wymierzyła mu właśnie cios prosto w żołądek. Jeśli ktoś się dowie, że pan Weasley zaczarował
samochód...

— Przeszukując park, zauważyłem, że bardzo cenna
wierzba bijąca została poważnie uszkodzona — ciągnął
Snape.

— To drzewo bardziej uszkodziło nas... — wymamrotał Ron.

— Milczeć! — warknął ponownie Snape. — Niestety, nie jesteście w moim domu i nie do mnie należy decyzja
o wyrzuceniu was ze szkoły. Teraz pójdę i sprowadzę kogoś,
kto ma taką władzę. A wy tutaj poczekacie.

Harry i Ron spojrzeli po sobie; obaj byli biali jak papier.
Harry przestał odczuwać głód. Było mu po prostu niedobrze. Starał się nie patrzeć na coś wielkiego i obślizgłego zawieszonego w zielonkawym płynie w słoju na półce
tuż za biurkiem Snape'a. Jeśli Snape przyprowadzi profesor
McGonagall, opiekunkę Gryffindoru, ich sytuacja wcale się
nie polepszy. Była od niego bardziej sprawiedliwa, ale była
też bardzo surowa.

Dziesięć minut później wrócił Snape, a osobą, która mu
towarzyszyła, była profesor McGonagall. Harry już nieraz
widział ją rozgniewaną, ale albo zapomniał, jak bardzo

mogą zwęzić się jej usta, albo jeszcze nie widział jej naprawdę rozwścieczonej. Gdy tylko weszła, uniosła różdżkę. Harry i Ron cofnęli się, przerażeni, ale ona tylko wskazała nią na kominek, w którym natychmiast buchnął ogień.

— Siadajcie — powiedziała, a oni zapadli się w fotele przy kominku.

— Czekam na wyjaśnienia — powiedziała, a jej okulary błysnęły złowieszczo.

Ron zaczął opowiadać, zaczynając od przygody z barierką, która nie chciała ich przepuścić.

— ...więc nie mieliśmy wyboru, pani profesor, nie mogliśmy się dostać do pociągu.

— Dlaczego nie wysłaliście listu przez sowę? *Ty* chyba masz sowę, co? — zwróciła się do Harry'ego.

Harry wytrzeszczył na nią oczy i otworzył usta. Teraz, kiedy to usłyszał, wydało się to tak oczywiste...

— Ja... ja nie pomyślałem...

— No właśnie — stwierdziła chłodno profesor McGonagall.

Rozległo się pukanie do drzwi i Snape, wyraźnie uradowany, podszedł, aby je otworzyć. Do gabinetu wkroczył profesor Dumbledore.

Harry poczuł, że drętwieje mu całe ciało. Dumbledore miał niezwykle poważną minę. Spojrzał na nich z góry, a Harry nagle stwierdził, że wolałby nadal tkwić w objęciach bijącej wierzby.

Zapadło długie milczenie, a potem Dumbledore powiedział:

— Proszę mi wyjaśnić, dlaczego to zrobiliście.

Byłoby lepiej, gdyby krzyczał. Harry'emu bardzo się nie podobała nuta zawodu w jego głosie. Nie był w stanie spojrzeć mu w oczy, więc przemówił do swoich kolan.

Opowiedział wszystko, zatajając tylko, do kogo należał zaczarowany samochód, dając do zrozumienia, że on i Ron po prostu znaleźli jakiś latający samochód zaparkowany w pobliżu dworca. Wiedział, że Dumbledore natychmiast zorientuje się, że to lipa, ale dyrektor nawet nie zapytał o samochód. Kiedy Harry skończył, przypatrywał im się długo przez okulary.

— Pójdziemy zabrać swoje rzeczy — powiedział Ron bez cienia nadziei.

— O czym ty mówisz, Weasley? — warknęła profesor McGonagall.

— No przecież wylatujemy ze szkoły, prawda?

— Nie dzisiaj, panie Weasley — powiedział Dumbledore. — Musi jednak do was obu dotrzeć, że to, co zrobiliście, jest bardzo poważnym wykroczeniem. Jeszcze dziś napiszę do waszych rodzin. Muszę was również ostrzec, że jeśli coś takiego się powtórzy, nie będę miał wyboru. Wyrzucę was ze szkoły.

Snape wyglądał, jakby odwołano Boże Narodzenie. Odchrząknął i powiedział:

— Profesorze Dumbledore, ci chłopcy pogwałcili dekret o ograniczeniu używania czarów przez małoletnich czarodziejów, spowodowali poważne uszkodzenie bardzo starego i cennego drzewa... Z całą pewnością tego rodzaju zachowanie...

— Ukaranie tych chłopców należy do profesor McGonagall, Severusie — odrzekł spokojnie Dumbledore. — Są z jej domu i to ona ponosi za nich odpowiedzialność. — Zwrócił się do profesor McGonagall. — Muszę wracać na ucztę, Minerwo, mam im jeszcze coś do powiedzenia. Chodź, Severusie, spróbujmy tego wspaniałego ciasta z kremem, wygląda naprawdę zachęcająco.

Snape obrzucił Harry'ego i Rona jadowitym spojrzeniem i pozwolił się wyprowadzić z własnego gabinetu, pozostawiając ich sam na sam z profesor McGonagall, która przyglądała im się jak rozwścieczony orzeł.

— Wciąż krwawisz, Weasley, powinieneś iść do skrzydła szpitalnego.

— To nic wielkiego — odpowiedział Ron, obcierając sobie rękawem rozcięte czoło. — Pani profesor, czy mógłbym zobaczyć, jaki przydział dostanie moja siostra...

— Ceremonia Przydziału już się zakończyła. Twoja siostra też jest w Gryffindorze.

— Och, to wspaniale — wyjąkał Ron.

— A jeśli już mowa o Gryffindorze... — zaczęła profesor McGonagall ostrym tonem, ale Harry szybko jej przerwał:

— Pani profesor, kiedy wzięliśmy ten samochód, semestr jeszcze się nie zaczął, więc... więc Gryffindor nie straci przez nas punktów, prawda?

Profesor McGonagall przeszyła go świdrującym spojrzeniem, ale był pewny, że prawie się uśmiechnęła. W każdym razie jej usta nie były już tak przeraźliwie wąskie.

— Nie odejmę Gryffindorowi żadnych punktów — oświadczyła, a Harry'emu zrobiło się lżej na sercu. — Ale wy dwaj będziecie mieli szlaban.

Skończyło się więc o wiele lepiej, niż się obawiał. Listem Dumbledore'a do Dursleyów zupełnie się nie przejmował. Dobrze wiedział, że będą rozczarowani tylko jednym: że wierzba bijąca nie zrobiła z niego krwawej miazgi.

Profesor McGonagall podniosła różdżkę i wycelowała nią w biurko Snape'a. Pojawił się na nim wielki talerz z kanapkami, dwa srebrne puchary i dzban mrożonego soku z dyni.

— Zjecie tutaj, a później pójdziecie prosto do dormitorium — oznajmiła. — Ja muszę wracać na ucztę.

Kiedy drzwi się za nią zamknęły, Ron wypuścił powietrze z długim świstem.

— Byłem pewny, że nas wyleją — powiedział, sięgając po kanapkę.

— Ja też — rzekł Harry, biorąc sobie drugą.

— Ale mamy parszywe szczęście, co? — wymamrotał Ron z ustami pełnymi kurczaka i szynki. — Fred i George latali tym fordem już sześć albo siedem razy i żaden mugol ich nie zauważył. — Przełknął i ugryzł następny wielki kęs. — Ale dlaczego ta barierka nas nie przepuściła?

Harry wzruszył ramionami.

— W każdym razie od tej pory musimy bardzo uważać — powiedział i wypił potężny łyk dyniowego soku. — Szkoda, że nie możemy być na uczcie.

— Nie chciała, żebyśmy się przechwalali... No wiesz, żeby inni nie pomyśleli, że fajnie jest przylecieć do szkoły zaczarowanym samochodem.

Kiedy zjedli tyle kanapek, ile mogli (talerz wciąż sam się napełniał), wstali i wyszli z gabinetu, kierując się do wieży Gryffindoru. W zamku było cicho; wyglądało na to, że uczta już się skończyła. Mijali mruczące do siebie portrety i skrzypiące zbroje, wspinali się po wielu wąskich kamiennych schodach, aż wreszcie dotarli do tajemnego wejścia do Gryffindoru, ukrytego za olejnym portretem Grubej Damy w różowej jedwabnej sukni.

— Hasło? — zapytała, kiedy podeszli.

— Eee... — zająknął się Harry.

Nie mieli pojęcia, jakie jest nowe hasło, bo jeszcze nie widzieli się z prefektem Gryffindoru, ale pomoc nadeszła prawie natychmiast: usłyszeli za sobą szybkie kroki, a kiedy się odwrócili, zobaczyli Hermionę.

— Jesteście! Gdzie byliście? Wiecie, jakie głupie krążą

pogłoski? Ktoś powiedział, że wyrzucili was ze szkoły za rozbicie latającego samochodu.

— No... jak widzisz, wcale nas nie wyrzucili — zapewnił ją Harry.

— Ale chyba nie przylecieliście tu samochodem? — zapytała Hermiona takim tonem, jakby przedrzeźniała profesor McGonagall.

— Daruj sobie przemowę — odrzekł niecierpliwie Ron — i powiedz nam nowe hasło.

— „Miodojad" — powiedziała niecierpliwie Hermiona — ale chodzi o to, że...

Musiała jednak przerwać, bo portret odsunął się i zagrzmiała burza oklasków. W okrągłym pokoju wspólnym zebrali się chyba wszyscy Gryfoni, stojąc na koślawych stołach i wyliniałych poręczach foteli i czekając na ich przybycie. Szybko wciągnięto ich do środka przez dziurę w ścianie; Hermiona musiała radzić sobie sama.

— Ekstra! — ryczał Lee Jordan. — Genialne! To jest dopiero wejście! Przylecieć zaczarowanym samochodem i rąbnąć prosto w wierzbę bijącą! Ludzie będą o tym opowiadać przez całe lata!

„Brawo", powiedział jakiś piątoklasista, który przedtem nigdy Harry'ego nie zauważał; ktoś inny klepał go po plecach, jakby właśnie wygrał maraton. Fred i George przepchali się przez tłum i zapytali jednocześnie: „Dlaczego nas nie wywołaliście z powrotem, co?" Ron poczerwieniał jak burak i uśmiechał się z zakłopotaniem, ale Harry szybko dostrzegł jedną osobę, która wcale nie wyglądała na zachwyconą. Nad głowami podekscytowanych pierwszoroczniaków zobaczył Percy'ego, który najwyraźniej zamierzał rozpędzić całe towarzystwo. Harry szturchnął Rona w żebra i wskazał w stronę Percy'ego. Ron natychmiast zrozumiał, o co chodzi.

— Idziemy na górę... jesteśmy trochę zmęczeni — powiedział i obaj zaczęli się przepychać do drzwi po drugiej stronie pokoju wspólnego, za którymi były spiralne schody do dormitoriów.

— Dobranoc! — zawołał Harry do Hermiony, która miała twarz tak samo nachmurzoną jak Percy.

Udało im się przebić przez zatłoczony pokój i wydostać na cichą klatkę schodową. Obaj czuli mrowienie w plecach od niezliczonych poklepywań, którymi ich po drodze uraczono. Wbiegli po schodach na samą górę i znaleźli się w swojej starej sypialni, na której drzwiach wisiała teraz tabliczka z napisem: „Drugi rok". Z rozrzewnieniem spojrzeli na pięć łóżek — każde z czterema kolumienkami i zasłonami z czerwonego aksamitu — i na wysokie, wąskie okna. Kufry już przyniesiono i ustawiono w nogach ich łóżek.

Ron uśmiechnął się z zakłopotaniem do Harry'ego.

— Wiem, że nie powinno mi to sprawiać takiej przyjemności, ale...

Drzwi otworzyły się gwałtownie i wpadli inni Gryfoni z drugiej klasy, którzy dzielili z nimi dormitorium: Seamus Finnigan, Dean Thomas i Neville Longbottom.

— Niewiarygodne! — zawołał Seamus.

— Zupełnie ekstra — powiedział Dean.

— Niesamowite — wyjąkał z przejęciem Neville.

Harry nie mógł się powstrzymać. On też się uśmiechnął.

ROZDZIAŁ SZÓSTY

Gilderoy Lockhart

Następnego dnia Harry nie miał jednak powodu do śmiechu. Wszystko zaczęło się już przy śniadaniu w Wielkiej Sali. Kiedy weszli, cztery długie stoły były już zastawione wazami z owsianką, półmiskami z wędzonymi śledziami, górami tostów i rondlami z jajecznicą na bekonie. Zaczarowany sufit był dziś mętnoszary. Harry i Ron usiedli przy stole Gryfonów, obok Hermiony, która jadła owsiankę, czytając *Podróże z wampirami*. W tonie, jakim odpowiedziała na ich „dzień dobry", wyczuwało się lekki chłód; najwidoczniej nie pochwalała sposobu, w jaki przybyli do szkoły. Natomiast Neville Longbottom powitał ich z zachwytem. Neville był pucołowatym chłopcem, któremu wciąż przytrafiały się różne wypadki i który wiecznie czegoś zapominał.

— Zaraz będzie poczta... mam nadzieję, że babcia przyśle mi parę rzeczy, których zapomniałem zabrać.

Ledwo Harry zabrał się do owsianki, rozległ się donośny szum nad głowami i ze sto sów i puchaczy wpadło do sali, bombardując rozgwarzony tłum listami i paczuszkami. Spora, niezgrabna paczka spadła na głowę Neville'a, a w chwilę później coś dużego i szarego wylądowało w misce Hermiony, opryskując ich mlekiem i pierzem.

— Errol! — krzyknął Ron, wyciągając mokrego ptaka za nogi.

Errol osunął się na grzbiet, nóżkami do góry; stracił przytomność, ale wciąż trzymał w dziobie wilgotną czerwoną kopertę.

— Och, nie... — jęknął Ron.

— W porządku, jeszcze żyje — powiedziała Hermiona, szturchając ptaka palcem.

— Nie chodzi o to... Chodzi O TO.

Ron wskazywał na czerwoną kopertę. Wyglądała całkiem niewinnie, ale Ron i Neville patrzyli na nią, jakby miała za chwilę wybuchnąć.

— O co chodzi? — zapytał Harry.

— Przysłała mi... wyjca — odpowiedział Ron słabym głosem.

— Lepiej go otwórz, Ron — wyszeptał Neville. — Jak nie otworzysz, będzie jeszcze gorzej. Kiedyś babcia mi jednego przysłała, a ja go nie otworzyłem i... — przełknął głośno — to było straszne.

Harry przeniósł spojrzenie z ich zamarłych twarzy na czerwoną kopertę.

— Co to jest wyjec? — zapytał.

Ale Ron wpatrywał się jak zahipnotyzowany w kopertę, która zaczynała dymić w rogach.

— Otwórz ją — nalegał Neville. — Za parę minut będzie po wszystkim.

Ron trzęsącą się ręką wyjął kopertę z dzioba Errola i otworzył ją. Neville zatkał sobie uszy palcami. W sekundę później Harry zrozumiał dlaczego. Przez chwilę pomyślał, że koperta rzeczywiście eksplodowała: Wielką Salę wypełnił donośny ryk, strząsając kurz z sufitu.

— ...PO TYM, JAK UKRADŁEŚ SAMOCHÓD, WCALE BYM SIĘ NIE DZIWIŁA, GDYBY CIĘ WYRZUCONO ZE SZKOŁY, POCZEKAJ, AŻ SIĘ DO CIEBIE DOBIORĘ, NIE SĄDZĘ, ŻEBYŚ W OGÓLE POMYŚLAŁ, CO TWÓJ OJCIEC I JA PRZEŻYLIŚMY, KIEDY ZOBACZYLIŚMY, ŻE GO NIE MA...

Wrzaski pani Weasley, ze sto razy głośniejsze niż normalnie, sprawiły, że talerze i łyżki na stole zagrzechotały, a ogłuszające echo parę razy odbiło jej słowa od kamiennych ścian. Wszyscy rozglądali się, żeby zobaczyć, kto dostał wyjca, a Ron zapadł się w krześle tak głęboko, że widać było tylko jego purpurowe czoło.

— ...DOSTALIŚMY WCZORAJ LIST OD DUMBLEDORE'A, MYŚLAŁAM, ŻE TWÓJ OJCIEC UMRZE ZE WSTYDU, CO Z CIEBIE WYROSŁO, TY I HARRY MOGLIŚCIE POŁAMAĆ SOBIE KARKI...

Harry od samego początku oczekiwał z napięciem, kiedy padnie jego imię. Starał się udawać, że nie słyszy tego okropnego zrzędzenia, które sprawiało, że dudniło mu w uszach.

— ...WSTRĘTNE I OBURZAJĄCE, TWOJEGO OJCA CZEKA DOCHODZENIE W PRACY, TO WYŁĄCZNIE TWOJA WINA I JEŚLI JESZCZE RAZ ZROBISZ COŚ NIE TAK, WRÓCISZ DO DOMU I KONIEC ZE SZKOŁĄ.

Zapadła głucha cisza. Czerwona koperta, która wypadła Ronowi z ręki, wybuchła płomieniem i spaliła się na popiół. Harry i Ron siedzieli oniemiali, jakby przewaliła się nad nimi wielka fala. Rozległo się kilka śmiechów i stopniowo rozbrzmiał zwykły śniadaniowy gwar.

Hermiona zamknęła *Podróże z wampirami* i spojrzała na czubek głowy Rona.

— No cóż, Ron, nie wiem, czego się spodziewałeś, ale sam...

— Tylko mi nie mów, że sobie na to zasłużyłem — warknął Ron.

Harry odsunął talerz z owsianką. Poczucie winy piekło go w brzuchu jak ukrop. Pana Weasleya czeka w pracy dochodzenie. Po tym wszystkim, co państwo Weasleyowie zrobili dla niego w lecie...

Nie miał jednak czasu, by to rozpamiętywać, bo przy stole Gryfonów pojawiła się profesor McGonagall, rozdając plany zajęć. Harry wziął swój i zobaczył, że po śniadaniu czekają ich dwie godziny zielarstwa razem z Puchonami.

Harry, Ron i Hermiona razem opuścili zamek, przeszli między grządkami z warzywami i skierowali się do cieplarni, gdzie hodowano magiczne zioła. Wyjec dokonał przynajmniej jednej dobrej rzeczy: Hermiona uznała, że zostali już należycie ukarani i przestała się na nich boczyć.

Kiedy zbliżyli się do cieplarni, zobaczyli resztę klasy czekającą na zewnątrz na profesor Sprout. Zaledwie dołączyli do wszystkich, pojawiła się w oddali, krocząc ku nim przez łąkę w towarzystwie Gilderoya Lockharta. Niosła naręcze bandaży, a Harry znowu poczuł ukłucie winy, kiedy spojrzał z daleka na wierzbę bijącą i zobaczył, że kilkanaście gałęzi wisi na temblakach.

Profesor Sprout była niską, przysadzistą czarownicą w połatanej tiarze na rozwianych włosach; jej szata była zwykle powalana ziemią, a na widok jej paznokci ciotka Petunia z pewnością dostałaby palpitacji. Natomiast Gilderoy Lockhart miał na sobie nieskazitelną turkusową szatę, a jego złote włosy jaśniały z daleka pod nienagannie osadzoną turkusową tiarą ze złotym obramowaniem.

— Witajcie, drodzy studenci! — zawołał Lockhart, obrzucając ich promiennym spojrzeniem. — Właśnie pokazywałem profesor Sprout, jak zająć się ranami tej biednej wierzby bijącej! Nie chcę, oczywiście, abyście pomyśleli, że na ziołolecznictwie znam się lepiej od niej! Tak się po prostu zdarzyło, że podczas moich podróży spotkałem kilka tych egzotycznych drzew...

— Dzisiaj cieplarnia numer trzy, moi kochani! — oznajmiła profesor Sprout, która sprawiała wrażenie trochę niezadowolonej.

Rozległ się szmer zaciekawienia. Do tej pory pracowali tylko w cieplarni numer jeden, a wiedzieli, że w trzeciej jest o wiele więcej ciekawych i niebezpiecznych roślin. Profesor Sprout wyjęła zza pasa wielki klucz i otworzyła drzwi. Harry poczuł silną woń wilgotnej ziemi i nawozu zmieszaną z ciężkim zapachem jakichś olbrzymich kwiatów wielkości parasoli, zwieszających się z sufitu. Już miał wejść do środka za Ronem i Hermioną, kiedy Lockhart złapał go za ramię.

— Harry! Chciałbym zamienić z tobą słówko... Profesor Sprout, nie ma pani chyba nic przeciwko temu, żeby Harry spóźnił się parę minut?

Profesor Sprout zrobiła minę, która wyraźnie wskazywała, że jest temu przeciwna, ale Lockhart szybko zamknął drzwi cieplarni.

— Harry — zaczął, a jego wielkie białe zęby zalśniły w słońcu, kiedy pokręcił głową. — Harry, Harry, Harry.

Harry nic nie odpowiedział, głęboko zakłopotany tą sytuacją.

— Kiedy usłyszałem... no cóż, wiem, to moja wina. Mogłem to przewidzieć.

Harry nie miał pojęcia, o czym Lockhart mówi. Już miał to wyrazić na głos, ale Lockhart ciągnął dalej:

— To był dla mnie prawdziwy wstrząs. Dawno czegoś takiego nie przeżyłem. Przylecieć samochodem do Hogwartu! Oczywiście natychmiast zrozumiałem, dlaczego to zrobiłeś. Milę do przodu, co, Harry? Harry, Harry, *Harry*.

Gilderoy Lockhart miał fascynującą zdolność pokazywania swoich wszystkich olśniewających zębów nawet wtedy, kiedy nie mówił.

— Dałem ci posmakować sławy, co, Harry? Zaraziłem cię tym *bakcylem*. Dzięki mnie znalazłeś się na pierwszej stronie gazety i nie mogłeś wytrzymać, żeby nie trafić tam po raz drugi.

— Och... nie, panie profesorze, ja tylko...

— Harry, Harry, Harry — zaśpiewał Lockhart, chwytając go za ramię. — Ja wszystko rozumiem. Przecież to naturalne, ugryźć więcej, kiedy poczuło się pierwszy smak... To moja wina, przecież musiało ci to uderzyć do głowy... Ale, zrozum, młody człowieku, nie można *latać samochodami*, żeby zwrócić na siebie uwagę. Trochę zwolnij, rozumiemy się? Będziesz miał na to mnóstwo czasu, kiedy będziesz starszy. Tak, tak, wiem, o czym myślisz! „Dobrze mu tak mówić, jest już sławny na cały świat!" Ale, widzisz, kiedy ja miałem dwanaście lat, też byłem nikim, tak jak ty teraz. Co ja mówię, byłem mniej niż nikim! Wiesz, o co mi chodzi, prawda? Ciebie już trochę znają, prawda? Przez tę historię z Tym, Którego Imienia Nie Wolno Wymawiać! — Spojrzał na jasną bliznę na czole Harry'ego. — Wiem, wiem, to nie to samo, co zdobyć pięć razy z rzędu pierwszą nagrodę Najbardziej Czarującego Uśmiechu tygodnika „Czarownica"... ale to dopiero początek, Harry, dopiero początek.

Mrugnął do Harry'ego przyjaźnie i odszedł. Harry stał przez kilka chwil jak wryty, a potem, przypomniawszy sobie o lekcji, otworzył drzwi cieplarni i szybko wśliznął się do środka.

Profesor Sprout stała za długim stołem na kozłach, na którym leżało dwadzieścia par różnokolorowych nauszników. Harry zajął miejsce między Ronem i Hermioną, a profesor Sprout oznajmiła:

— Dzisiaj będziemy rozsadzać mandragory. Kto potrafi wymienić właściwości mandragory?

Nikt nie był zaskoczony, kiedy ręka Hermiony wystrzeliła w górę.

— Mandragora to silny środek pobudzający — powiedziała takim tonem, jakby znała na pamięć cały podręcznik. — Używa się jej, aby przywrócić pierwotną postać ludziom, którzy ulegli transmutacji albo zostali poddani złemu urokowi.

— Znakomicie. Dziesięć punktów dla Gryffindoru — powiedziała profesor Sprout. — Mandragora jest podstawowym składnikiem wielu antidotów. Jest jednak również bardzo niebezpieczna. Kto potrafi powiedzieć dlaczego?

Mało brakowało, aby wystrzelająca w górę ręka Hermiony strąciła Harry'emu okulary z nosa.

— Krzyk mandragory jest zgubny dla każdego, kto go usłyszy.

— Doskonale. Zarobiłaś kolejne dziesięć punktów. Tak... Te mandragory, które tutaj mamy, są jeszcze bardzo młode.

Wskazała na szereg skrzynek na stole i wszyscy się przysunęli, żeby lepiej widzieć. W skrzynkach rosły rządkami małe, kępiaste rośliny o czerwonawych listkach. Harry, który nie miał pojęcia, co Hermiona miała na myśli, mówiąc o „krzyku" mandragory, nie dostrzegł w nich niczego nadzwyczajnego.

— Niech każdy weźmie parę nauszników — poleciła profesor Sprout.

Wszyscy rzucili się po nauszniki, bo każdy chciał złapać parę, która nie byłaby różowa i puszysta.

— Kiedy wam powiem, żebyście je założyli, upewnijcie się, że macie *całe* uszy zakryte. Na znak, że możecie je bezpiecznie zdjąć, podniosę oba kciuki do góry. No to... nauszniki na uszy!

Harry założył nauszniki. Otoczyła go głucha cisza. Pani Sprout też założyła swoje — różowe i puszyste — podwinęła rękawy, chwyciła jedną z roślinek i mocno pociągnęła.

Harry wydał z siebie zduszony okrzyk, którego nikt nie usłyszał.

Zamiast korzeni z ziemi wychynęło maleńkie, ubłocone i okropnie brzydkie dzieciątko. Liście wyrastały prosto z jego główki. Miało bladozieloną, cętkowaną skórę i najwyraźniej ryczało ile sił w płucach.

Profesor Sprout wyjęła spod stołu dużą donicę i obłożyła mandragorę ciemnym, wilgotnym kompostem, aż widać było tylko krzaczaste liście. Otrzepała ręce i uniosła oba kciuki, na co wszyscy pozdejmowali nauszniki.

— Nasze mandragory to dopiero sadzonki, więc ich krzyki jeszcze nie zabijają — powiedziała spokojnie, jakby przed chwilą podlała begonię. — Gdybyście je jednak usłyszeli, stracilibyście przytomność na kilkanaście godzin, a jestem pewna, że żadne z was nie chciałoby opuścić pierwszego dnia szkoły. Dlatego, zanim zabierzecie się do pracy, upewnijcie się, że macie uszy szczelnie osłonięte. Cztery osoby przy każdej skrzynce... pod spodem jest mnóstwo doniczek... a tu stoją worki z kompostem... i uważajcie na jadowitą tentakulę, bo gryzie.

I chlasnęła ręką czerwoną kolczastą roślinę, której długie macki pełzły jej po plecach. Tentakula natychmiast cofnęła macki.

Harry, Ron i Hermiona stanęli przy jednej skrzynce razem z kędzierzawym Puchonem, którego Harry znał z widzenia, ale jeszcze nigdy z nim nie rozmawiał.

— Justyn Finch-Fletchley — przedstawił się dziarsko, ściskając Harry'emu rękę. — Wiem, kim jesteście... słynny Harry Potter... ty jesteś Hermiona Granger... która zawsze wszystko wie... — Hermiona rozpromieniła się, kiedy i jej uścinął rękę — ...i Ron Weasley. To był twój latający samochód, zgadza się?

Ron nie uśmiechnął się. Wciąż pamiętał o wyjcu.

— Ten Lockhart to jest dopiero gość, nie? — zagadnął wesoło Justyn, kiedy zaczęli napełniać doniczki kompostem ze smoczego łajna. — Niesamowicie odważny facet. Czytaliście jego książki? Gdyby mnie wilkołak osaczył w budce telefonicznej, umarłbym ze strachu, a on zachował zimną krew... trzask-prask... i po wszystkim. Jest fantastyczny, no nie? A jeśli chodzi o mnie, to już byłem zapisany do Eton, ale okropnie się cieszę, że jednak trafiłem tutaj. Oczywiście, moja matka była trochę zawiedziona, ale podsunąłem jej książki Lockharta i chyba zaczęła rozumieć, ile można mieć korzyści z posiadania w rodzinie dobrze wyszkolonego czarodzieja...

Po tej przemowie nie mieli już wiele sposobności do rozmowy. Pozakładali nauszniki i musieli się skupić na mandragorach. W wykonaniu profesor Sprout wyglądało to bardzo prosto, ale wcale takie nie było. Mandragory nie chciały wyjść z ziemi, a jak już zostały wyciągnięte, nie chciały do niej z powrotem wejść. Skręcały się, wierzgały, wymachiwały małymi rączkami i zgrzytały zębami; wciśnięcie jednej do doniczki zajęło Harry'emu kilka minut.

Pod koniec lekcji Harry, tak jak wszyscy, był zlany potem i umazany ziemią, a pleców nie mógł wyprostować. Wrócili do zamku, żeby się szybko obmyć i popędzili na transmutację.

Zajęcia z profesor McGonagall zawsze były ciężką harówką, ale tym razem okazały się szczególnie trudne. Wszystko, czego się Harry nauczył w ubiegłym roku, przez lato wyparowało mu z głowy. Miał zamienić żuka w guzik, ale udało mu się tylko zmusić go do miotania się po ławce w ucieczce przed różdżką.

Ron miał jeszcze większe problemy. Pooklejał swoją różdżkę pożyczoną od kogoś czarodziejską taśmą, ale niewiele to dało. Różdżka trzeszczała i tryskała iskrami w nieodpowiednich momentach, a za każdym razem, kiedy próbował dokonać transmutacji swojego żuka, wybuchał z niej kłąb gęstego, szarego dymu śmierdzącego zgniłymi jajkami. Spowity nim Ron nie widział, co robi, i w końcu zmiażdżył żuka łokciem. Profesor McGonagall nie była zachwycona, kiedy poprosił o drugiego.

Harry poczuł ulgę, gdy rozległ się dzwonek na lunch. Zamiast mózgu miał w głowie wyżętą gąbkę. Wszyscy wybiegli z klasy, prócz niego i Rona, który walił zawzięcie różdżką w blat ławki.

— Głupie... bezużyteczne... świństwo...

— Napisz do domu, żeby ci przysłali nową — poradził mu Harry, kiedy różdżka wydała z siebie serię donośnych trzasków.

— Tak, żebym dostał jeszcze jednego wyjca — odpowiedział Ron, wpychając syczącą różdżkę do torby. — „To twoja wina, że różdżka się złamała..."

Zeszli na dół na lunch, gdzie Hermiona wcale nie poprawiła Ronowi nastroju, pokazując im garść wspaniałych guzików do płaszcza, które uzyskała podczas transmutacji.

— Co mamy po południu? — zapytał Harry, szybko zmieniając temat.

— Obronę przed czarną magią — odpowiedziała natychmiast Hermiona.

— Czy możesz nam powiedzieć — zapytał Ron, chwytając jej rozkład zajęć — dlaczego wszystkie lekcje z Lockhartem ozdobiłaś serduszkami?

Hermiona wyrwała mu plan zajęć, płonąc przy tym jak piwonia.

Skończyli lunch i wyszli na zatłoczony dziedziniec. Hermiona usiadła na kamiennych schodkach i zagłębiła się w lekturze *Podróży z wampirami*. Harry i Ron rozmawiali przez kilkanaście minut o quidditchu, zanim Harry zauważył, że ktoś mu się przygląda. Był to ów mały chłopiec o mysich włosach, którego ubiegłego wieczoru widzieli, jak nakładał Tiarę Przydziału. Teraz gapił się na Harry'ego, jakby go ktoś transmutował w posąg, ściskając w ręku coś, co wyglądało jak zwykły aparat fotograficzny.

— Harry, prawda? Ja jestem... jestem Colin Creevey — wypalił nagle, robiąc nieśmiało krok w ich stronę. — Ja też jestem w Gryffindorze. Słuchaj... czy sądzisz... czy nie miałbyś nic przeciwko, żebym... zrobił ci zdjęcie? — zapytał, podnosząc aparat.

— Zdjęcie? — powtórzył tępo Harry.

— No... żebym mógł udowodnić, że cię spotkałem — odrzekł Colin Creevey, robiąc kolejne dwa kroki w ich stronę. — Wiem o tobie wszystko. Opowiadali mi. Jak przeżyłeś, kiedy Sam-Wiesz-Kto próbował cię zabić, i że on gdzieś zniknął i w ogóle, i że wciąż masz tę bliznę w kształcie błyskawicy — rzucił spojrzenie na czoło Harry'ego — a jeden chłopak w moim dormitorium powiedział, że jak wywołam film we właściwym eliksirze, to zdjęcie będzie się *ruszało.* — Z wrażenia głęboko westchnął. — Tu jest wspaniale, prawda? W ogóle nie miałem pojęcia, że te dziwne rzeczy, które potrafię robić, to magia, dopóki nie dostałem listu z Hogwartu. Mój tata jest mleczarzem, też nie mógł w to uwierzyć. Więc robię mnóstwo zdjęć, żeby mu posłać. No i byłoby naprawdę ekstra, gdybym miał twoje... — spojrzał błagalnie na Harry'ego — a może twój przyjaciel mógłby wziąć aparat, a ja stanę obok ciebie? A potem byś je podpisał, co?

— Zdjęcia z autografem? Rozdajesz swoje zdjęcia z autografem, Potter?

Donośny i zjadliwy głos Dracona Malfoya odbił się echem po dziedzińcu. Zatrzymał się tuż za Colinem, a jego goryle, Crabbe i Goyle, stanęli obok niego.

— Wszyscy ustawić się w ogonku! — ryknął Malfoy na cały dziedziniec. — Harry Potter rozdaje swoje zdjęcia z autografem!

— Nie, nie rozdaję — powiedział Harry ze złością, zaciskając pięści. — Zamknij się, Malfoy.

— Jesteś po prostu zazdrosny — pisnął Colin, którego tułów był grubości szyi Crabbe'a.

— *Zazdrosny?* — powtórzył Malfoy, który teraz nie musiał już krzyczeć, bo cały dziedziniec przysłuchiwał się tej wymianie zdań. — O co? O tę okropną bliznę na czole? Może myślisz, że sam chciałbym coś takiego mieć? Nie, dzięki. A jak by tak tobie rozwalić głowę, też nie stałbyś się kimś niezwykłym.

Crabbe i Goyle zachichotali głupkowato.

— Odwal się, Malfoy — rzucił gniewnie Ron.

Crabbe przestał się śmiać i zaczął pocierać sobie knykcie wielkości kasztanów.

— Uważaj, Weasley — powiedział Malfoy drwiącym tonem. — Lepiej nie zaczynaj, bo przyjedzie twoja mamcia i zabierze cię ze szkoły. *Jeśli jeszcze raz zrobisz coś nie tak* — dodał ostrym, piskliwym głosem — *wrócisz do domu...* Grupa Ślizgonów z piątej klasy wybuchnęła głośnym śmiechem.

— Potter, daj jedno zdjęcie z autografem Weasleyowi, będzie więcej warte niż cały dom jego rodziny.

Ron wyciągnął swoją pooklejaną różdżkę, ale Hermiona zatrzasnęła *Podróże z wampirami* i szepnęła:

— Uwaga!

— Co tu się dzieje? Co tu się dzieje? — To Gilderoy Lockhart zmierzał ku nim dziarskim krokiem, łopocąc swoimi turkusowymi szatami. — Kto rozdaje zdjęcia z autografem?

Harry otworzył usta, ale nie zdążył nic odpowiedzieć, bo Lockhart otoczył go ramieniem i zagrzmiał jowialnie:

— Ależ tak! Po co ja się pytam! Znowu się spotykamy, Harry!

Przygwożdżony do boku Lockharta i czerwony ze wstydu, Harry zobaczył, jak Malfoy znika w tłumie, chichocąc złośliwie.

— Bardzo proszę, panie Creevey — powiedział Lockhart, szczerząc zęby do Colina. — Będzie podwójny portret, ot co, i *obaj* ci go podpiszemy!

Colin wziął aparat i zrobił zdjęcie, a w chwilę potem zabrzmiał dzwonek wzywający na popołudniowe zajęcia.

— Biegiem na lekcje! Wszyscy! Raz-dwa! — zawołał Lockhart do tłumu i sam ruszył w stronę zamku, wciąż tuląc do siebie Harry'ego, który żałował, że nie zna jakiegoś dobrego zaklęcia powodującego natychmiastowe zniknięcie.

— A teraz coś ci powiem, Harry — zagadnął Lockhart ojcowskim tonem, kiedy weszli bocznymi drzwiami do zamku. — Specjalnie się ustawiłem do tego zdjęcia z tobą, żeby koledzy nie pomyśleli, że ci woda sodowa uderzyła do głowy...

Głuchy na jęki Harry'ego, Lockhart przeprowadził go przez cały korytarz, pełen gapiących się na nich uczniów.

— Posłuchaj mnie, chłopcze, dam ci dobrą radę. Rozdawanie zdjęć z autografem na tym etapie kariery nie jest zbyt rozsądne... Mówiąc szczerze, Harry, troszkę przesadziłeś. Być może nadejdzie czas, kiedy będziesz musiał zawsze mieć przy sobie plik swoich zdjęć, tak jak ja, ale... — zachichotał cicho — ten czas chyba jeszcze nie nadszedł.

Doszli do klasy Lockharta i Harry wreszcie wyzwolił się z jego uścisku. Otrzepał szatę i czmychnął do ostatniej ławki, gdzie zaczął ustawiać przed sobą stos wszystkich dzieł Lockharta, żeby nie mieć kontaktu z rzeczywistością.

Po chwili wpadła reszta klasy. Ron i Hermiona usiedli po obu stronach Harry'ego.

— Mógłbyś sobie usmażyć jajko na twarzy — rzekł Ron. — Módl się, żeby ten Creevey nie spotkał Ginny, bo stworzą fanklub Pottera.

— Zamknij się — warknął Harry, przerażony, że Lockhart mógłby usłyszeć zwrot: „fanklub Pottera".

Kiedy wszyscy usiedli, Lockhart odchrząknął i zapadła cisza. Rozejrzał się, wziął z ławki Neville'a Longbottoma egzemplarz *Wędrówki z trollami* i podniósł go, ukazując wszystkim swoje własne, mrugające zdjęcie.

— To ja — powiedział, również puszczając do nich oko — Gilderoy Lockhart, kawaler Orderu Merlina Trzeciej Klasy, honorowy członek Ligi Obrony przed Czarną Magią i pięciokrotny laureat nagrody Najbardziej Czarującego Uśmiechu tygodnika „Czarownica"... Ale nie o tym chcę mówić. Nie pozbyłem się zjawy z Bandonu *uśmiechając się* do niej!

Zrobił krótką przerwę, oczekując salwy śmiechu. Parę osób uśmiechnęło się blado.

— Widzę, że wszyscy kupiliście komplet moich książek. Znakomicie. Zaczniemy od małego quizu. Nie ma powodu do niepokoju... chcę po prostu sprawdzić, co wam zostało z lektury...

Rozdał wszystkim arkusze testowe, wrócił na przód klasy i oznajmił:

— Macie trzydzieści minut. Zaczynamy!

Harry spojrzał na swój arkusz i przeczytał:

1. Jaki jest ulubiony kolor Gilderoya Lockharta?

2. Jakie jest skryte pragnienie Gilderoya Lockharta?

3. Jakie jest, według ciebie, największe do tej pory osiągnięcie Gilderoya Lockharta?

Podobnych pytań było 54, a ostatnie brzmiało:

54. Kiedy przypadają urodziny Gilderoya Lockharta i jaki byłby idealny dla niego prezent?

Pół godziny później Lockhart zebrał arkusze i przejrzał je na oczach całej klasy.

— No, no... nikt nie zapamiętał, że moim ulubionym kolorem jest liliowy. Napisałem o tym w *Roku z yeti*. A niektórzy powinni uważniej przeczytać *Weekend z wilkołakiem*... w rozdziale dwunastym napisałem wyraźnie, że idealnym prezentem urodzinowym byłoby dla mnie osiągnięcie powszechnej harmonii między rasą czarodziejów i nie-czarodziejów... chociaż nie odmówiłbym wielkiej butli Starej Ognistej Whisky Ogdena!

I znowu mrugnął do nich łobuzersko. Ron gapił się na niego z wyraźnym niedowierzaniem, Seamus Finnigan i Dean Thomas, siedzący z przodu, trzęśli się od cichego śmiechu. Natomiast Hermiona wsłuchiwała się uważnie w każde słowo Lockharta i wzdrygnęła się gwałtownie, kiedy usłyszała swoje nazwisko.

— ...ale panna Hermiona Granger wiedziała, że moim ukrytym pragnieniem jest oczyszczenie świata ze zła i wypromowanie mojej własnej serii eliksirów do pielęgnacji włosów... Dzielna dziewczyna! I zasłużyła... — pomachał jej testem — na najwyższą ocenę! Gdzie jest panna Hermiona Granger?

Hermiona uniosła drżącą rękę.

— Znakomicie! — rozpromienił się Lockhart. — Świetnie! Dziesięć punktów dla Gryffindoru! A teraz... do dzieła...

Schylił się za swoim biurkiem i podniósł wielką, okrytą płótnem klatkę.

— Muszę was jednak ostrzec! Moim zadaniem jest uzbrojenie was w oręż przeciwko najbardziej odrażającym potworom znanym w świecie czarodziejów! W tym pomieszczeniu możecie przeżyć strach, jakiego dotąd nie zaznaliście. Wiedzcie jednak, że nie grozi wam nic, dopóki ja tu jestem. I proszę o zachowanie spokoju.

Harry wychylił się spoza swojego stosu książek, żeby lepiej widzieć klatkę. Lockhart położył na niej rękę. Dean i Seamus przestali się śmiać. Neville, siedzący w pierwszym rzędzie, skulił się ze strachu.

— Proszę nie wrzeszczeć — powiedział Lockhart cicho. — To mogłoby je sprowokować.

Cała klasa wstrzymała oddech. Lockhart jednym ruchem ściągnął z klatki płótno.

— Tak jest — oznajmił dramatycznym tonem. — Oto świeżo schwytane *chochliki kornwalijskie*.

Seamus Finnigan nie był w stanie się powstrzymać. Zachichotał w sposób, którego nawet Lockhart nie mógł wziąć za pisk przerażenia.

— Tak? — uśmiechnął się do Seamusa.

— No... bo przecież one... one... wcale nie są groźne, prawda? — wyjąkał Seamus.

— Nie bądź taki pewny! — zawołał Lockhart, celując w niego palcem. — Mogą być diabelsko sprytnymi gałganami!

Chochliki jarzyły się niebieskawym blaskiem i miały około ośmiu cali wzrostu, a ich głosy były tak ostre i przenikliwe, że przypominały kłócące się papużki. Natychmiast zaczęły miotać się po klatce, bębnić w pręty i wykrzywiać na najbliżej siedzących.

— A więc dobrze — powiedział Lockhart donośnym głosem. — Zobaczymy, jak sobie z nimi poradzicie!

I otworzył klatkę.

Wybuchło okropne zamieszanie. Chochliki rozleciały się we wszystkie strony z szybkością rakiet. Dwa złapały Neville'a za uszy i uniosły go w powietrze. Kilkanaście wystrzeliło przez okno, obsypując ostatni rząd ławek szczątkami zbitej szyby. Reszta buszowała po klasie, robiąc więcej szkód niż oszalały nosorożec. Porwały kałamarze i obryzgały całą klasę atramentem, darły na strzępy książki i arkusze papieru, strącały obrazki ze ścian, przewróciły do góry nogami kosz ze śmieciami, wyrzucały przez okno książki i torby. Po kilku minutach połowa klasy siedziała pod ławkami, a Neville kołysał się na żyrandolu pod sufitem.

— No, dalej, poradźcie sobie z nimi, przecież to tylko chochliki — szydził Lockhart.

Podwinął rękawy, machnął różdżką i ryknął:

— *Peskipiksi pesternomi!*

Chochliki absolutnie się tym nie przejęły; mało tego, jeden z nich wyrwał Lockhartowi różdżkę z ręki i wyrzucił ją przez okno. Lockhart przełknął głośno ślinę i dał nurka pod biurko, gdzie ledwo uniknął przygwożdżenia przez Neville'a, który w sekundę później spadł tuż obok niego razem z żyrandolem.

Zabrzmiał dzwonek i wszyscy rzucili się do drzwi. Zrobiło się trochę spokojniej. Lockhart wyprostował się, napotkał spojrzenia Harry'ego, Rona i Hermiony, którzy byli już prawie w drzwiach, i powiedział:

— Moi drodzy, mam prośbę, zapędźcie tę hałastrę do klatki, dobrze?

Po czym wybiegł i szybko zamknął za sobą drzwi.

— No nie, on jest niesamowity! — krzyknął Ron, łapiąc się za ucho, w które go ugryzł jeden z chochlików.

— Po prostu chce, żebyśmy sami trochę poćwiczyli — powiedziała spokojnie Hermiona, unieruchamiając dwa chochliki za pomocą zaklęcia zmrażającego i wrzucając je do klatki.

— Poćwiczyli? — zawołał Harry, próbując schwycić chochlika tańczącego przed nim z wywalonym językiem. — Hermiono, przecież on nie miał najmniejszego pojęcia, co robi!

— Guzik prawda — odpowiedziała Hermiona. — Przecież czytałeś jego książki... Zapomniałeś o niesamowitych czynach, których dokonał?

— Napisał, że ich dokonał — mruknął Ron.

ROZDZIAŁ SIÓDMY

Szlamy i szepty

W ciągu kilku następnych dni Harry chował się za każdym razem, kiedy z daleka zobaczył Gilderoya Lockharta idącego korytarzem. Trudniej było mu uniknąć spotkania z Colinem Creeveyem, który chyba nauczył się na pamięć jego rozkładu zajęć. Nic tak nie podniecało Colina, jak powiedzenie „Jak tam, Harry?" z sześć albo siedem razy na dzień i usłyszenie „Cześć, Colin" w odpowiedzi, udzielonej choćby najchłodniejszym tonem.

Hedwiga wciąż była obrażona na Harry'ego z powodu nieszczęsnej w skutkach podróży latającym samochodem. Różdżka Rona nadal działała bardzo kapryśnie, a już w piątek przed południem przeszła samą siebie, wyrywając mu się z ręki podczas lekcji zaklęć i uderzając starego profesora Flitwicka prosto między oczy, co spowodowało powstanie wielkiego zielonego siniaka. Biorąc to wszystko pod uwagę, Harry powitał nadejście końca tygodnia z prawdziwą ulgą. On, Ron i Hermiona zamierzali wreszcie odwiedzić Hagrida. W sobotę rano Harry został jednak obudzony o nieprzyzwoicie wczesnej porze przez Olivera Wooda, kapitana drużyny Gryfonów.

— Co się stało? — wymamrotał Harry, nie bardzo wiedząc, gdzie się znajduje.

— Trening! — zawołał dziarsko Wood. — Wstawaj!

Harry zerknął w okno. Złotoróżowe niebo spowijała lekka mgiełka. Teraz, kiedy już się obudził, nie był w stanie zrozumieć, jak mógł spać przy tym chóralnym wrzasku, jaki robiły ptaki.

— Oliver — zachrypiał — przecież dopiero świta.

— Zgadza się — przyznał uradowany Wood.

Był wysokim, krzepkim szóstoklasistą, a w tym momencie oczy płonęły mu prawdziwie młodzieńczym entuzjazmem.

— To część naszego nowego programu szkoleniowego. Wstawaj, łap się za miotłę i idziemy. Żadna z drużyn nie zaczęła jeszcze treningów, a my w tym roku zamierzamy być najlepsi...

Ziewając i lekko dygocąc, Harry zwlókł się z łóżka i zaczął się rozglądać za swoim strojem do quidditcha.

— Dobry chłopiec — pochwalił go Wood. — Za piętnaście minut spotykamy się na boisku.

Harry znalazł w końcu swoją szkarłatną szatę sportową, zarzucił płaszcz, bo wciąż trząsł się z zimna, napisał kilka słów do Rona z wyjaśnieniem, dokąd się udał, i zszedł do pokoju wspólnego ze swoim Nimbusem Dwa Tysiące na ramieniu. Właśnie dotarł do dziury za portretem, gdy usłyszał za sobą stukot kroków, a kiedy się odwrócił, zobaczył Colina Creeveya schodzącego po spiralnych schodkach. Na szyi dyndał mu aparat fotograficzny, a w ręku coś ściskał.

— Usłyszałem, jak ktoś na schodach wypowiedział twoje imię, Harry! Zobacz, co tutaj mam! Wywołałem to i chciałem ci pokazać...

Harry spojrzał zdumiony na fotografię, którą Colin podetknął mu pod nos.

Czarno-biały Lockhart ciągnął z całej siły rękę, w której Harry rozpoznał swoje własne ramię. Na szczęście, jego ruchoma fotograficzna podobizna stawiała dzielny opór i nie dała się wciągnąć w pole widzenia. Lockhart dał za wygraną i oparł się, dysząc ciężko, o białą krawędź fotografii.

— Podpiszesz mi? — zapytał błagalnie Colin.

— Nie — odpowiedział Harry, rozglądając się szybko, by sprawdzić, czy w pokoju przypadkiem kogoś nie ma.

— Wybacz mi, Colin, ale bardzo się spieszę... rozumiesz, trening quidditcha.

I przelazł przez dziurę za portretem.

— Uau! Zaczekaj na mnie! Jeszcze nigdy nie widziałem gry w quidditcha! — krzyknął uradowany Colin i również przelazł przez dziurę.

— To będzie naprawdę nudne — powiedział szybko Harry, ale Colin był tak podniecony, że absolutnie się tym nie przejął.

— Zostałeś najmłodszym reprezentantem domu w ciągu ostatnich stu lat, prawda, Harry? Powiedz! — trajkotał Colin, biegnąc u jego boku. — Musisz być naprawdę dobry. Ja jeszcze nigdy nie latałem. Czy to trudne? To twoja miotła? Jest najlepsza ze wszystkich, prawda?

Harry nie wiedział, jak go się pozbyć. Czuł się tak, jakby miał wyjątkowo gadatliwy cień.

— Wciąż nie mogę się połapać w zasadach quidditcha — paplał Colin. — Czy to prawda, że są cztery piłki?

A dwie z nich latają naokoło, starając się zwalić zawodników z mioteł?

— Tak — odrzekł zrezygnowany Harry. — Nazywają się tłuczki. W każdej drużynie jest dwóch pałkarzy, którzy mają pałki i odbijają atakujące tłuczki. Naszymi pałkarzami są Fred i George Weasleyowie.

— A po co są pozostałe piłki? — zapytał Colin, potykając się i spadając z kilku schodków, bo przez cały czas wpatrywał się z otwartymi ustami w Harry'ego.

— No więc... kaflem... to ta duża czerwona piłka... zdobywa się punkty. W każdej drużynie jest trzech ścigających, którzy podają sobie kafla i starają się przerzucić go przez pętlę na szczycie słupka... Są trzy takie słupki na końcu boiska.

— A czwarta?...

— To złoty znicz... bardzo mała, bardzo szybka i bardzo trudna do złapania. Ją właśnie musi złapać szukający, bo gra toczy się, dopóki tego nie zrobi. A drużyna, której szukający złapie znicza, dostaje dodatkowe sto pięćdziesiąt punktów.

— I ty jesteś szukającym Gryfonów, prawda? — zapytał Colin, okropnie przejęty.

— Tak — odpowiedział Harry. Opuścili już zamek i szli przez mokrą od rosy łąkę. — I jest jeszcze obrońca, który pilnuje tych słupków. To naprawdę wszystko, Colin.

Ale Colin nie przestawał zasypywać go pytaniami przez całą drogę i Harry pozbył się go dopiero przed drzwiami szatni.

— Pójdę sobie znaleźć najlepsze miejsce, Harry! — pisnął Colin i pobiegł w kierunku trybun.

Reszta drużyny Gryfonów była już w szatni. Jedyną osobą, która wyglądała na w pełni obudzoną, był Wood. Fred i George, z zapuchniętymi oczami i potarganymi włosami, siedzieli obok Alicji Spinnet z czwartej klasy, która kiwała się sennie na ławce. Naprzeciw nich ziewały okropnie dwie pozostałe ścigające, Katie Bell i Angelina Johnson.

— No, jesteś wreszcie, Harry, co cię zatrzymało? — zapytał Wood rześkim tonem. — Zanim wejdziemy na boisko, chcę z wami chwilę pogadać, bo przez całe lato pracowałem nad nowym programem szkoleniowym, który oznacza naprawdę duże zmiany...

Wskazał na tablicę z wielkim wykresem boiska do quidditcha, na którym aż roiło się od różnokolorowych linii, strzałek i krzyżyków. Wyjął różdżkę i stuknął nią w tablicę, a strzałki zaczęły wić się po wykresie jak gąsienice. Kiedy zaczął im wyjaśniać podstawy swojej nowej taktyki, głowa Freda Weasleya opadła na ramię Alicji Spinnet i rozległo się głośne chrapanie.

Objaśnienie wykresu zajęło mu dwadzieścia minut, ale okazało się, że pod wykresem był następny, a pod nim jeszcze jeden. Harry siedział kompletnie otępiały, a Wood nudził niemiłosiernie, mówiąc monotonnym głosem i starając się być bardzo dokładnym.

— To by było na tyle — powiedział w końcu dziarskim tonem, wyrywając Harry'ego z sennych marzeń, w których przeniósł się do Wielkiej Sali i właśnie zabierał się do śniadania. — Wszystko jasne? Są jakieś pytania?

— Ja mam pytanie — odezwał się George, również wyrwany z drzemki. — Dlaczego nie powiedziałeś nam tego wszystkiego wczoraj, kiedy nie spaliśmy?

Wood nie był zachwycony tym pytaniem.

— Posłuchajcie mnie, parszywe lenie — powiedział, obrzucając ich płomiennym spojrzeniem. — Powinniśmy zdobyć puchar w zeszłym roku. Byliśmy najlepszą drużyną.

Niestety, na skutek okoliczności, na które nie mieliśmy wpływu...

Harry wyprostował się z miną winowajcy. Podczas ostatniego, decydującego meczu ubiegłego roku leżał nieprzytomny w szpitalu, co oznaczało, że Gryfoni byli pozbawieni jednego zawodnika i ponieśli najcięższą od trzystu lat porażkę.

Wood przerwał na chwilę, aby się opanować. Ta ostatnia porażka wciąż go dręczyła.

— Więc w tym roku będziemy trenować do upadłego, tak jak jeszcze nigdy nie trenowaliśmy... No dobra, idziemy przełożyć teorię na praktykę! — krzyknął, chwytając swoją miotłę i wychodząc z szatni. Drużyna powlokła się za nim, wciąż ziewając.

Byli w szatni tak długo, że słońce zdążyło już wznieść się nad horyzont, ale strzępy mgły jeszcze unosiły się nad stadionem. Harry zobaczył Rona i Hermionę na pustych trybunach.

— Jeszcze nie skończyliście? — zawołał Ron z niedowierzaniem.

— Nawet nie zaczęliśmy! — odpowiedział Harry, patrząc zazdrośnie na tosty z dżemem, które Ron i Hermiona przynieśli sobie z Wielkiej Sali. — Wood uczył nas nowej taktyki.

Dosiadł swojej miotły, odbił się od ziemi i wystrzelił w powietrze. Chłodne powietrze uderzyło go w twarz, rozbudzając o wiele skuteczniej niż przemowy Wooda. Cudownie było znaleźć się znowu na quidditchowym boisku. Pomknął nad stadionem z pełną szybkością, ścigając Freda i George'a.

— Co tak dziwnie klika? — zapytał Fred, kiedy spotkali się w rogu boiska.

Harry spojrzał na trybuny. W najwyższym rzędzie siedział Colin z podniesionym aparatem, robiąc zdjęcie za zdjęciem. Klikanie migawki odbijało się echem po pustym stadionie.

— Harry, popatrz w moją stronę! — krzyknął przenikliwym głosem.

— Kto to jest? — zapytał Fred.

— Nie mam pojęcia — skłamał Harry, nabierając nagle szybkości, byle tylko znaleźć się jak najdalej od Colina.

— Co się dzieje? — zapytał Wood, podlatując do nich i marszcząc czoło. — Dlaczego ten pierwszoroczniak robi zdjęcia? Nie podoba mi się to. Może to szpieg Ślizgonów, który chce poznać naszą nową taktykę?

— On jest z Gryffindoru — odpowiedział szybko Harry.

— A Ślizgoni wcale nie muszą mieć szpiega — dodał George.

— Skąd ci to przyszło do głowy?

— Bo sami tutaj są — odrzekł George, wskazując ręką.

Na boisko wkraczała grupa postaci w zielonych szatach, każda z miotłą w garści.

— No nie, to chyba jakiś głupi dowcip! — krzyknął Wood. — Przecież to ja zamówiłem boisko na dzisiaj! Zaraz to wyjaśnimy!

Poszybował ku ziemi, ze złości lądując nieco zbyt gwałtownie. Harry, Fred i George wylądowali obok niego.

— Flint! — ryknął Wood do kapitana Ślizgonów. — To nasz czas treningu! Dostaliśmy specjalne pozwolenie! Zjeżdżajcie stąd!

Marcus Flint był jeszcze wyższy od Wooda.

— Tu jest dużo miejsca, Wood — odpowiedział z chytrym uśmieszkiem trolla — pomieścimy się.

Nadleciały Angelina, Alicja i Katie. W drużynie Ślizgonów nie było dziewczyn. Stali ramię w ramię naprzeciw Gryfonów, zerkając na swojego szefa.

— Ale to ja wynająłem boisko! — krzyknął Wood, pryskając śliną ze złości. — Zamówiłem je!

— Tak? A ja mam tutaj specjalne pisemko, podpisane przez profesora Snape'a. Proszę:

Ja, profesor S. Snape, udzielam Ślizgonom pozwolenia na trenowanie w dniu dzisiejszym na boisku quidditcha, ze względu na konieczność przećwiczenia ich nowego szukającego.

— Macie nowego szukającego? — zdumiał się Wood. — Kogo?

I oto zza pleców sześciu wielkich chłopców wyszedł siódmy, mniejszy, z głupawym uśmiechem na bladej, odpychającej twarzy. Był to Draco Malfoy.

— Jesteś synem Lucjusza Malfoya? — zapytał Fred, patrząc na niego z odrazą.

— To śmieszne, że wspomniałeś akurat o ojcu Malfoya — rzekł Flint, a członkowie drużyny Ślizgonów uśmiechnęli się zjadliwie. — Zobacz, jak wspaniałomyślnie wyposażył naszą drużynę.

Cała siódemka wyciągnęła swoje miotły. Siedem wypolerowanych, nowiutkich rączek, każda z rzędem złotych liter układających się w słowa: NIMBUS DWA TYSIĄCE JEDEN, zabłysło w porannym słońcu przed oczami oniemiałych Gryfonów.

— Najnowszy model — wyjaśnił Flint niedbale, strzepując pyłek ze swojej miotły. — Wypuścili go w ubiegłym miesiącu. Podobno przewyższa Nimbusa Dwa Tysiące pod wieloma względami. A jeśli chodzi o stare Zmiataczki — uśmiechnął się złośliwie do Freda i George'a, z których każdy trzymał Zmiataczkę Numer Pięć — to przy nim nadają się tylko do zamiatania boiska.

Gryfonów zatkało. Przez chwilę nikomu nie przychodziła do głowy żadna godna odpowiedź. Malfoy uśmiechał się tak szeroko, że jego zimne oczy zamieniły się w szparki.

— O, popatrzcie — powiedział Flint. — Jakaś inwazja, czy co?

Ron i Hermiona szli ku nim przez trawnik, żeby zobaczyć, co się dzieje.

— Co się stało? — zapytał Ron Harry'ego. — Dlaczego nie ćwiczycie? I co *on* tutaj robi?

Patrzył na Malfoya, wkładającego zieloną szatę.

— Jestem nowym szukającym Ślizgonów, Weasley — oświadczył Malfoy, wyraźnie bardzo z siebie zadowolony. — Wszyscy zachwycają się miotłami, które mój ojciec kupił dla całej drużyny.

Ron otworzył usta i wybałuszył oczy, widząc siedem wspaniałych mioteł.

— Niezłe, co? — rzucił niedbale Malfoy. — Może sypniecie złotem i kupicie sobie takie same? W każdym razie tych Zmiataczek już dawno powinniście się pozbyć. Myślę, że jakieś muzeum chętnie by je przyjęło.

Drużyna Ślizgonów ryknęła śmiechem.

— Ale przynajmniej żaden członek drużyny Gryfonów nie musiał się do niej wkupywać — powiedziała z pogardą Hermiona. — Każdy po prostu miał talent.

Zadowolona mina Malfoya nieco zrzedła.

— Nikt cię nie pytał o zdanie, ty nędzna szlamo — warknął.

Harry poznał od razu, że Malfoy powiedział coś wstrętnego, bo po jego słowach zakotłowało się, Flint rzucił się, by go zasłonić przed atakiem Freda i George'a, Alicja krzyknęła: „Jak śmiesz!", a Ron pogrzebał w fałdach szaty, wyszarpnął różdżkę, wrzasnął: „Zapłacisz mi za to, Malfoy!" i pod łokciem Flinta wymierzył nią w twarz Malfoya.

Donośny huk odbił się echem po stadionie, z końca różdżki wystrzelił strumień zielonego ognia, ugodził Rona w żołądek i przewrócił na trawę.

— Ron! Ron! Nic ci się nie stało? — zapiszczała Hermiona.

Ron otworzył usta, ale nie wyszło z nich ani jedno słowo. Zamiast tego beknął potężnie i z ust wypadło mu na podołek kilkanaście ślimaków.

Drużynę Ślizgonów sparaliżowało ze śmiechu. Flint, zgięty wpół, wspierał się na miotle, żeby nie upaść. Malfoy klęczał, bijąc pięścią w ziemię. Gryfoni zgromadzili się wokół Rona, który wciąż wymiotował wielkimi, obślizgłymi ślimakami. Nikt jakoś nie chciał go dotknąć.

— Zaprowadźmy go lepiej do Hagrida, to najbliżej — powiedział Harry do Hermiony, która kiwnęła odważnie głową i oboje podnieśli Rona na nogi, ciągnąc go za ręce.

— Co się stało, Harry? Co się stało? Czy on jest chory? Ale go uleczysz, prawda? — To Colin zbiegł z trybuny i teraz tańczył wokół nich, kiedy opuszczali stadion.

Ron zaczerpnął ze świstem powietrza i zwrócił nową porcją ślimaków.

— Ooooch — powiedział Colin i uniósł aparat. — Harry, czy możesz go na chwilę potrzymać, żeby się nie ruszał?

— Zjeżdżaj, Colin! — krzyknął Harry ze złością.

Udało im się jakoś wyprowadzić Rona ze stadionu. Przeszli przez łąki i dotarli na skraj lasu.

— Trzymaj się, Ron, to już blisko — powiedziała Hermiona, kiedy zobaczyli chatkę gajowego. — Zaraz ci wszystko przejdzie... już prawie jesteśmy...

Byli o jakieś dwadzieścia stóp od chatki, kiedy otworzyły się frontowe drzwi, ale nie pojawił się w nich Hagrid. Osobą, która wyszła z jego domu, był Gilderoy Lockhart, dziś wystrojony w szatę o barwie bardzo bladego fioletu.

— Szybko, tutaj — syknął Harry, ciągnąc Rona za pobliski krzak.

Hermiona schowała się również, choć zrobiła to z pewnym oporem.

— To bardzo proste, trzeba tylko wiedzieć, co robić! — mówił Lockhart do Hagrida. — Jak będziesz potrzebował pomocy, wiesz, gdzie mnie znaleźć! Przyślę ci moją książkę... Jestem zaskoczony, że dotąd jej nie masz. Jeszcze dziś podpiszę i przyślę ci egzemplarz. Do widzenia!

I pomaszerował dziarsko w stronę zamku.

Harry odczekał, aż Lockhart zniknie, a potem wyciągnął Rona z zarośli i podprowadził do chatki. Zapukali natarczywie do drzwi.

Hagrid otworzył natychmiast. Minę miał ponurą, ale uśmiech rozjaśnił mu twarz, kiedy zobaczył, kto go odwiedza.

— Tak se nieraz myślałem, kiedy przyjdziecie do starego Hagrida... Wchodźcie, wchodźcie... A już się bałem, że wrócił ten ważniak.

Harry i Hermiona przepchnęli Rona przez próg. Chatka miała tylko jedną izbę z ogromnym łożem w jednym rogu i wesoło trzaskającym kominkiem w drugim. Harry umieścił Rona w fotelu i wyjaśnił, co mu się stało. Hagrid nie wydawał się tym zbytnio przejęty.

— Lepiej je zrzucać, niż łykać — oświadczył wesołym

tonem, stawiając przed Ronem wielką miedzianą miednicę.

— No, dalej, Ron, zrzuć je wszystkie.

— Chyba nie pozostaje nam nic innego, jak czekać, aż przestanie — powiedziała z niepokojem Hermiona, patrząc, jak Ron pochyla się nad miednicą. — To dość trudne zaklęcie i czasami bardzo się przydaje, ale kiedy się ma złamaną różdżkę...

Hagrid krzątał się, przygotowując im herbatę. Jego brytan Kieł zdążył już porządnie obślinić Harry'ego.

— Hagridzie, czego od ciebie chciał Lockhart? — zapytał Harry, drapiąc Kła za uszami.

— Doradzał mi, jak się pozbyć wodorostów ze studni — odpowiedział Hagrid swoim dudniącym głosem, zdejmując z wyszorowanego do szarości stołu na pół oskubanego koguta i stawiając na nim dzbanek z herbatą. — Jakbym sam nie wiedział. I wciąż mi gadał o jakiejś zjawie, którą przepędził. Cholibka, jeśli choć jedno słowo z tego, co mówił, jest prawdą, to ja jestem hrabią!

Hagrid nigdy nie wyrażał się źle o profesorach Hogwartu, więc Harry spojrzał na niego zaskoczony. Natomiast Hermiona odchrząknęła i powiedziała podniesionym głosem:

— Myślę, że jesteś trochę niesprawiedliwy. Profesor Dumbledore uznał go za najlepszego kandydata na to stanowisko i...

— Był *jedynym* kandydatem na to stanowisko — mruknął Hagrid, stawiając przed nimi talerz krajanki z melasy, podczas gdy Ron krztusił się i kaszlał z głową w miednicy. — Jednym jedynym, ot co. Bo, widzicie, trudno znaleźć speca od czarnej magii. Ludzie jakoś się do tego nie palą. Mówią, że to przynosi pecha. Na tej posadzie jeszcze nikt miejsca nie zagrzał. Ale powiedzcie mi — wskazał głową na Rona — kogo on próbował przekląć?

— Malfoy jakoś nazwał Hermionę. Musiało to być naprawdę wstrętne słowo, bo wszyscy dostali szału.

— Bo było wstrętne — odezwał się Ron ochrypłym głosem, ukazując nad stołem bladą i spoconą twarz. — Malfoy nazwał ją szlamą...

I dał znowu nurka pod stół, wyrzucając z siebie nową porcję ślimaków. Hagrid osłupiał z oburzenia.

— O żesz ty! Nie może być! — ryknął, patrząc na Hermionę.

— Tak, zrobił to — powiedziała. — Nie bardzo wiem, co to znaczy... Oczywiście zabrzmiało to okropnie chamsko... ale ta „szlama”...

— To najbardziej obraźliwe określenie, jakie mogło przyjść mu do głowy — wydyszał Ron, pokazując się nad stołem. — Tak się mówi o kimś, kto ma rodziców mugoli... no wiecie, kto urodził się w nie-magicznej rodzinie. Że jest szlamowatej krwi. Niektórzy czarodzieje... na przykład rodzina Malfoya... uważają się za lepszych od innych, bo są, jak to się mówi, czarodziejami „czystej krwi”. — Odbiło mu się lekko i jeden mały ślimaczek wylądował na jego wyciągniętej dłoni. Wrzucił go do miednicy i ciągnął dalej:

— Oczywiście reszta nas wie, że to nie ma żadnego znaczenia. Wystarczy spojrzeć na Neville'a Longbottoma... jest czarodziejem czystej krwi, a nie potrafi ustawić kociołka we właściwy sposób.

— I jeszcze nie wynaleźli takiego zaklęcia, któremu by nie dała rady Hermiona — powiedział z dumą Hagrid, na co twarz Hermiony powlekła się delikatnym odcieniem karmazynu.

— To wstrętne, przezywać kogoś — rzekł Ron, ocierając czoło rękawem. — Brudnej krwi. Pospolitej krwi. Szlamowatej krwi. To jakieś wariactwo. Przecież dzisiaj większość czarodziejów to mieszańcy. Gdybyśmy nie żenili się z mugolami, już dawno byśmy wymarli.

Jęknął i znowu zniknął pod stołem.

— Wcale cię nie potępiam za to, że chciałeś go nafaszerować ślimakami, Ron — oznajmił Hagrid donośnym głosem, żeby zagłuszyć bębnienie ślimaków wpadających do miedzianej miednicy. — Ale może to i dobrze, że twoja różdżka odpaliła do tyłu. Lucjusz Malfoy jak nic wparadowałby do szkoły, gdybyś miotnął zaklęciem w jego syna. A tak przynajmniej nie macie kłopotów na głowie.

Harry chciał powiedzieć, że kłopoty to nic w porównaniu z lawiną ślimaków wylatującą z ust, ale nie mógł, bo krajanka Hagrida skleiła mu szczęki.

— Harry — powiedział nagle Hagrid, jakby jakaś myśl wpadła mu do głowy — ja to mam szczęście, że cię poznałem. Słyszałem, że rozdajesz swoje zdjęcia z autografem. Mógłbym dostać jedno?

Harry tak się wściekł, że zdołał rozewrzeć szczęki.

— Nie rozdaję żadnych zdjęć z autografem — zaprzeczył ze złością. — To ten Lockhart opowiada jakieś głupoty...

I urwał, bo zobaczył, że Hagrid trzęsie się ze śmiechu.

— Tylko żartowałem — powiedział olbrzym, klepiąc go po plecach, co spowodowało, że Harry ugodził nosem w stół. — Przecież wiem, że nie jesteś taki. Powiedziałem Lockhartowi, że nie musisz. Jesteś sławniejszy od niego, choć wcale się o to nie starasz.

— Założę się, że nie był tym zachwycony — powiedział Harry, prostując się i rozcierając sobie podbródek.

— I zgadłeś, jak amen w pacierzu. A potem mu powiedziałem, że nigdy nie przeczytałem żadnej z jego książek, no to on uznał, że nie warto ze mną gadać i sobie poszedł.

Może byś zjadł kawałek krajanki, co? — dodał, kiedy twarz Rona wychynęła spod stołu.

— Nie, dzięki — odrzekł Ron słabym głosem. — Lepiej nie ryzykować.

— Chodźcie, to wam pokażę, co wyhodowałem — powiedział Hagrid, kiedy Harry i Hermiona dopili herbatę.

Za chatką, na małym poletku z warzywami, Harry zobaczył z tuzin największych dyni, jakie widział w życiu. Każda była wielkości olbrzymiego głazu.

— Ale wyrosły, co? — Hagrid był wyraźnie dumny ze swojego osiągnięcia. — Na Noc Duchów... będą już duże.

— Czym je nawoziłeś? — zapytał Harry.

Hagrid rozejrzał się, jakby sprawdzał, czy nikt nie podsłuchuje.

— No... tego... trochę im pomogłem.

Harry zauważył różowy parasol Hagrida oparty o tylną ścianę chatki. Już dawno odniósł wrażenie, że nie jest to zwyczajny parasol; prawdę mówiąc, podejrzewał, że ukryta w nim jest szkolna różdżka Hagrida. Hagridowi nie wolno było używać czarów. Został wyrzucony z Hogwartu w trzeciej klasie, ale Harry'emu nigdy nie udało się dowiedzieć dlaczego — każda wzmianka na ten temat powodowała, że Hagrid chrząkał głośno i udawał głuchego tak długo, póki nie zmieniono tematu.

— Zaklęcie Żarłoczności, tak? — zapytała Hermiona, trochę zaciekawiona, a trochę zgorszona. — No, w każdym razie nieźle poskutkowało.

— To samo powiedziała twoja młodsza siostra — rzekł Hagrid do Rona. — Wczoraj ją spotkałem. — Zerknął z ukosa na Harry'ego, a broda lekko mu się zatrzęsła. — Powiedziała, że tak sobie spaceruje po łąkach, ale...

niech skonam, jeśli nie miała nadziei spotkać tutaj zupełnie kogoś innego. — Puścił do Harry'ego oko. — Gdyby mnie kto zapytał, tobym powiedział, że bardzo by się ucieszyła z podpisanego...

— Och, zamknij się — warknął Harry.

Ron parsknął śmiechem i na ziemię poleciała garść ślimaków.

— Uważaj! — ryknął Hagrid, odciągając Rona od swoich drogocennych dyni.

Zbliżała się pora lunchu, a Harry miał dzisiaj w ustach tylko kawałek krajanki z melasy, więc uznał, że najwyższa pora, by wrócić do szkoły. Pożegnali się z Hagridem i powędrowali do zamku. Ron co jakiś czas bekał, ale „zrzucił" tylko dwa małe ślimaki.

Zaledwie weszli do chłodnej sali wejściowej, gdy rozległ się dźwięczny głos profesor McGonagall.

— Ach, już jesteście! Potter i Weasley. — Profesor McGonagall kroczyła ku nim z groźną miną. — Odrabiacie dzisiaj szlaban.

— Co mamy robić, pani profesor? — zapytał Ron, nerwowo powstrzymując beknięcie.

— Ty będziesz czyścił z panem Filchem srebra w izbie pamięci. Tylko bez żadnych czarów, Weasley. Zakasać rękawy i do roboty.

Ron przełknął ślinę. Argus Filch, woźny, był znienawidzony przez wszystkich.

— A ty, Potter, pomożesz profesorowi Lockhartowi odpowiadać na listy wielbicieli.

— Och, nie... Czy nie mógłbym też czyścić srebra? — jęknął Harry.

— Nie, w żadnym wypadku — powiedziała profesor McGonagall, unosząc wysoko brwi. — Profesor Lockhart zażyczył sobie wyraźnie, żebyś to ty mu pomógł. Punktualnie o ósmej, obaj.

Harry i Ron powlekli się do Wielkiej Sali pogrążeni w rozpaczy. Hermiona wkroczyła za nimi z miną pod tytułem *Sami-tego-chcieliście-łamiąc-szkolne-przepisy*. Zapiekanka z mięsa i kartofli nie smakowała Harry'emu tak, jak się spodziewał. Każdemu z osobna — i jemu, i Ronowi — wydawało się, że trafił gorzej.

— Filch będzie mną pomiatał przez cały wieczór — narzekał Ron. — Tylko bez czarów! Przecież tam jest ze sto srebrnych pucharów! Nie znam się na mugolskich metodach czyszczenia!

— Ja bym to wziął z pocałowaniem ręki — powiedział Harry markotnym tonem. — U Durselyów zawsze to robiłem. A odpowiadać na listy fanów Lockharta... to czysty koszmar...

Sobotnie popołudnie mijało szybko i zanim się spostrzegli, była za pięć ósma. Harry powlókł się na drugie piętro do gabinetu profesora Lockharta. Zacisnął zęby i zapukał.

Drzwi otworzyły się natychmiast. Lockhart obrzucił go zachwyconym spojrzeniem.

— A, oto i nasz nicpoń! — powitał go radośnie. — Wchodź, Harry, wchodź.

Na ścianach połyskiwały w blasku kandelabrów oprawione fotografie Lockharta. Kilka nawet podpisał. Na biurku piętrzył się stos najnowszych zdjęć.

— Możesz adresować te koperty! — oznajmił Lockhart takim tonem, jakby robił Harry'emu łaskę. — Pierwsza będzie do Gladys Gudgeon... to moja zagorzała wielbicielka.

Minuty wlokły się niemiłosiernie. Harry pozwolił, aby nieustający potok słów Lockharta przepływał gdzieś obok

niego, od czasu do czasu pomrukując: „mmm", „aha"
i „tak", kiedy docierały do niego zwroty w rodzaju: „Sława
to kapryśny przyjaciel, Harry" albo: „Sława to sława, zapa-
miętaj to sobie, synu".

Świece były coraz krótsze, a ich blask tańczył na mnóst-
wie ruchomych twarzy Lockharta, obserwujących ich ze
ścian. Harry przyłożył obolałą rękę do którejś z rzędu kopert (był pewien, że tysiącznej) i wypisał adres Weroniki
Smethley. Chyba już zbliża się czas, żeby wyjść, pomyślał,
pragnąc, by zbliżył się już teraz...

W tej samej chwili coś usłyszał... coś zupełnie różnego
od trzasku gasnących płomieni świec i paplania Lockharta.

Był to głos, głos, który go zmroził do szpiku kości, głos
zapierający dech w piersiach, głos lodowato jadowity.

— *Chodź... chodź do mnie... rozszarpię cię... rozerwę cię na
strzępy... zabiję...*

Harry podskoczył gwałtownie i wielki liliowy kleks pojawił się na ulicy Weroniki Smethley.

— Co? — prawie krzyknął.

— Wiem! — ucieszył się Lockhart. — Sześć miesięcy na szczycie listy bestsellerów! Pobiła wszystkie rekordy!

— Nie — powiedział Harry jak w malignie. — Ten
głos!

— Słucham? — zdziwił się Lockhart. — Jaki głos?

— Ten... ten głos, który powiedział... nie słyszał pan?

Lockhart wpatrywał się w niego z niekłamanym zdumieniem.

— O czym ty mówisz, Harry? Może jesteś trochę śpiący? A niech to... spójrz na zegar! Pracujemy tu już od
czterech godzin! Aż trudno w to uwierzyć... Ale ten czas
leci, co?

Harry nie odpowiedział. Wytężył słuch, by znowu usłyszeć ten złowieszczy szept, ale usłyszał tylko Lockharta, który wspaniałomyślnie oznajmił, że nie zawsze tak będzie, jak dostanie szlaban. Harry pożegnał go i wyszedł, czując się lekko oszołomiony.

Było tak późno, że we wspólnym pokoju Gryffindoru nie było już nikogo. Harry poszedł prosto do sypialni. Rona jeszcze nie było. Włożył piżamę, wszedł do łóżka i czekał. Pół godziny później nadszedł Ron, masując sobie prawą rękę i wnosząc do ciemnej sypialni silny zapach pasty do polerowania srebra.

— Wszystkie mięśnie mi zesztywniały — jęknął, padając na łóżko. — Kazał mi czyścić Puchar Quidditcha czternaście razy, zanim uznał, że może być. No i miałem atak ślimakowy, kiedy czyściłem Nagrodę Specjalną za Zasługi dla Szkoły. Długo trwało, zanim pozbyłem się tego śluzu... A jak było u Lockharta?

Harry opowiedział mu szeptem, żeby nie obudzić Neville'a, Deana i Seamusa, co usłyszał w gabinecie profesora.

— I Lockhart powiedział, że nic nie słyszał? — zapytał Ron. W świetle księżyca Harry zobaczył, jak jego przyjaciel marszczy czoło. — Myślisz, że kłamał? Ale jednego nie rozumiem... przecież nawet ktoś niewidzialny otworzyłby sobie drzwi...

— Wiem — odpowiedział Harry, opadając na poduszkę i wpatrując się w baldachim. — Ja też tego nie rozumiem.

ROZDZIAŁ ÓSMY

Przyjęcie w rocznicę śmierci

Nadszedł październik, rozsiewając po łąkach wilgotny ziąb, który szybko wkradł się również do zamku. Pani Pomfrey, przełożona skrzydła szpitalnego, miała pełne ręce roboty, bo wśród personelu i uczniów wybuchła prawdziwa epidemia przeziębień. Na szczęście jej pieprzowy eliksir działał natychmiast, choć po jego wypiciu jeszcze przez kilka godzin dymiło się z uszu. Percy namówił Ginny Weasley, która wyglądała na chorowitą, żeby wypiła łyk eliksiru. Para buchająca spod jej bujnych włosów sprawiała wrażenie, jakby zapaliła się jej głowa.

A potem w okna zamku zaczęły bębnić krople deszczu wielkości pocisków karabinowych, jezioro wezbrało, grządki kwiatowe zamieniły się w błotniste strumienie, a dynie Hagrida nabrzmiały do wielkości budek na narzędzia ogrodnicze. Nie wygasł jednak entuzjazm, z jakim Oliver Wood przeprowadzał regularne treningi i właśnie dlatego pewnego późnego sobotniego popołudnia, na kilka dni przed Nocą Duchów, Harry wrócił do Gryffindoru przemoczony do szpiku kości i umazany błotem.

Nawet pomijając deszcz i wiatr, nie było z czego się cieszyć. Fred i George, którzy szpiegowali drużynę Ślizgonów, na własne oczy przekonali się o szybkości nowych Nimbusów Dwa Tysiące Jeden. Donieśli, że drużyna Ślizgonów na boisku to po prostu siedem zielonych smug, śmigających w powietrzu jak odrzutowce.

Wlokąc się opustoszałym korytarzem, Harry natknął się na kogoś, kto wyglądał na pogrążonego w równie ponurych myślach jak on. Prawie Bezgłowy Nick, duch wieży Gryffinduru, wpatrywał się posępnie w okno, mrucząc pod nosem:

— ...nie spełnia wymaganych warunków... pół cala i już nie spełnia...

— Cześć, Nick — przywitał go Harry.

— A witaj, witaj — odrzekł Prawie Bezgłowy Nick, wzdrygając się i rozglądając na wszystkie strony.

Na głowie miał zawadiacki kapelusz ze strusim piórem, spod którego spływały mu na ramiona misterne loki, a wokół szyi krezę, dość skutecznie maskującą fakt, że jego głowa była prawie całkowicie odcięta od tułowia. Był blady i przezroczysty, tak że Harry widział przez niego ciemne niebo i strumienie deszczu spływające po szybie.

— Wyglądasz na zmartwionego, młody Potterze — przemówił Nick, zwijając przezroczysty list i wsadzając go za pazuchę kubraka.

— Ty też.

— Ach! — Prawie Bezgłowy Nick machnął wytwornie smukłą dłonią — To nic ważnego... aż tak mi na tym nie zależało... chociaż wysłałem zgłoszenie, ale najwyraźniej „nie spełniam wymaganych warunków".

Powiedział to lekceważącym tonem, ale na jego twarzy malowało się głębokie rozgoryczenie.

— A ty byś nie pomyślał — wybuchnął nagle, wyciągając ponownie list z wewnętrznej kieszeni — że po otrzymaniu czterdziestu pięciu ciosów toporem w szyję spełniasz warunki, by wziąć udział w Polowaniu bez Głów?

— Eee... no tak — zgodził się Harry, bo najwidoczniej tego od niego oczekiwano.

— Chodzi mi o to, że chyba nikt bardziej ode mnie nie pragnąłby, aby to wszystko odbyło się szybko i jak należy, żeby głowa odpadła mi całkowicie... to znaczy... oszczędziłoby mi to wiele bólu i upokorzeń. Jednakże...

Prawie Bezgłowy Nick potrząsnął listem i zaczął czytać rozdrażnionym tonem:

Możemy zaakceptować jedynie tych myśliwych, których głowy na zawsze rozstały się z tułowiami. Sam Pan rozumie, że gdybyśmy nie stawiali takiego warunku, uczestnicy polowania nie mogliby brać udziału w takich gonitwach i grach sportowych jak Głowogon czy Głowopolo. Dlatego z najwyższą przykrością musimy Pana poinformować, że nie spełnia Pan wymaganych warunków.

Z wyrazami głębokiego szacunku,
Sir Patryk Delaney-Podmore

Dysząc z gniewu, Prawie Bezgłowy Nick cisnął list na posadzkę.

— Harry, moją głowę utrzymuje tylko pół cala skóry i jedno ścięgno! Większość ludzi uznałaby to za realne pozbawienie głowy, i całkiem słusznie, ale dla tego pana to za mało! — Odetchnął głęboko kilka razy i dodał, już nieco spokojniejszym tonem: — A co ciebie tak martwi, młody człowieku? Może mógłbym ci jakoś pomóc?

— Nie — odpowiedział Harry. — Chyba że wiesz,

jak zdobyć siedem Nimbusów Dwa Tysiące Jeden na mecz ze Śliz...

Reszta zdania utonęła w donośnym miauku, który rozległ się na wysokości jego kostek. Spojrzał w dół, prosto w parę oczu płonących żółtym blaskiem. Była to Pani Norris, chuda jak szkielet kocica, pełniąca rolę kogoś w rodzaju zastępcy szeryfa w nie kończącej się wojnie Argusa Filcha, woźnego Hogwartu, z uczniami.

— Lepiej zmykaj stąd, Harry — powiedział szybko Nick. — Filch nie jest dziś w najlepszym nastroju. Zaziębił się, a jacyś trzecioklasiści przypadkowo wysmarowali żabimi mózgami cały sufit w lochu numer pięć; czyścił go przez całe rano, więc jeśli zobaczy tutaj to błoto...

— Jasne — rzucił krótko Harry i wycofał się z zasięgu oskarżycielskiego spojrzenia Pani Norris.

Niestety, nie zrobił tego dostatecznie szybko. Ściągnięty tutaj jakąś tajemniczą mocą, która zdawała się łączyć go z tym obmierzłym kotem, Argus Filch wypadł nagle zza zasłony na prawo od Harry'ego, sapiąc głośno i rozglądając się za kimś, kto złamał przepisy. Głowę miał przewiązaną kraciastą chustą, a jego nos miał barwę ciemnej purpury.

— Brud! — wrzasnął, a szczęki zadrgały mu groźnie i oczy prawie wyszły z orbit na widok plam błota ściekającego z trenigowej szaty Harry'ego. — Wszędzie bałagan i gnój! Mam już tego dosyć! Za mną, Potter!

Tak więc Harry pomachał Nickowi na pożegnanie i powlókł się za Filchem z powrotem schodami w dół, podwajając liczbę błotnistych śladów na kamiennych płytach.

Harry jeszcze nigdy nie był w biurze Filcha; tego miejsca unikali wszyscy uczniowie. Pokój był obskurny, pozbawiony okien, oświetlony jedną oliwną lampką zwisającą z niskiego sufitu. Czuć było smażoną rybą. Wzdłuż ścian ciągnęły się drewniane półki z szufladkami; z treści nalepek wynikało, że jest to coś w rodzaju kartoteki ukaranych przez Filcha uczniów. Fred i George Weasleyowie mieli tu całą osobną komodę. Za biurkiem Filcha wisiała na ścianie błyszcząca kolekcja łańcuchów i kajdanek. Wszyscy wiedzieli, że nieustannie błagał Dumbledore'a, aby mu pozwolono wieszać uczniów za ręce pod sufitem.

Filch wyjął pióro z garnuszka na biurku i zaczął się rozglądać za pergaminem.

— Gnój — mruczał jadowicie — wielkie, skwierczące smocze kupy... żabie mózgi... szczurze jelita... mam już tego dosyć... ukarzę dla przykładu... gdzie jest formularz... tak...

Z szuflady biurka wyjął wielki zwój, rozwinął go przed sobą i umaczał pióro w kałamarzu.

— Nazwisko... Harry Potter. Przestępstwo...

— Przecież to była tylko odrobina błota! — zaprotestował Harry.

— Dla ciebie to tylko odrobina błota, a dla mnie dodatkowa godzina skrobania i mycia! — krzyknął Filch, a z nosa skapnęło mu coś na pergamin. — Przestępstwo... splugawienie zamku... Sugerowany wyrok...

Drapiąc się piórem po obrzydliwie napuchniętym, obślizgłym nosie, Filch zmierzył złym spojrzeniem Harry'ego, który wstrzymał oddech, oczekując na wyrok.

Lecz w chwili, gdy Filch opuścił pióro na pergamin, coś głośno walnęło w sufit, aż zadygotała lampka.

— IRYTEK! — ryknął Filch, odrzucając pióro w ataku wściekłości. — Tym razem już cię mam! Tym razem już po tobie!

I wybiegł cichym truchtem z pokoju, nawet nie spojrzawszy na oszołomionego Harry'ego. Pani Norris wybiegła za nim jak cień.

Irytek był szkolnym poltergeistem, bezczelną zjawą, której jedynym celem było wywoływanie zamieszania i sianie zniszczenia. Harry nie darzył Irytka sympatią, ale teraz nie mógł nie być mu wdzięczny. Cokolwiek Irytek zrobił (a zabrzmiało to, jakby tym razem przewrócił coś naprawdę dużego), odciągnęło to uwagę Filcha od Harry'ego. Harry nie miał jednak odwagi czmychnąć z jego nory, więc usiadł w zjedzonym przez mole fotelu tuż przy biurku. Prócz formularza jego „przestępstwa" leżała na nim tylko jedna rzecz: duża, błyszcząca, purpurowa koperta ze srebrnym nadrukiem. Harry rzucił okiem na drzwi, upewnił się, że Filch nie wraca, porwał kopertę i przeczytał:

WMIGUROK

Korespondencyjny kurs dla początkujących czarodziejów

Zaintrygowany, otworzył kopertę i wyciągnął z niej plik pergaminowych arkusików. Na pierwszej stronie srebrny tekst głosił:

Czujesz, że nie dotrzymujesz kroku rozwojowi współczesnej magii? Zdarza ci się usprawiedliwiać, że nie wyszło ci najprostsze zaklęcie? Wykpiono twoje bezskuteczne wymachiwanie różdżką?
Oto rozwiązanie twoich problemów!

WMIGUROK to zupełnie nowy, szybki, łatwy i absolutnie niezawodny sposób na poznanie współczesnej magii. Setki czarownic i czarodziejów skorzystało z dobrodziejstw tej nowej metody!

Madame Z. Nettles z Topsham pisze:
„Nie potrafiłam zapamiętać zaklęć, a z moich eliksirów śmiała się cała rodzina! Teraz, po ukończeniu Wmiguroka, jestem ośrodkiem zainteresowania na każdym przyjęciu, a znajomi błagają mnie o przepis na Iskrzący Roztwór!"

Mag D. J. Prod z Didsbury pisze:
„Moja żona zawsze szydziła z moich żałosnych czarów, ale w miesiąc po ukończeniu Wmiguroka udało mi się zamienić ją w jaka! Dzięki ci, Wmiguroku!"

Harry, zafascynowany, szybko przejrzał resztę zawartości koperty. Dlaczego, u licha, Filch zapragnął ukończyć korespondencyjny kurs magii? Czy to oznacza, że wcale nie jest czarodziejem? Harry czytał właśnie *Lekcję pierwszą: Jak trzymać różdżkę (kilka pożytecznych wskazówek)*, kiedy usłyszał szuranie podeszew na korytarzu. Ledwo zdążył wepchnąć papiery do koperty i odrzucić ją na biurko, kiedy drzwi się otworzyły.

Wkroczył Filch z wyrazem triumfu na twarzy.

— Ta komoda to rzeczywiście wspaniały wynalazek! — mówił rozpromieniony do Pani Norris. — Tym razem, kochanie, pozbyliśmy się Irytka na zawsze!

Spojrzał na Harry'ego, a potem rzucił się do biurka i chwycił kopertę, która, z czego Harry zdał sobie sprawę zbyt późno, leżała teraz ze dwie stopy od miejsca, gdzie ją Filch pozostawił.

— Przeczytałeś?! — wydyszał, tryskając śliną.

— Nie — skłamał szybko Harry.

Filch zacisnął pięść i uderzał nią w drugą dłoń.

— Jeśli przeczytałeś mój prywatny list... choćby i nie do mnie... do przyjaciela... wszystko jedno... to...

Dopiero teraz Harry naprawdę się przestraszył: Filch wyglądał, jakby dostał szału. Oczy wyłaziły mu z orbit, jeden policzek drgał jakimś okropnym tikiem, a kraciasta chusta niewiele na to pomagała.

— No dobrze... idź już... i nie waż się szepnąć słówka... Nie chodzi o to, że... no, ale skoro nie czytałeś... Idź już, muszę napisać raport o Irytku... idź...

Zaskoczony swym szczęściem, Harry wybiegł z biura, pomknął korytarzem i wspiął się po schodach z szybkością Irytka. Wydostanie się z biura Filcha bez ukarania było chyba równoznaczne z osiągnięciem jakiegoś szkolnego rekordu.

— Harry! Harry! Podziałało?

Z jakiejś klasy wyłoniła się zwiewna postać Prawie Bezgłowego Nicka. Przez otwarte drzwi Harry zobaczył szczątki wielkiej czarno-złotej komody, którą ktoś musiał cisnąć o podłogę z dużej wysokości.

— Namówiłem Irytka, żeby rozbił ten mebel tuż nad biurem Filcha — powiedział z przejęciem Nick. — Pomyślałem sobie, że to go wytrąci z równowagi i...

— A więc to ty? — zawołał Harry. — Tak, podziałało, nie dostałem nawet szlabanu. Dzięki, Nick!

Ruszyli razem korytarzem. Prawie Bezgłowy Nick wciąż trzymał w ręku obelżywy list Sir Patryka.

— Bardzo bym chciał jakoś ci pomóc z tym Polowaniem bez Głów — powiedział Harry.

Prawie Bezgłowy Nick zatrzymał się tak nagle, że Harry przeszedł przez niego. Nie było to przyjemne: przypominało przejście pod lodowatym prysznicem.

— Jest coś, co możesz dla mnie zrobić, Harry... Może nie wypada mi o to prosić... Nie, na pewno nie zechcesz...

— O co chodzi? — zapytał Harry.

— No więc w tę Noc Duchów przypada pięćsetna rocznica mojej śmierci — oznajmił Prawie Bezgłowy Nick, prostując się i nabierając godności.

— Ach — westchnął Harry, nie bardzo wiedząc, czy ma wyrazić żal, czy radość z tego powodu. — No tak.

— Wydaję przyjęcie w jednym z bardziej przestronnych lochów. Zaprosiłem przyjaciół z całego kraju. Byłby to dla mnie wielki zaszczyt, gdybyś mógł się na tym przyjęciu pojawić. Pana Weasleya i pannę Granger też powitałbym z radością... ale... no tak... na pewno będziesz wolał iść na ucztę szkolną, prawda?

Przyglądał się Harry'emu w napięciu.

— Nie — powiedział szybko Harry. — Przyjdę...

— Ach, mój drogi chłopcze! Harry Potter na przyjęciu w rocznicę mojej śmierci! A czy mógłbyś... — zawahał się, wyraźnie podekscytowany. — Może mógłbyś wspomnieć Sir Patrykowi, jak *bardzo* wydaję ci się przerażający? Jak *wielkie* zrobiłem na tobie wrażenie?

— O-o-oczywiście — wybąkał Harry.

Prawie Bezgłowy Nick uśmiechnął się do niego promiennie.

— Przyjęcie z okazji rocznicy śmierci? — powtórzyła z zachwytem Hermiona, kiedy Harry przebrał się wreszcie i przyszedł do pokoju wspólnego, gdzie siedziała z Ronem.

— Założę się, że niewielu żyjących mogłoby się pochwalić, że byli na takim przyjęciu... To dopiero będzie przygoda!

— Dlaczego w ogóle komuś chce się obchodzić dzień swojej śmierci? — zapytał Ron, który odrobił dopiero połowę pracy domowej z eliksirów i nie był w najlepszym humorze. — To taka ponura okazja...

Deszcz wciąż siekł w okna, teraz atramentowo czarne, ale wewnątrz było jasno i przytulnie. Blask z trzaskającego kominka pełzał po niezliczonych wyliniałych fotelach, w których Gryfoni czytali, rozmawiali, odrabiali lekcje, albo, jak w przypadku Freda i George'a, przeprowadzali doświadczenie polegające na nakarmieniu salamandry sztucznymi ogniami Filibustera. Fred „uratował" wspaniały, pomarańczowy okaz z klasy opieki nad magicznymi stworzeniami i teraz, w gronie kilku zaciekawionych osób, obserwował lekko dymiącą jaszczurkę, spacerującą po stole.

Harry był już bliski opowiedzenia Ronowi i Hermionie o Filchu i kursie Wmiguroka, kiedy salamandra nagle wystrzeliła w powietrze i zaczęła krążyć po pokoju, tryskając iskrami i wydając z siebie donośne trzaski. Widok Percy'ego, wymyślającego Fredowi i George'owi, malowniczy pokaz mandarynkowych gwiazd sypiących się z pyszczka salamandry i towarzyszące temu eksplozje wypłoszyły mu z głowy zarówno Filcha, jak i jego purpurową kopertę.

Nadchodziła Noc Duchów, a Harry coraz bardziej żałował, że obiecał zjawić się na przyjęciu z okazji rocznicy śmierci Prawie Bezgłowego Nicka. Reszta szkoły szykowała się na wieczorną ucztę. Wielka Sala została już, jak zwykle, przystrojona żywymi nietoperzami, olbrzymie dynie Hagrida zamieniły się w wielkie latarnie i krążyły pogłoski, że Dumbledore wynajął trupę tańczących szkieletów, aby uświetnić ucztę.

— Obietnica to obietnica — przypomniała Harry'emu Hermiona. — Powiedziałeś, że pójdziesz na przyjęcie w rocznicę śmierci.

Tak więc o siódmej wieczorem Harry, Ron i Hermiona minęli otwarte drzwi do Wielkiej Sali, rozjarzonej złotą zastawą i kandelabrami, i skierowali się ku lochom.

Korytarz wiodący do lochu, w którym Prawie Bezgłowy Nick zorganizował przyjęcie, również był oświetlony świecami, ale efekt nie podnosił specjalnie na duchu: były to długie, cienkie, czarne świece o niebieskawych płomykach, rzucające blade, widmowe światło nawet na ich żywe twarze. Z każdym krokiem robiło się coraz zimniej. Harry wzdrygnął się i otulił szczelniej płaszczem, kiedy usłyszał coś, co przypominało drapanie tysiąca paznokci po olbrzymiej tablicy.

— Czy to ma być ich *muzyka*? — zapytał szeptem Ron.

Minęli załamanie korytarza i zobaczyli Prawie Bezgłowego Nicka stojącego przed drzwiami zasłoniętymi czarną, aksamitną draperią.

— Moi drodzy przyjaciele — powitał ich żałobnym tonem — witajcie... witajcie... Tak mi miło, że zechcieliście przyjść...

Machnął swoim pierzastym kapeluszem, skłonił się i gestem zaprosił ich do środka.

Był to niesamowity widok. Loch wypełniały setki perłowobiałych, przezroczystych postaci; większość tańczyła nad zatłoczonym parkietem przy dźwiękach ze trzydziestu pił, na których grali muzykanci usadowieni na okrytym kirem podwyższeniu. Z sufitu zwieszał się wielki żyrandol z tysiącem czarnych świec płonących zimnym, niebieskim blaskiem. Powiało chłodem, jakby weszli do wielkiej lodówki; ich oddechy zamieniały się w parę.

— Może się trochę rozejrzymy, co? — zaproponował Harry, chcąc rozgrzać sobie nogi.

— Tylko uważajcie, żeby przez nikogo nie przechodzić — powiedział Ron lekko drżącym głosem.

Ruszyli skrajem parkietu. Minęli grupę posępnych zakonnic, jakiegoś obszarpańca w łańcuchach i Grubego Mnicha, wesołego ducha z Hufflepuffu, rozmawiającego z rycerzem, w którego w czole tkwiła ułamana strzała. Harry nie był zaskoczony, widząc, że inne duchy unikały Krwawego Barona, wychudłego, złośliwego ducha Slytherinu, poplamionego srebrzystą krwią.

— Och, nie — jęknęła Hermiona, zatrzymując się gwałtownie. — Odwróćcie się, wracamy, nie chcę się spotkać z Jęczącą Martą...

— Z kim? — zapytał Harry, kiedy się szybko wycofali.

— Ona straszy w toalecie dla dziewczyn na pierwszym piętrze.

— Straszy w *toalecie*?

— Tak. Przez cały rok trudno było z niej korzystać, bo Marta ma wciąż napady złego humoru i zwykle wszystko jest pozalewane. Ja tam w każdym razie nie chodzę, jak nie muszę, to okropne, iść do klopa i słyszeć jej jęki...

— Zobaczcie, żarcie! — zawołał Ron.

W drugim końcu lochu był długi stół, również przykryty czarnym aksamitem. Ruszyli ku niemu ochoczo, ale w połowie drogi zatrzymali się, przerażeni. Zapach był nie do wytrzymania. Na ładnych srebrnych półmiskach leżały długie zgniłe ryby, na tacach piętrzyły się spalone na węgiel ciasteczka, był również gulasz z podróbek baranich, w którym roiło się od robaków, wielki kawał sera pokryty zieloną pleśnią, a na honorowym miejscu leżało olbrzymie szare ciasto w kształcie grobu, na którym widniał napis ze smołowatego lukru:

SIR NICHOLAS DE MIMSY-PORPINGTON
ZMARŁ 31 PAŹDZIERNIKA 1492 ROKU

Harry patrzył ze zdumieniem, jak przy stole pojawił się jakiś korpulentny duch, skulił się i przeszedł *przez* stół, z ustami otwartymi tak szeroko, że zmieścił się w nich jeden z cuchnących łososi.

— Czuje pan smak, przenikając przez rybę? — zapytał go Harry.

— Prawie — odrzekł ponuro duch i odpłynął w dal.

— Myślę, że lubią zepsute potrawy, bo mają mocniejszy zapach — powiedziała wszystkowiedząca Hermiona, zatykając sobie nos i podchodząc bliżej stołu, żeby przyjrzeć się zgniłemu gulaszowi z podróbek.

— Chodźcie stąd, robi mi się niedobrze — jęknął Ron.

Nie zdążyli jednak się odwrócić, kiedy spod stołu wyskoczyła mała postać i zawisła w powietrzu tuż przed nimi.

— Cześć, Irytku — przywitał go ostrożnie Ron, nie wiedząc, czego się po nim spodziewać.

W przeciwieństwie do innych duchów, poltergeist nie był wcale blady ani przezroczysty. Na głowie miał jaskrawopomarańczowy kapelusz, na szyi wystrzałową muszkę, a na płaskiej twarzy szeroki, złośliwy uśmiech.

— Przekąskę? — zapytał słodkim tonem, wyciągając ku nim miseczkę zapleśniałych orzeszków.

— Nie, dzięki — odpowiedziała Hermiona.

— Słyszałem, jak mówiłaś o biednej Marcie — powiedział, a w jego oczach zapaliły się złośliwe chochliki. — I nie było to wcale uprzejme. — Wziął głęboki oddech i ryknął: — HEJ! MARTOOO!

— Och, nie, Irytku, nie powtarzaj jej tego, co o niej mówiłam, będzie jej przykro — wyszeptała gorączkowo Hermiona. — Nie miałam nic złego na myśli, wcale mi nie przeszkadza... ee... witaj, Marto.

Duch tęgiej, przysadzistej dziewczyny, który zawisł

przed nimi, miał okropnie ponurą twarz, ledwo widoczną spod strzechy włosów i bardzo grubych okularów.

— Co? — zapytała głupkowato.

— Jak się masz, Marto? — powitała ją Hermiona przesadnie serdecznym tonem. — Jak miło spotkać się z tobą poza toaletą.

Marta pociągnęła nosem.

— Panna Granger właśnie o tobie mówiła... — powiedział Irytek Marcie do ucha.

— Właśnie mówiłam... mówiłam... jak ładnie dzisiaj wyglądasz — wyjąkała Hermiona, miażdżąc Irytka wzrokiem.

Marta spojrzała na nią podejrzliwie.

— Wyśmiewasz się ze mnie — zajęczała, a w jej małych, przezroczystych oczkach zebrały się srebrne łzy.

— Nie... naprawdę... mówiłam, jak ładnie Marta wygląda, prawda? — powiedziała Hermiona, szturchając Harry'ego i Rona mocno w żebra.

— A... tak...

— Mówiła...

— Nie okłamujcie mnie — chlipała Marta, zalewając się łzami. Irytek cmokał ze szczęścia u jej boku. — Myślicie, że nie wiem, co o mnie mówią za moimi plecami? Gruba Marta! Brzydka Marta! Żałosna, jęcząca, wiecznie skrzywiona Marta!

— I „krościata", zapomniałaś? — syknął jej w ucho Irytek.

Jęcząca Marta zaniosła się szlochem i odpłynęła w dal, a uradowany Irytek pomknął za nią, obrzucając ją zgniłymi orzeszkami i wrzeszcząc:

— Krościata! Krościata!

— O Boże... — jęknęła Hermiona.

Pojawił się Prawie Bezgłowy Nick.

— Dobrze się bawicie?

— Och, tak — skłamali.

— Niezłe towarzystwo, co? — powiedział z dumą Nick. — Jęcząca Wdowa przybyła aż z Kentu... Zbliża się czas mojego przemówienia, muszę uprzedzić orkiestrę...

Orkiestra przestała jednak grać w tym samym momencie. Zabrzmiał myśliwski róg i wszyscy ucichli, rozglądając się z zaciekawieniem.

— No i są — powiedział z goryczą Prawie Bezgłowy Nick.

Ze ściany lochu wypadło z tuzin zwiewnych koni; na każdym siedział duch jeźdźca bez głowy. Wybuchły gromkie oklaski. Harry też zaczął klaskać, ale szybko przestał, gdy spojrzał na twarz Nicka.

Konie zatrzymały się pośrodku parkietu, rżąc i stając dęba. Jeden z jeźdźców, który trzymał swą brodatą głowę pod pachą, zeskoczył z konia, uniósł ją wysoko, tak aby wszystkich zobaczyć (co zebrani powitali salwą śmiechu), i zbliżył się do Prawie Bezgłowego Nicka.

— Nick! — ryknęła głowa, zanim duch osadził ją sobie na szyi. — Jak się miewasz? Głowa wciąż ci zwisa z karku?

Parsknął rubasznym śmiechem i poklepał Nicka po ramieniu.

— Witaj, Patryku — odrzekł Nick sucho.

— Żywi! — zawołał Sir Patryk, spojrzawszy na Harry'ego, Rona i Hermionę i podskakując wysoko, niby ze zdumienia, tak że głowa znowu spadła mu z karku (co wywołało nową salwę śmiechu).

— Bardzo zabawne — mruknął posępnie Prawie Bezgłowy Nick.

— Nie przejmuj się, Nick! — krzyknęła z podłogi głowa Sir Patryka. — Wciąż jesteś obrażony, że nie wyraziliśmy zgody na twój udział w polowaniu? No, ale sami powiedzcie... tylko na niego popatrzcie...

— Uważam — odezwał się pospiesznie Harry, widząc natarczywe spojrzenie Nicka — że Nick jest naprawdę bardzo... przerażający... i... eee...

— Ha! — ryknęła głowa Sir Patryka. — Założę się, że cię prosił, abyś to powiedział, młodzieńcze!

— Bardzo proszę wszystkich o uwagę! — zawołał Prawie Bezgłowy Nick, podchodząc do podium i stając w kręgu lodowatego niebieskiego światła. — Czas na moje przemówienie! Nieodżałowanej pamięci panie i panowie, z głębokim smutkiem...

Ale nikt go nie słuchał. Bezgłowa drużyna Sir Patryka zaczęła właśnie grać w hokeja jego głową i wszyscy rzucili się, aby popatrzeć. Prawie Bezgłowy Nick bezskutecznie próbował zwrócić na siebie uwagę, ale poddał się, kiedy głowa Sir Patryka świsnęła mu koło ucha wśród entuzjastycznych wiwatów i śmiechów.

Harry zmarzł okropnie, nie mówiąc o tym, jaki był głodny.

— Dłużej tego nie wytrzymam — mruknął Ron, szczękając zębami, kiedy orkiestra znowu zaczęła zgrzytać i popiskiwać, a duchy wróciły na parkiet.

— Idziemy — zgodził się Harry.

Wycofali się do drzwi, kłaniając się i uśmiechając do każdego, kto na nich spojrzał i w minutę później biegli już korytarzem oświetlonym czarnymi świecami.

— Może jeszcze nie zjedli puddingu — powiedział Ron z nadzieją w głosie, dobiegając pierwszy do schodów wiodących do sali wejściowej.

I wówczas Harry to usłyszał.

— ...*rozerwę*... *rozszarpię*... *zabiję*...

Był to ten sam głos, ten sam lodowaty, morderczy szept, który usłyszał w gabinecie Lockharta.

Zatrzymał się, zachwiał, oparł o kamienną ścianę, nasłuchując i rozglądając się po mętnie oświetlonym korytarzu.

— Harry, co ci jest?...

— To znowu ten głos... bądźcie przez chwilę cicho...

— *wygłodniały*... *od tak dawna*...

— Słuchajcie! — szepnął gorączkowo Harry, a Ron i Hermiona zamarli, wpatrując się w niego ze strachem.

— *zabić*... *czas, aby zabić*...

Głos zamierał. Harry był pewny, że głos gdzieś odpływa... gdzieś w górę... Poczuł, że ogarnia go fala strachu i podniecenia. Spojrzał na mroczne sklepienie. Czyżby to była zjawa, dla której kamienne sklepienie nie jest żadną przeszkodą?

— Tędy! — krzyknął i ruszył biegiem schodami do sali wejściowej.

Tu trudno było nawet marzyć o usłyszeniu czegokolwiek, bo przez otwarte drzwi Wielkiej Sali przelewał się gwar uczty, odbijając echem od kamiennych ścian. Harry pomknął marmurowymi schodami na pierwsze piętro, a Ron i Hermiona pobiegli za nim.

— Harry, co my...

— CIIICHO!

Harry wytężył słuch. Gdzieś z daleka, z drugiego piętra, dobiegł go słabnący głos:

— ...*czuję krew*... *CZUJĘ KREW!*

Harry'emu coś przewróciło się w pustym żołądku.

— On chce kogoś zabić! — krzyknął i nie zważając na osłupiałe twarze Rona i Hermiony, pobiegł dalej, przeskakując po trzy stopnie naraz.

Przebiegł prawie całe drugie piętro, ale słyszał tylko dudnienie własnych kroków i oddechy Rona i Hermiony za sobą. W końcu zatrzymał się na progu ostatniego, mrocznego korytarza.

— Harry, co jest grane? — zapytał Ron, ocierając rękawem spoconą twarz. — Ja nic nie słyszałem...

Nagle Hermiona wydała z siebie zduszony okrzyk i wskazała ręką koniec korytarza.

— *Patrzcie!*

W głębi korytarza coś zamigotało. Podeszli wolno, wyciągając szyje, żeby coś zobaczyć w ciemności. Między dwoma oknami na ścianie nabazgrane były wielkimi literami słowa, migocące lekko w mdłym świetle pochodni:

KOMNATA TAJEMNIC ZOSTAŁA OTWARTA.
STRZEŻCIE SIĘ, WROGOWIE DZIEDZICA.

— Co to... co tu wisi pod spodem? — zapytał drżącym szeptem Ron.

Zbliżyli się jeszcze bardziej i Harry nagle się pośliznął: na posadzce było pełno wody. Ron i Hermiona złapali go w ostatniej chwili, bo byłby się przewrócił. Wyciągnęli szyje i spojrzeli na ciemny kształt pod napisem. Nie musieli długo się przyglądać. Wszyscy troje odskoczyli od ściany, wpadając w kałużę.

Do uchwytu na pochodnię za własny ogon przywiązana była Pani Norris, kotka woźnego. Była zupełnie sztywna, a jej wielkie oczy wpatrywały się nieruchomo w ciemność.

Przez kilka sekund żadne z nich się nie poruszyło. Potem Ron powiedział:

— Zmywamy się stąd.

— A nie powinniśmy spróbować... jakoś pomóc... — zaczął Harry nieśmiało.

— Zaufaj mi — szepnął Ron. — Chcesz, żeby ktoś nas tu zobaczył?

Ale było już za późno. Usłyszeli harmider, przypominający odległy grzmot. Uczta właśnie się skończyła. Z obu końców korytarza dobiegł ich stukot setek stóp wspinających się po schodach i rozradowany gwar dobrze najedzonych ludzi. W następnej chwili na korytarz z obu stron wlał się strumień uczniów.

Gwar, śmiechy, odgłos kroków — wszystko to nagle ucichło, kiedy zauważono wiszącą kotkę. Harry, Ron i Hermiona stali samotnie w przerwie między dwoma oniemiałymi grupami uczniów, którzy cisnęli się do przodu, by lepiej zobaczyć ponure widowisko.

I wówczas ktoś krzyknął:

— Strzeżcie się, wrogowie Dziedzica! Ty będziesz następna, szlamo!

To był Draco Malfoy. Przepchał się przez tłum i stanął w pierwszym rzędzie. Jego zimne oczy zapłonęły, a zwykle bladą twarz pokrył rumieniec, kiedy uśmiechnął się mściwie na widok nieruchomego kota, wiszącego tuż przy ścianie na własnym ogonie.

ROZDZIAŁ DZIEWIĄTY

Napis na ścianie

Co tu się dzieje? Co się dzieje?

Zwabiony bez wątpienia okrzykiem Malfoya, przez tłum przepchnął się Argus Filch. Zobaczył Panią Norris i cofnął się gwałtownie, zakrywając twarz rękami.

— Moja kotka! Moja kotka! Co zrobiliście Pani Norris!

Opuścił ręce i jego zrozpaczone spojrzenie padło na Harry'ego.

— To ty! — zaskrzeczał. — Ty! Ty zamordowałeś moją kotkę! Ty ją zabiłeś! Uduszę cię!

— Argusie!

Na scenie pojawił się Dumbledore, a za nim inni nauczyciele. Przyskoczył do ściany i odczepił martwe ciało Pani Norris od uchwytu na pochodnię.

— Proszę ze mną, Argusie — powiedział do Filcha. — Pan też, panie Potter. Pan Weasley i panna Granger również.

Z tłumu wystąpił zaaferowany Lockhart.

— Mój gabinet jest najbliżej, panie dyrektorze... piętro wyżej... proszę nie mieć żadnych skrupułów...

— Dziękuję ci, Gilderoy — powiedział Dumbledore.

Uciszony tłum rozstąpił się przed nimi. Lockhart, najwyraźniej dumny ze swojej roli, dreptał tuż za Dumbledore'em; za nimi kroczyła profesor McGonagall, a po chwili wahania do małego orszaku przyłączył się Snape.

Weszli do mrocznego gabinetu Lockharta. Wśród fotografii na ścianach wybuchł popłoch: kilkanaście portretów Lockharta próbowało zniknąć z pola widzenia. Harry zauważył, że niektóre miały włosy w papilotach. Prawdziwy Lockhart zapalił świece na swoim biurku i cofnął się do kąta. Dumbledore położył Panią Norris na błyszczącym blacie i zaczął ją badać. Harry, Ron i Hermiona wymienili przerażone spojrzenia i zapadli się w fotele poza kręgiem światła rzucanego przez świece.

Koniec długiego, haczykowatego nosa Dumbledore'a zawisł o cal nad Panią Norris. Wpatrywał się w nią uważnie przez swoje połówki okularów, długie palce delikatnie obmacywały futerko. Profesor McGonagall nachyliła się prawie tak samo nisko, przyglądając się kotce zwężonymi oczami. Snape czaił się za nimi, do połowy w cieniu, z bardzo osobliwą miną: wyglądał, jakby powstrzymywał się od śmiechu. A Lockhart krążył wokół wszystkich trojga, robiąc mądre uwagi.

— Wszystko wskazuje, że zabiło ją jakieś silne zaklęcie... prawdopodobnie Tortura Transmutacji. Widziałem skutki tego zaklęcia wiele razy... Jaka szkoda, że mnie przy tym nie było, znam przeciwzaklęcie, które uratowałoby życie biednemu stworzeniu...

Komentarzom Lockharta akompaniowały rozdzierające szlochy Filcha. Siedział skulony w fotelu tuż przy biurku, zakrywając sobie twarz dłońmi. Harry nie znosił go, podobnie jak większość uczniów, ale w tej chwili zrobiło mu się go żal, choć może nie tak bardzo, jak samego siebie. Wiedział, że jeśli Dumbledore uwierzy Filchowi, przyjdzie mu pożegnać się ze szkołą.

Dumbledore wymruczał pod nosem jakieś dziwne słowa, uderzając Panią Norris końcem swojej różdżki. Nic się nie stało: kotka nadal wyglądała, jakby ją dopiero co wypchano.

— ...Pamiętam, coś podobnego wydarzyło się w Ouagadogou — powiedział Lockhart. — Cała seria ataków... opisałem to dokładnie w swojej autobiografii. Wyposażyłem mieszkańców w rozmaite amulety i wszystko się skończyło... Fotografie na ścianie ochoczo przytaknęły. Jedna zapomniała pozbyć się papilotów.

W końcu Dumbledore wyprostował się.

— Ona żyje, Argusie — powiedział łagodnie.

Lockhart przerwał wyliczanie morderstw, którym zdołał zapobiec.

— Żyje? — wykrztusił Filch, zerkając na Panią Norris przez palce. — Ale dlaczego jest taka... sztywna?

— Została spetryfikowana — odrzekł Dumbledore („Ach! Tak właśnie myślałem", powiedział Lockhart) — ale jak i przez kogo, tego nie wiem...

— Jego zapytajcie! — zaskrzeczał Filch, zwracając swoją krostowatą i mokrą od łez twarz do Harry'ego.

— Żaden z drugoklasistów nie mógł tego zrobić — oświadczył stanowczo Dumbledore. — Do tego potrzebna jest znajomość czarnej magii wyższego stopnia...

— On to zrobił! On! — wrzeszczał Filch, a jego obwisłe policzki nabiegły krwią. — Widzieliście, co napisał na ścianie! Znalazł... w moim biurze... wie, że jestem... jestem... — wykrzywił się okropnie — wie, że jestem charłakiem!

— Nigdy nie tknąłem Pani Norris! — powiedział głośno Harry z niemiłym uczuciem, że wszyscy, łącznie z Lockhartami na ścianach, gapią się na niego. — I nie mam pojęcia, co to jest charłak.

— Akurat! — warknął Filch. — Widział mój list z Wmiguroka!

— Czy mogę coś powiedzieć, panie dyrektorze? — odezwał się z kąta Snape, a w Harrym nasiliło się złe przeczucie, bo był pewny, że jeśli już Snape ma coś o nim do powiedzenia, to nie będzie to nic dobrego. — Potter i jego przyjaciele mogli się po prostu znaleźć w nieodpowiednim miejscu o nieodpowiedniej porze — lekki drwiący uśmiech wykrzywił jego wargi, jakby w to wątpił — ale mamy tu zestaw dość podejrzanych okoliczności. Po co w ogóle tam poszli? Dlaczego nie uczestniczyli w uczcie z okazji Nocy Duchów?

Harry, Ron i Hermiona zaczęli chaotycznie opowiadać o przyjęciu z okazji rocznicy śmierci.

— ...tam były setki duchów... mogą poświadczyć, że tam byliśmy...

— Ale dlaczego nie poszliście później na ucztę? — zapytał Snape, a jego czarne oczy zamigotały w blasku świec. — Dlaczego poszliście od razu na górę?

Ron i Hermiona spojrzeli na Harry'ego.

— Bo... bo... — wyjąkał Harry, a serce waliło mu jak młotem, ponieważ coś mu mówiło, że i tak nikt nie uwierzy, jeśli powie, iż zawiódł go tam głos jakiejś bezcielesnej zjawy — bo byliśmy zmęczeni i chcieliśmy się położyć.

— Bez kolacji? — zdziwił się Snape, a na jego wychudłej twarzy pojawił się triumfalny uśmiech. — Nie sądzę, by duchy podawały na swoich przyjęciach coś, co zaspokoiłoby głód żywych ludzi.

— Nie byliśmy głodni — oświadczył głośno Ron, czując, że żołądek skręca mu się z głodu.

To już wyraźnie rozbawiło Snape'a.

— Uważam, panie dyrektorze, że nie można wierzyć w te banialuki. Proponuję, by Pottera pozbawić pewnych przywilejów do czasu, kiedy będzie gotów opowiedzieć nam, co tu się naprawdę wydarzyło. Ja osobiście byłbym zdania, że powinno się zawiesić jego członkostwo w drużynie Gryffindoru, dopóki nie zacznie być z nami szczery.

— No wiesz, Severusie — powiedziała profesor McGonagall ostrym tonem. — Ja osobiście nie widzę powodu, by chłopak przestał grać w quidditcha. Tego kota nikt nie uderzył w głowę miotłą. Nie ma żadnego dowodu, że Potter zrobił coś złego.

Dumbledore przyglądał się Harry'emu badawczo. Spojrzenie jego bystrych, bladoniebieskich oczu sprawiało, że Harry czuł się, jakby go prześwietlano rentgenem.

— Jest niewinny, dopóki nie udowodni mu się winy, Severusie — oznajmił stanowczo.

Snape zrobił wściekłą minę. Filch też wyglądał na rozjuszonego.

— Moja kotka została spetryfikowana! — wrzasnął, a oczy wyszły mu z orbit. — Chcę, żeby kogoś *ukarano*!

— Wyleczymy ją, Argusie — powiedział spokojnie Dumbledore. — Pani Sprout udało się już wyhodować mandragory. Jak tylko osiągną wymaganą wielkość, sporządzimy eliksir, który ożywi Panią Norris.

— Ja go uwarzę — wtrącił szybko Lockhart. — Robiłem to setki razy, recepturę znam tak dobrze, że mógłbym to zrobić przez sen...

— Bardzo przepraszam — przerwał mu Snape lodowatym tonem — ale wydawało mi się do tej pory, że to ja jestem mistrzem eliksirów w tej szkole.

Zapanowało niezręczne milczenie.

— Możecie odejść — powiedział Dumbledore do Harry'ego, Rona i Hermiony.

Więc odeszli, a zrobili to tak szybko, jak mogli, nie biegnąc. Kiedy byli już piętro wyżej, wśliznęli się do jakiejś pustej klasy i ostrożnie zamknęli za sobą drzwi. Harry spojrzał na ponure twarze przyjaciół.

— Uważacie, że powinienem im powiedzieć o tym głosie?

— Nie — odrzekł bez wahania Ron. — Słyszenie głosów, których nikt inny nie słyszy, nie jest dobrą oznaką, nawet w świecie czarodziejów.

Było coś w jego głosie, co kazało Harry'emu zapytać:

— Ale wierzysz mi, prawda?

— Oczywiście — odpowiedział szybko Ron. — Ale... sam musisz przyznać, że to dość dziwne...

— Wiem, że to jest dziwne. To wszystko jest bardzo dziwne. O co chodzi w tym napisie? *Komnata została otwarta...* Co to ma znaczyć?

— To chyba jest coś w rodzaju sygnału — powiedział z namysłem Ron. — Ktoś mi kiedyś opowiadał o tajemnej komnacie w Hogwarcie... może to był Bill...

— I co to jest ten cały *charłak*? — zapytał Harry.

Ku jego zdumieniu, Ron zachichotał.

— No... właściwie nie ma w tym nic śmiesznego... ale skoro jest nim Filch... Charłak to ktoś, kto urodził się w rodzinie czarodziejów, ale nie ma magicznej mocy. Coś przeciwnego do czarodziejów urodzonych w rodzinach mugoli, tyle że charłaki zdarzają się bardzo rzadko. Jeśli Filch próbuje nauczyć się magii, przerabiając kurs Wmiguroka, to rzeczywiście musi być charłakiem. To by wiele wyjaśniało. Na przykład, dlaczego tak nienawidzi wszystkich uczniów. — Ron uśmiechnął się mściwie. — Z zazdrości.

Gdzieś zaczął bić zegar.

— Już północ — powiedział Harry. — Lepiej idźmy spać, zanim złapie nas Snape i znowu o coś oskarży.

Przez kilka następnych dni w szkole mówiono głównie o napaści na Panią Norris. Filch starał się, żeby nikt o tym nie zapomniał, ostentacyjnie krążąc wokół miejsca, gdzie ją znaleziono, jakby się spodziewał, że napastnik powróci na miejsce zbrodni. Harry zobaczył go, jak bezskutecznie wyciera napis na ścianie uniwersalnym zmywaczem magicznych zanieczyszczeń receptury niejakiej pani Skower; słowa nadal połyskiwały na kamiennej ścianie. Kiedy Filch nie czuwał przy miejscu zbrodni, przemierzał korytarze, czając się na niczego nie podejrzewających uczniów i próbując ich oskarżać o takie przestępstwa jak „zbyt głośne oddychanie" albo „zbyt uradowana mina".

Ginny Weasley bardzo się przejęła losem Pani Norris. Według Rona była wielką miłośniczką kotów.

— Przecież ty w ogóle nie znasz Pani Norris — powiedział jej w końcu Ron. — Szczerze mówiąc, wcale nam jej nie brakuje, wręcz przeciwnie. — Wargi Ginny zaczęły drżeć niebezpiecznie. — Takie rzeczy rzadko się zdarzają w Hogwarcie, naprawdę — zapewnił ją. — Zobaczysz, szybko złapią kretyna, który to zrobił i wywalą go ze szkoły. Mam tylko nadzieję, że przedtem zdąży spetryfikować Filcha. Ja tylko żartuję... — dodał szybko, widząc, że Ginny blednie.

Incydent miał również wpływ na Hermionę. Zwykle spędzała wiele czasu na czytaniu, ale teraz nie robiła nic innego. Harry i Ron nie mogli też z niej wydusić, czego szuka w książkach, a wyszło to na jaw dopiero w środę. Snape zatrzymał Harry'ego po lekcji eliksirów, każąc mu oskrobać pulpity ławek z otwornic. Po pospiesznie zjedzonym lunchu Harry pobiegł na górę, by spotkać się z Ronem w bibliotece. Idąc korytarzem, zobaczył zbliżającego się ku niemu Justyna Finch-Fletchleya, owego Puchona, którego poznał na lekcji zielarstwa. Harry już otworzył usta, by powiedzieć mu cześć, gdy Justyn spojrzał na niego, odwrócił się gwałtownie i pobiegł w przeciwną stronę.

Harry znalazł Rona w głębi biblioteki, gdzie mozolił się nad pracą domową z historii magii. Profesor Binns zadał im napisanie długiego (na trzy stopy) wypracowania na temat średniowiecznych stowarzyszeń czarodziejów europejskich.

— Nie do wiary, wciąż brakuje mi osiem cali... — westchnął Ron, puszczając pergamin, który natychmiast zwinął się w rulon — a Hermiona ma już cztery stopy i siedem cali, a przecież pisze takimi drobnymi literami.

— Gdzie ona jest? — zapytał Harry, biorąc taśmę mierniczą i rozwijając własny zwój.

— A gdzieś tam — odpowiedział Ron, wskazując na rzędy półek. — Szuka kolejnej książki. Chyba zamierza przeczytać wszystko, co jest w bibliotece, przed Bożym Narodzeniem.

Harry powiedział mu o Justynie Finch-Fletchleyu, który uciekł na jego widok.

— Po co się nim przejmujesz, przecież to kretyn — mruknął Ron, powracając do wypracowania i pisząc coraz większymi literami. — Zresztą... Lockhart spalił cię tak, że trudno się dziwić...

Pomiędzy dwoma rzędami półek pojawiła się Hermiona. Wyglądała na rozdrażnioną i w końcu gotową do rozmowy z nimi.

— Wszystkie egzemplarze *Historii Hogwartu* zostały wypożyczone — powiedziała, siadając obok Harry'ego i Rona. — Jest dwutygodniowa lista oczekujących. Wściekła jestem na siebie, że zostawiłam swój egzemplarz w domu, bo jak wsadziłam do kufra wszystkie dzieła Lockharta, już się nie zmieścił.

— A po co ci ta *Historia?*

— A po co tyle osób chce ją wypożyczyć? Żeby przeczytać legendę o Komnacie Tajemnic.

— Legendę o Komnacie Tajemnic? O czym to jest? — zapytał szybko Harry.

— Ano jest taka legenda. Nie pamiętam — odpowiedziała Hermiona, przygryzając wargi. — I w żadnej innej książce nie mogę jej znaleźć.

— Hermiono, daj mi przeczytać swoje wypracowanie — powiedział z rozpaczą Ron, patrząc na zegarek.

— Nie, nie dam ci — odrzekła Hermiona, nagle poważniejąc. — Miałeś dziesięć dni, żeby je napisać.

— Brakuje mi tylko dwóch cali, nie wygłupiaj się...

Zabrzmiał dzwonek. Ron i Hermiona zerwali się, by pobiec na historię magii, kłócąc się po drodze.

Historia magii była najnudniejszym przedmiotem w tegorocznym rozkładzie zajęć. Profesor Binns, który jej nauczał, był jedynym duchem wśród profesorów, a najciekawszym momentem podczas jego lekcji był sposób, w jaki pojawiał się w klasie: nagle wyłaniał się z tablicy. Był stary i pomarszczony; powszechnie sądzono, że w ogóle do niego nie dotarło, iż umarł. Pewnego dnia znaleziono jego martwe ciało w fotelu przed kominkiem w pokoju nauczycielskim, ale jego zwyczaje i rozkład dnia wcale się od tego czasu nie zmieniły.

Dzisiaj lekcja była nudna jak zawsze. Profesor Binns otworzył swoje notatki i zaczął czytać głosem monotonnym jak stary odkurzacz, aż prawie wszyscy wpadli w głębokie otępienie, od czasu do czasu otrząsając się z niego na krótko, by zapisać jakieś nazwisko lub datę, i zasypiając ponownie. Mówił tak z pół godziny, kiedy zdarzyło się coś, co do tej pory na jego lekcji jeszcze nigdy nie miało miejsca. Hermiona podniosła rękę.

Profesor Binns przerwał śmiertelnie nudny wykład na temat Międzynarodowej Konferencji Magów z 1289 roku i spojrzał na nią zdumiony.

— Panna... ee...?

— Granger, panie profesorze. Ciekawa jestem, czy mógłby pan nam coś opowiedzieć o Komnacie Tajemnic — wypaliła Hermiona wyraźnie i dość spokojnie.

Dean Thomas, który z otwartymi ustami gapił się w okno, wzdrygnął się i obudził z transu; Lavender Brown uniosła głowę znad złożonych na ławce ramion, a łokieć Neville'a ześliznął się z pulpitu.

Profesor Binns zamrugał nerwowo.

— Wykładam historię magii — powiedział suchym, nieco świszczącym głosem. — Zajmuję się faktami, panno Granger, a nie mitami czy legendami. — Odchrząknął, skrzypiąc przy tym jak kreda po tablicy, po czym wrócił do swojego tematu. — We wrześniu tego roku podkomitet sardyńskich czarodziejów...

I urwał. Hermiona ponownie podniosła rękę i wymachiwała nią bezczelnie.

— Panno Grant?

— Panie profesorze, czy legendy nie opierają się na faktach?

Szczere zdumienie, z jakim spojrzał na nią profesor Binns, upewniło Harry'ego w przekonaniu, że jeszcze żaden uczeń, żywy czy umarły, nie przerwał mu wykładu.

— No cóż — powiedział wolno profesor Binns —

tak, sądzę, że można bronić takiego punktu widzenia. — Przyglądał się Hermionie z taką uwagą, jakby po raz pierwszy w swojej karierze zobaczył ucznia. — Legenda, o której wspomniałaś, jest jednak tak sensacyjną, powiedziałbym wręcz niedorzeczną opowieścią... Teraz cała klasa wsłuchiwała się z taką uwagą w to, co mówił, że musiało to zastanowić nawet jego. Wszyscy wpatrywali się w jego usta, czekając na każde słowo, które z nich spłynie. Z tak niezwykłym zainteresowaniem spotkał się po raz pierwszy i wydawał się tym całkowicie wyprowadzony ze swojej normalnej, sennej równowagi.

— No cóż... — powiedział z namysłem. — Zaraz, niech no pomyślę... Komnata Tajemnic... No więc, jak na pewno wszyscy wiecie, Hogwart został założony ponad tysiąc lat temu... dokładna data nie jest znana... przez czworo największych czarodziejów i czarownic tamtych czasów: Godryka Gryffindora, Helgę Hufflepuff, Rowenę Ravenclaw i Salazara Slytherina. Do dziś ich nazwiska noszą wasze cztery domy. Razem zbudowali ten zamek z dala od wścibskich spojrzeń mugoli, była to bowiem epoka, w której ludzie bali się magii, a czarownice i czarodzieje byli bardzo prześladowani.

Zamilkł, rozejrzał się niezbyt przytomnie po klasie i ciągnął dalej:

— Przez kilka lat nasi założyciele pracowali razem w zgodzie, wyszukując młodych, którzy wykazywali cechy właściwe rodzajowi czarodziejskiemu i sprowadzając ich do zamku, by uczyć ich tutaj magii. Później jednak doszło między nimi do brzemiennych w skutki sporów. Wszystko zaczęło się od Slytherina, który zażądał, by nabór uczniów był bardziej selektywny. Uważał on, że nauczanie magii powinno być zastrzeżone wyłącznie dla rodów czarodziejskich czystej krwi. Sprzeciwiał się przyjmowaniu uczniów z mugolskich rodzin, uważając, że nie są godni zaufania. Po jakimś czasie doszło na tym tle do poważnego sporu między Slytherinem i Gryffindorem, w wyniku którego Slytherin opuścił zamek.

Profesor Binns przerwał ponownie i zacisnął wargi; wyglądał teraz jak stary pomarszczony żółw.

— Tyle wiemy z godnych zaufania źródeł historycznych — powiedział po chwili — ale wokół owych wiarygodnych faktów narosła fantastyczna legenda o Komnacie Tajemnic. Zgodnie z nią Slytherin miał zbudować w zamku tajemną komnatę, o której nie wiedzieli inni założyciele Hogwartu. Legenda mówi, że zapieczętował ją magicznym zaklęciem, tak że nikt nie może jej otworzyć, dopóki w szkole nie pojawi się jego prawdziwy i prawowity dziedzic. Tylko ów dziedzic może przełamać pieczęć czarów, otworzyć Komnatę Tajemnic, uwolnić uwięzioną w niej grozę i oczyścić szkołę ze wszystkich, którzy nie są godni, by studiować magię.

Po jego ostatnich słowach zapadła głucha cisza, ale nie była to ta senna cisza, która zwykle wypełniała klasę profesora Binnsa. W powietrzu unosiła się atmosfera niepokoju, a wszystkie oczy były w niego wlepione; każdy miał nadzieję, że powie coś jeszcze. Profesor Binns wyglądał na lekko rozdrażnionego.

— Cała ta sprawa jest oczywistą bzdurą — oświadczył stanowczo. — Najznakomitsi, najbardziej uczeni czarodzieje wielokrotnie przeszukiwali całą szkołę, aby znaleźć jakieś ślady owej legendarnej komnaty. Niestety, ta komnata istnieje tylko w legendzie. To opowieść, którą straszy się naiwnych.

Ręka Hermiony po raz kolejny powędrowała w powietrze.

— Panie profesorze... co pan miał na myśli, mówiąc o „grozie" uwięzionej w Komnacie Tajemnic?

— Są tacy, którzy wierzą, że to jakiś potwór, nad którym władzę ma tylko prawowity dziedzic Slytherina — odpowiedział profesor Binns suchym jak słoma głosem.

Wszyscy spojrzeli po sobie z lekkim niepokojem.

— Powtarzam, coś takiego nie istnieje — oświadczył profesor Binns, przerzucając swoje notatki. — Nie ma żadnej Komnaty Tajemnic i żadnego potwora.

— Ale... panie profesorze — odezwał się Seamus Finnigan — skoro Komnata Tajemnic może być otworzona tylko przez prawowitego dziedzica Slytherina, to przecież nikt inny nie mógłby jej znaleźć, prawda?

— To nonsensowne założenie, O'Flaherty — odpowiedział profesor Binns, już wyraźnie poirytowany. — Skoro tyle pokoleń dyrektorów Hogwartu nie znalazło żadnych...

— Ale... panie profesorze — pisnęła Parvati Patil — żeby ją otworzyć, na pewno trzeba użyć czarnej magii, a...

— To, że czarodziej nie używa czarnej magii, nie oznacza, że nie potrafi jej użyć, panno Pennyfeather — prychnął profesor Binns. — Powtarzam, skoro tacy jak Dumbledore...

— Ale może trzeba być spokrewnionym z rodem Slytherina, więc Dumbledore nie mógł... — zaczął Dean Thomas, ale profesor Binns miał już tego dosyć.

— Dość! — przerwał mu ostro. — To jest mit! Nie istnieje żadna Komnata Tajemnic! Nie ma cienia dowodu na to, że Slytherin zbudował choćby tajną komórkę na miotły! Żałuję, że w ogóle wam opowiedziałem tę żałosną legendę! A teraz, jeśli łaska, wrócimy do historii, do solidnych, wiarygodnych i sprawdzalnych faktów!

I nie upłynęło nawet pięć minut, jak cała klasa pogrążyła się w zwykłej drzemce.

*

— Zawsze wiedziałem, że ten Salazar Slytherin był nieźle pokręcony — powiedział Ron do Harry'ego i Hermiony, kiedy po lekcji szli korytarzami do swojej wieży, żeby przed lunchem pozbyć się toreb. — Nie miałem jednak pojęcia, że to on wymyślił te brednie o czystej krwi. Nie zostałbym w jego domu, choćby mi zapłacili. Słowo daję, gdyby Tiara Przydziału próbowała umieścić mnie w Slytherinie, wsiadłbym do pociągu i wrócił do domu...

Hermiona przytaknęła gorliwie, ale Harry milczał. Właśnie poczuł niemiły skurcz w żołądku.

Harry nigdy nie powiedział Ronowi i Hermionie, że Tiara Przydziału rozważała umieszczenie go w Slytherinie. Jeszcze dziś, jakby to wydarzyło się wczoraj, pamiętał ten cichy głosik, który odezwał się w jego uchu, gdy tylko umieścił tiarę na głowie: *Możesz być kimś wielkim, tak, to wszystko jest tu, w twojej głowie, a Slytherin na pewno pomoże ci w osiągnięciu wielkości...*

Lecz Harry, który słyszał już, że ze Slytherinu wyszło wielu czarnoksiężników, pomyślał wówczas gorączkowo: „Tylko nie do Slytherinu!", a tiara powiedziała: *Nie? No dobrze, skoro jesteś pewny... niech będzie... Gryffindor...*

Nagle w tłumie uczniów zobaczył przed sobą Colina Creeveya.

— Cześć, Harry!

— Cześć, Colin — odpowiedział automatycznie Harry.

— Harry... Harry... jeden chłopak z mojej klasy mówi, że jesteś...

Ale Colin był tak mały, że tłum porwał go do Wielkiej Sali; więc zdążył tylko krzyknąć: „Do zobaczenia, Harry!" i zniknął.

— Co ten chłopak z jego klasy mógł mówić o tobie? — zapytała Hermiona.

— Pewnie że jestem dziedzicem Slytherina — odpowiedział Harry, czując ponowny skurcz w żołądku, kiedy sobie przypomniał, jak Justyn Finch-Fletchley uciekł na jego widok.

— Ludzie uwierzą we wszystko — stwierdził z niesmakiem Ron.

Tłum przerzedził się i już bez przeszkód wspięli się na następne piętro.

— Naprawdę myślisz, że jest jakaś Komnata Tajemnic? — zapytał Ron Hermionę.

— Nie wiem — odpowiedziała, marszcząc czoło. — Dumbledore nie potrafił uzdrowić Pani Norris, co by wskazywało, że to coś, co ją zaatakowało, może nie być... no... ludzkie.

Minęli zakręt i znaleźli się na końcu korytarza, w którym się to wydarzyło. Zatrzymali się i rozejrzeli. Wszystko wyglądało tak, jak poprzedniej nocy, z tym wyjątkiem, że z uchwytu na pochodnię nie zwisał już kot, a przed ścianą z napisem „Komnata została otworzona" stało puste krzesło.

— Pewnie Filch je przyniósł — mruknął Ron.

Popatrzyli po sobie. W korytarzu nie było nikogo.

— Nie zaszkodzi trochę powęszyć — powiedział Harry, rzucając swoją torbę i klękając, żeby na czworakach poszukać jakichś śladów.

— Ślady wypalenia! — powiedział po chwili. — Tutaj... i tutaj...

— Zobaczcie! — zawołała Hermiona. — To dziwne...

Harry wstał i podszedł do okna. Hermiona wskazywała na najwyższą szybkę, gdzie kłębiło się około dwudziestu pająków, usiłując przecisnąć się przez wąskie pęknięcie w szybie. Długa srebrzysta nić wskazywała, że wszystkie wspięły się tutaj, żeby wydostać się na zewnątrz.

— Widzieliście, żeby pająki zachowywały się w taki sposób? — zapytała Hermiona.

— Nie — odpowiedział Harry. — A ty, Ron? Ron! Obejrzał się przez ramię. Ron stał dość daleko i wyglądał, jakby zamierzał stamtąd czmychnąć.

— Ron, nic ci nie jest? — zapytał Harry.

— Ja... nie lubię... pająków — wyznał Ron.

— Nie wiedziałam o tym — powiedziała Hermiona, spoglądając na niego ze zdziwieniem. — Przecież tyle razy ucierałeś pająki na zajęciach z eliksirów...

— Tak, ale były martwe — rzekł Ron, który starał się nie patrzeć na okno. — Po prostu nie lubię sposobu, w jaki się poruszają...

Hermiona zachichotała.

— Nie ma się z czego śmiać — wybuchnął Ron. — Jeśli już musisz wiedzieć, to kiedy miałem trzy lata, Fred zamienił mojego... mojego misia we wstrętnego, wielkiego pająka, bo złamałem mu jego dziecięcą miotełkę. Ty też byś ich nie lubiła, gdybyś akurat przytulała swojego misia, a jemu nagle wyrosłoby tyle nóg i...

Urwał, wstrząsając się ze wstrętu. Hermiona nadal wyraźnie dusiła w sobie śmiech. Czując, że trzeba zmienić temat, Harry powiedział:

— Pamiętacie tę kałużę na posadzce? Skąd się wzięła? Ktoś ją wytarł.

— Była gdzieś tu — powiedział Ron, biorąc się w garść i przechodząc koło krzesła Filcha. — Na wysokości tych drzwi.

Sięgnął do mosiężnej klamki, ale nagle cofnął rękę, jakby go coś sparzyło.

— O co chodzi? — zapytał Harry.

— Nie mogę tam wejść — burknął Ron. — To toaleta dla dziewczyn.

— Och, Ron, przecież tam nikogo nie ma — powiedziała Hermiona, podchodząc do drzwi. — To miejsce Jęczącej Marty. Chodźcie, zobaczymy, co tam jest.

I nie zwracając uwagi na wielki napis „Nieczynne", otworzyła drzwi.

Była to najbardziej ponura i przygnębiająca łazienka, jaką Harry widział w życiu. Pod wielkim, popękanym i poplamionym lustrem ciągnął się rząd poobtłukiwanych kamiennych umywalek. W mokrej posadzce odbijało się mętnie światło kilku świec osadzonych w ściennych uchwytach; drewniane drzwi do kabin były złuszczone i porysowane, a jedne zwisały smętnie z zawiasów.

Hermiona przyłożyła palec do ust i podeszła do ostatniej kabiny.

— Hej, Marto, jak się miewasz? — zapytała, otwierając drzwi.

Harry i Ron też podeszli. Jęcząca Marta unosiła się nad rezerwuarem, wyciskając sobie krostę na podbródku.

— To jest toaleta *dla dziewczyn* — powiedziała, przyglądając się podejrzliwie Harry'emu i Ronowi. — Oni nie są dziewczynami.

— Nie — zgodziła się Hermiona. — Chciałam im tylko pokazać... ee... jak tu jest fajnie.

Machnęła ręką w stronę brudnego lustra i mokrej posadzki.

— Zapytaj ją, czy coś widziała — szepnął Harry.

— Co tam szepczesz? — zapytała Marta.

— Nic — odpowiedział szybko Harry. — Chcieliśmy zapytać...

— Bardzo bym chciała, żeby ludzie przestali szeptać za moimi plecami! — zajęczała Marta głosem nabrzmiałym od łez. — Wyobraźcie sobie, że ja też coś *czuję*, chociaż jestem *martwa*.

— Marto, nikt nie chce cię denerwować — powiedziała Hermiona. — Harry tylko...

— Nikt nie chce mnie denerwować! To dobre! — zawyła Marta. — Moje życie było jedną wielką udręką, a teraz ludzie przychodzą tu i męczą mnie po śmierci!

— Chcieliśmy cię zapytać, czy ostatnio widziałaś coś niezwykłego — powiedziała szybko Hermiona — bo w Noc Duchów tuż za twoimi drzwiami napadnięto na kota.

— Widziałaś tutaj kogoś w tamtą noc? — zapytał Harry.

— Nie zwracałam na nic uwagi — oświadczyła Marta dramatycznym tonem. — Irytek tak mnie zdenerwował, że przyszłam tu i próbowałam się zabić. I wtedy, oczywiście, przypomniałam sobie, że... że jestem...

— Już martwa — podpowiedział Ron.

Marta zaniosła się głośnym szlochem, wzniosła się w powietrze, obróciła nogami do góry i dała nurka w sedes, opryskując ich wodą. Z przytłumionych jęków wywnioskowali, że musiała zatrzymać się gdzieś w okolicach syfonu.

Harry'ego i Rona zamurowało, ale Hermiona wzruszyła ramionami i powiedziała:

— I tak była w dość dobrym nastroju, jak na nią... Chodźcie, zmywamy się stąd.

Ledwo Harry zamknął dokładnie drzwi do toalety, uciszając bulgocące szlochy Marty, rozległ się donośny głos, który sprawił, że wszyscy troje podskoczyli.

— RON!

Na szczycie schodów stał jak wryty Percy Weasley, z odznaką prefekta błyszczącą w półmroku i wyrazem osłupienia na twarzy.

— To jest toaleta dla dziewczyn — wydyszał. — Co ty tam...

— Tak się tylko rozglądałem... No wiesz, szukałem śladów...

Percy przełknął ślinę w sposób, który Harry'emu natychmiast przypomniał panią Weasley.

— Zjeżdżajcie... stąd... ale już... — wycedził przez zęby, podchodząc do nich i wymachując rękami. — Czy wy naprawdę nie zdajecie sobie sprawy, co robicie? Wracacie tutaj, kiedy wszyscy są na kolacji i...

— A niby dlaczego nie mielibyśmy tu wrócić? Co, nie wolno? — zaperzył się Ron, patrząc na starszego brata płonącym wzrokiem. — Słuchaj, Percy, myśmy nawet nie tknęli tego kota!

— To samo powiedziałem Ginny — oświadczył Percy — ale ona wciąż myśli, że was wyrzucą, jeszcze nigdy nie widziałem jej tak zrozpaczonej, oczy sobie wypłakuje. Mógłbyś chociaż o niej pomyśleć, przecież wiesz, że wszyscy pierwszoroczniacy okropnie się tym podniecają...

— Tobie wcale nie chodzi o Ginny — przerwał mu Ron, a uszy mu poczerwieniały. — Ty po prostu się boisz, że stracisz szansę na zostanie prymusem szkoły.

— Gryffindor traci pięć punktów! — krzyknął Percy, stukając w swoją odznakę prefekta. — Mam nadzieję, że to ciebie czegoś nauczy! I przestań się bawić w detektywa, bo napiszę do mamy!

I odszedł, a kark miał tak samo czerwony jak uszy Rona.

Tego wieczoru Harry, Ron i Hermiona usiedli we wspólnym pokoju jak najdalej od Percy'ego. Ron wciąż był w podłym nastroju i raz po raz robił kleksy w swoim wypracowaniu z eliksirów. Kiedy machinalnie sięgnął po różdżkę, by je wywabić, zapaliła pergamin. Dymiąc prawie tak samo jak jego praca domowa, Ron zatrzasnął ze złością *Standardową księgę zaklęć*. Ku zaskoczeniu Harry'ego, Hermiona zrobiła to samo.

— Ale kto to mógł zrobić? — zapytała spokojnie, jakby dalej ciągnęła rozmowę. — Komu zależy na tym, żeby oczyścić szkołę ze wszystkich charłaków i mieszańców?

— No właśnie, zastanówmy się — powiedział Ron kpiącym tonem. — Kto mógłby uważać ich za szumowiny?

Spojrzał na Hermionę. Hermiona spojrzała na niego bez przekonania.

— Jeśli myślisz o Malfoyu...

— No pewnie, że o nim! Słyszałaś, co powiedział: „Ty będziesz następna, szlamo!" Daj spokój, wystarczy spojrzeć na jego szczurzą buźkę, żeby wiedzieć, kim on jest...

— Malfoy dziedzicem Slytherina? — zapytała Hermiona sceptycznym tonem.

— Pomyśl o jego rodzinie — powiedział Harry, zamykając swoje książki. — Większość była w Slytherinie, zawsze się tym chwali. Mogą być potomkami Slytherina. Jego stary jest okropny, to nie ulega wątpliwości.

— Mogą od stuleci mieć klucz do Komnaty Tajemnic! — szepnął rozgorączkowany Ron. — Przekazywać go sobie z ojca na syna...

— No... to jest możliwe... — przyznała ostrożnie Hermiona.

— Tak, tylko jak to udowodnić? — zapytał ponuro Harry.

— Może i znalazłby się sposób. — Hermiona ściszyła głos, rzucając szybkie spojrzenie na siedzącego w drugim końcu pokoju Percy'ego. — Oczywiście byłoby to trudne. I niebezpieczne, bardzo niebezpieczne. Trzeba by złamać chyba z pięćdziesiąt szkolnych reguł.

— Wiesz co? Jeśli w ciągu miesiąca poczujesz, że chcesz nam to wyjaśnić, to daj nam znać, dobra? — zdenerwował się Ron.

— No dobrze — powiedziała chłodno Hermiona. — Wiecie, co musimy zrobić? Musimy dostać się do pokoju wspólnego Ślizgonów i zadać Malfoyowi kilka pytań, ale tak, żeby się nie zorientował, że to my.

— Co ty wygadujesz? Niby jak? — zapytał Harry, a Ron parsknął śmiechem.

— Jest na to sposób — oświadczyła Hermiona. — Musimy tylko zdobyć trochę Eliksiru Wielosokowego.

— Co to takiego? — zapytali jednocześnie Ron i Harry.

— Snape wspomniał o nim parę tygodni temu.

— Myślisz, że nie mamy nic lepszego do roboty, tylko wsłuchiwać się w to, co Snape mówi na eliksirach?

— To napój, który zmienia cię w kogoś innego. Ruszcie mózgami! Możemy zmienić się w trójkę Ślizgonów. Nikt nas nie rozpozna. Malfoy powie nam wszystko, co będziemy chcieli. Założę się, że właśnie w tej chwili przechwala się w pokoju wspólnym Slytherina.

— Eliksir Wielosokowy... Dla mnie to jest trochę za mądre — powiedział Ron, marszcząc czoło. — A jeśli zostaniemy Ślizgonami na zawsze?

— Nie bądź głupi, po jakimś czasie to mija — powiedziała Hermiona, machając niecierpliwie ręką. — Cała rzecz w tym, żeby zdobyć receptę. Snape mówił, że można ją znaleźć w podręczniku *Najsilniejsze eliksiry*, ale trzymają go w dziale Książek Zakazanych.

Był tylko jeden sposób, żeby dostać książkę z tego działu: trzeba było mieć specjalne pozwolenie od któregoś z profesorów z jego własnoręcznym podpisem.

— A jak wytłumaczymy, po co nam właściwie ta książka? — zapytał Ron. — Przecież będzie jasne, że chcemy spróbować sporządzić jakiś eliksir...

— Myślę, że zabrzmi całkiem przekonująco, jak powiemy, że interesujemy się teorią... W każdym razie warto spróbować...

— Daj spokój! — prychnął Ron. — Żaden nauczyciel nie kupi takiego kitu. Musiałby być ostatnim tępakiem...

ROZDZIAŁ DZIESIĄTY

Złośliwy tłuczek

Od czasu katastrofalnego incydentu z chochlikami profesor Lockhart unikał przynoszenia do klasy żywych stworzeń. Zamiast tego czytał im na głos urywki ze swoich książek, a czasami inscenizował bardziej dramatyczne wydarzenia. Do tych rekonstrukcji wydarzeń wybierał zwykle Harry'ego; jak dotąd zmusił go do odegrania prostego wieśniaka z Transylwanii, którego wyleczył z Uroku Poplątania Języka, yeti z przemarzniętą głową i wampira, który po spotkaniu z Lockhartem zaczął jeść wyłącznie sałatę.

W trakcie ostatniej lekcji obrony przed czarną magią Harry został wyciągnięty przed całą klasę i zmuszony do odgrywania wilkołaka. Gdyby nie miał szczególnego powodu, by nie denerwować Lockharta, na pewno by się na to nie zgodził.

— Wspaniałe wycie, Harry... o to właśnie chodzi... no i... uwierzcie mi na słowo, wówczas go rąbnąłem... o, tak... przydusiłem do podłogi... tak... jedną ręką... a drugą przyłożyłem mu różdżkę do gardła... a później wytężyłem resztkę sił i rzuciłem na niego bardzo złożone zaklęcie homomorficzne... wydał żałosny jęk... no, proszę, Harry... trochę wyżej... dobrze... i futro znikło... kły zmalały... i zamienił się z powrotem w człowieka. Proste, ale skuteczne... i oto jeszcze jedna wioska zapamięta mnie na zawsze jako bohatera, który uwolnił ją od straszliwych napaści wilkołaka.

Zabrzmiał dzwonek i Lockhart zerwał się na równe nogi.

— Praca domowa: napisać poemat o moim zwycięstwie nad wilkołakiem z Wagga Wagga! Autor najlepszego utworu otrzyma egzemplarz *Mojego magicznego ja* z moim własnoręcznym podpisem!

Klasa pustoszała. Harry wrócił w najdalszy kąt, gdzie czekali na niego Ron i Hermiona.

— Poczekajcie, aż wszyscy wyjdą — szepnęła nerwowo Hermiona. — No dobra...

Zbliżyła się do biurka Lockharta, ściskając w ręku kartkę. Harry i Ron podeszli tuż za nią.

— Ee... panie profesorze... — wyjąkała Hermiona. — Chciałam... no... wypożyczyć tę książkę z biblioteki. Lektura uzupełniająca. — Wyciągnęła kartkę nieco drżącą ręką. — Tylko że ona jest w dziale Książek Zakazanych, więc muszę mieć pozwolenie któregoś z profesorów... Jestem pewna, że pomoże mi lepiej zrozumieć to, co pan napisał w książce *Jak zaprzyjaźnić się z ghulami* o wolno działających truciznach...

— Ach, *Jak zaprzyjaźnić się z ghulami*! — rozpromienił się Lockhart, biorąc od Hermiony kartkę i uśmiechając się do niej szeroko. — To chyba moja ulubiona książka. Podobała ci się?

— Och, tak... — odpowiedziała gorliwie Hermiona. — Zwłaszcza to, jak pan uwięził jednego ghula w czajniczku do herbaty... Niesamowicie sprytne...

— No cóż, jestem pewny, że nikt nie będzie miał do mnie pretensji, jeśli troszkę pomogę najlepszej uczennicy w mojej klasie — powiedział Lockhart ciepło i wyciągnął swoje olbrzymie pawie pióro. — Ładne, prawda? — dodał, źle zrozumiawszy minę Rona. — Zwykle podpisuję nim książki.

Złożył na kartce olbrzymi podpis z wielkim zawijasem i wręczył ją Hermionie.

— No więc, Harry — powiedział Lockhart, kiedy Hermiona złożyła kartkę drżącymi palcami i wsunęła ją do torby — jutro mamy pierwszy w tym sezonie mecz quidditcha, prawda? Gryffindor przeciwko Slytherinowi, tak? Słyszałem, że jesteś niezłym graczem. Ja też byłem kiedyś szukającym. Zaproponowali mi udział w drużynie narodowej, ale wolałem poświęcić się walce z ciemnymi siłami. Gdybyś jednak chciał, żebym z tobą trochę potrenował, nie wahaj się poprosić. Zawsze chętnie dzielę się moim doświadczeniem z mniej wyrobionymi graczami...

Harry mruknął coś niezrozumiałego i szybko wyszedł za Ronem i Hermioną.

— Nie mogę w to uwierzyć — powiedział, kiedy wszyscy troje przyglądali się podpisowi na kartce. — Nawet nie spojrzał, jaką książkę chcesz wypożyczyć!

— Bo on jest kompletnie odmóżdżony — stwierdził krótko Ron. — Grunt, że mamy to, o co nam chodziło.

— Wcale nie jest kompletnie odmóżdżony — rzuciła ostro Hermiona, kiedy pędzili do biblioteki.

— Bo powiedział, że jesteś najlepszą uczennicą w jego klasie, tak?

Ucichli, wchodząc do przesyconej senną atmosferą biblioteki. Pani Pince, bibliotekarka, była chudą, drażliwą kobietą przypominającą niedożywionego sępa.

— *Najsilniejsze eliksiry?* — powtórzyła podejrzliwie, próbując wziąć kartkę od Hermiony, która nie chciała jej puścić.

— Zastanawiałam się, czy nie mogłabym jej sobie zatrzymać — wypaliła, wstrzymując oddech.

— Och, daj spokój — powiedział Ron, wyrywając jej kartkę i podając pani Pince. — Zdobędziemy ci nowy autograf. Lockhart podpisze wszystko, o co go poprosisz!

Pani Pince przyjrzała się kartce uważnie, jakby chciała wykryć jakieś oszustwo, ale oględziny wypadły pomyślnie. Zniknęła między wysokimi półkami i kilka minut później wróciła, niosąc wielki, omszały tom. Hermiona włożyła go ostrożnie do torby i opuścili bibliotekę, starając się nie iść za szybko, aby nie wyglądać zbyt podejrzanie.

Pięć minut później zabarykadowali się w nieczynnej toalecie Jęczącej Marty. Ron nie był zachwycony wyborem miejsca, ale Hermiona dowodziła, że nikt tu na pewno nie wejdzie, więc będą mogli spokojnie przejrzeć książkę. Jęcząca Marta zawodziła hałaśliwie w swojej kabinie, ale nie zwracali na nią uwagi, a ona na nich.

Hermiona otworzyła *Najsilniejsze eliksiry* i wszyscy troje pochylili się nad poplamionymi od wilgoci kartami. Trudno się było dziwić, że były w dziale Książek Zakazanych, bo natychmiast natrafili na recepty eliksirów o skutkach tak makabrycznych, że dreszcz przechodził po plecach, natknęli się też od razu na kilka bardzo nieprzyjemnych ilustracji, w tym jedną, która przestawiała człowieka wywróconego na lewą stronę, i drugą, na której była wiedźma z kilkoma parami rąk wyrastającymi z głowy.

— Jest! — krzyknęła Hermiona, kiedy znalazła stronę z wytłuszczoną nazwą Eliksiru Wielosokowego.

Ilustracje ukazywały ludzi w trakcie zmieniania się w inne osoby. Harry miał nadzieję, że przerażające grymasy bólu na ich twarzach są jedynie wymysłem autora.

— To najbardziej skomplikowany eliksir, o jakim kiedykolwiek słyszałam — powiedziała Hermiona, kiedy zapoznała się z receptą. — Muchy siatkoskrzydłe, pijawki, ślaz, rdest ptasi... — mruczała, przesuwając palec wzdłuż listy ingrediencji. — No, ale nie będzie trudności, to wszystko jest w naszym kredensie, możemy sami wziąć. Oooch, zobaczcie, sproszkowany róg dwurożca... Nie mam pojęcia, skąd to weźmiemy... Skórka boomslanga... to taki jadowity wąż afrykański... to też będzie problem... No i oczywiście odrobinę tego kogoś, w kogo się chcemy zmienić.

— Że co? — żachnął się Ron. — Co rozumiesz przez odrobinę kogoś, w kogo się chcemy zmienić? Nie wypiję niczego, w czym będą paznokcie Crabbe'a...

Hermiona mówiła dalej, jakby go w ogóle nie usłyszała.

— Na razie nie musimy się tym martwić, bo ten składnik dodaje się na samym końcu...

Ron odwrócił się w milczeniu do Harry'ego, ale on miał inne wątpliwości.

— Hermiono, zdajesz sobie sprawę, ile rzeczy będziemy musieli gdzieś ukraść? Skórki tego boomslanga na pewno nie znajdziemy w naszej szafie. Co zrobimy? Włamiemy się do gabinetu Snape'a i skorzystamy z jego prywatnych zapasów? Nie wiem, czy to najlepszy pomysł...

Hermiona zatrzasnęła księgę.

— No cóż, jeśli wy dwaj pękacie, to dajmy sobie spokój. — Na policzki wystąpiły jej różowe plamy, a oczy były jaśniejsze niż zwykle. — Znacie mnie, ja nie lubię łamać szkolnego regulaminu, ale uważam, że grożenie tym spośród nas, którzy mieli nieszczęście urodzić się w rodzinie mugoli, jest o wiele gorsze niż uwarzenie jakiegoś skomplikowanego napoju. Ale jeśli nie chcecie się dowiedzieć, czy to Malfoy, to pójdę prosto do pani Pince i oddam jej tę książkę...

— Nigdy bym nie pomyślał, że dożyję dnia, w którym będziesz nas namawiać do łamania regulaminu — powiedział Ron. — Dobra, zrobimy to. Ale bez paznokci, dobrze?

— Ile na to potrzeba czasu? — zapytał Harry, kiedy Hermiona, wyraźnie szczęśliwsza niż przed chwilą, ponownie otworzyła księgę.

— No więc... ślaz trzeba zrywać w pełnię księżyca, a te muchy siatkoskrzydłe muszą się warzyć przez dwadzieścia jeden dni... Jeśli uda nam się zebrać wszystkie składniki, to może potrwać około miesiąca.

— Miesiąca? — skrzywił się Ron. — Do tego czasu Malfoy może zaatakować połowę mugolaków w szkole! — Hermiona zmrużyła niebezpiecznie oczy, więc szybko dodał: — No tak, ale to najlepszy plan, jaki mamy, więc do dzieła, moi drodzy, do dzieła!

Lecz kiedy Hermiona wychyliła głowę z toalety, sprawdzając, czy mogą wyjść, mruknął do Harry'ego:

— Byłoby o wiele mniej kłopotów, gdyby ci się jutro udało zrzucić Malfoya z miotły.

W sobotę rano Harry obudził się wcześnie i leżał, rozmyślając o zbliżającym się meczu quidditcha. Trochę się denerwował, głównie z powodu tego, co powie Wood, jeśli Gryfoni przegrają, ale i z powodu wizji przeciwników śmigających na najszybszych miotłach wyścigowych, jakie można kupić. Jeszcze nigdy tak nie pragnął zwyciężyć Ślizgonów. Pozwolił sobie na pół godziny takich niewesołych rozmyślań, a potem wstał, ubrał się i zszedł na wczesne śniadanie.

W Wielkiej Sali zastał już resztę drużyny Gryfonów siedzących w małej grupce przy długim, pustym stole. Twarze mieli dość ponure i rzadko się do siebie odzywali.

Przed jedenastą cała szkoła zaczęła się gromadzić na stadionie. Był parny dzień, burza wisiała w powietrzu. Ron i Hermiona przybiegli, by życzyć Harry'emu szczęścia, kiedy wchodził do szatni. Drużyna włożyła szkarłatne szaty Gryfonów i usiadła, by wysłuchać ostatniej przemowy Wooda.

— Ślizgoni mają lepsze miotły — zaczął — i trudno temu zaprzeczyć. Ale my mamy lepszych ludzi na naszych miotłach. Trenowaliśmy ostrzej, lataliśmy w każdą pogodę — („Nie da się ukryć", mruknął George Weasley. „Od sierpnia nie udało mi się porządnie wyschnąć") — i sprawimy, że pożałują dnia, w którym ten wstrętny smark Malfoy wkupił się do ich drużyny.

Odetchnął ciężko i zwrócił się do Harry'ego.

— Harry, musisz pokazać, że nie wystarczy mieć bogatego ojca, żeby być najlepszym szukającym. Musisz za wszelką cenę złapać znicza przed Malfoyem, bo ten mecz musimy wygrać. Złap go albo zgiń, próbując złapać.

— Więc bez szaleństw, Harry — mruknął Fred, puszczając do niego oko.

Kiedy wyszli na boisko, powitał ich wrzask entuzjazmu, bo Krukoni i Puchoni też pragnęli porażki Ślizgonów, ale wśród wiwatów dały się również słyszeć gwizdy i buczenie tych ostatnich. Pani Hooch, nauczycielka quidditcha, poprosiła Flinta i Wooda, aby sobie uścisnęli dłonie, co zrobili, łypiąc na siebie groźnie i ściskając jeden drugiemu rękę o wiele mocniej niż to było konieczne.

— Na mój gwizdek... — powiedziała pani Hooch.

— Trzy... dwa... jeden...

Widownia ryknęła, przynaglając ich do startu, i czternastu zawodników wzbiło się ku ołowianemu niebu. Harry
poszybował wyżej od innych, rozglądając się za zniczem.

— Jak tam, Bliznowaty? — zawył Malfoy, przemykając tuż pod nim, jakby chciał zademonstrować szybkość
swojej miotły.

Harry nie zdążył odpowiedzieć. W tym samym momencie ujrzał czarny tłuczek nadlatujący ku niemu z groźnym
furkotem; zrobił błyskawiczny unik, ale ciężka piłka mus-
nęła mu włosy.

— Mam go, Harry! — krzyknął George, przelatując
koło niego z pałką w ręku, gotów odbić tłuczka w stronę
Ślizgonów.

Harry zobaczył, jak George uderza z całej siły czarną
piłkę, która śmignęła w stronę Adriana Puceya, ale nagle
zmieniła kierunek i pomknęła z powrotem prosto w Harry'ego.

Opadł błyskawicznie, aby uniknąć trafienia, a George'o-
wi udało się odbić ją w stronę Malfoya. I znowu tłuczek
zatoczył ostry łuk, i jak bumerang pomknął ku Harry'emu.

Harry nabrał szybkości i poszybował ku drugiemu koń-
cowi boiska, słysząc za sobą złowrogi świst ścigającej go
piłki. Co się dzieje? Tłuczki nigdy nie prześladowały jednego
gracza, przeciwnie, ich zadaniem było ugodzenie jak największej liczby zawodników...

Na drugim końcu boiska czekał na tłuczka Fred Weasley. Harry zanurkował, a Fred odbił piłkę z całej siły.

— Masz spokój! — ryknął uradowany Fred.

Mylił się. Tłuczek, jakby przyciągany do Harry'ego jakąś
magnetyczną mocą, ponownie zatoczył łuk i ruszył ku niemu, nabierając szybkości. Nie pozostawało mu nic innego,
jak ratować się błyskawiczną ucieczką.

Zaczęło padać. Harry poczuł ciężkie krople na twarzy rozbijające się o jego okulary. Nie miał pojęcia, co się dzieje na boisku, póki nie usłyszał Lee Jordana komentującego grę, który oznajmił, że Ślizgoni prowadzą sześćdziesięcioma punktami.

Wspaniałe miotły Ślizgonów najwyraźniej pokazywały, co potrafią, a zwariowany tłuczek wyłączył Harry'ego z gry. Fred i George lecieli teraz tuż przy nim, tak blisko, że widział tylko ich młócące powietrze ramiona. W tych warunkach nie miał szans, by wypatrzyć znicza, a co dopiero go złapać.

— Ktoś... manipuluje... tym... tłuczkiem... — wydyszał Fred, odbijając czarną piłkę, która ponowiła swój atak na Harry'ego.

Wood zorientował się, że coś jest nie tak. Rozległ się gwizdek pani Hooch i Harry, Fred i George dali nurka ku ziemi, przez cały czas opędzając się od ścigającego ich tłuczka.

— Co jest? — zapytał Wood, kiedy drużyna Gryfonów zgromadziła się wokół niego. — Robią z nas miazgę. Fred, George, gdzie byliście, kiedy tłuczek powstrzymał Angelinę tuż przed bramką?

— Byliśmy ze dwadzieścia stóp ponad nią, starając się zapobiec temu, by drugi tłuczek nie uśmiercił Harry'ego — odpowiedział George ze złością. — Ktoś zaczarował tę piłkę... nie daje Harry'emu spokoju... ściga tylko jego i to przez cały czas. Ślizgoni musieli coś zmajstrować.

— Przecież od naszego ostatniego treningu tłuczki były zamknięte w gabinecie pani Hooch, a wtedy wszystko było w porządku... — powiedział wyraźnie zaniepokojony Wood.

Zobaczyli, że zmierza ku nim pani Hooch. Ponad jej

ramionami Harry dostrzegł drużynę Ślizgonów, ryczącą ze śmiechu i wskazującą w jego kierunku.

— Słuchajcie — powiedział, obserwując zbliżającą się panią Hooch — jeśli wy dwaj będziecie wciąż latać naokoło mnie, to mogę złapać znicza tylko wtedy, jeśli sam wpadnie mi do rękawa. Wracajcie do reszty drużyny, a ja sam się zajmę tą bezczelną piłką.

— Nie bądź głupi — powiedział Fred. — Roztrzaska ci głowę.

Wood namyślał się, patrząc to na Harry'ego, to na Weasleyów.

— Oliverze, to czyste wariactwo — odezwała się Alicja Spinnet. — Nie możesz pozwolić Harry'emu, żeby sam z nim walczył. Zażądajmy śledztwa...

— Jak teraz przerwiemy grę, to stracimy mecz walkowerem! — zawołał Harry. — Nie przegramy meczu ze Ślizgonami z powodu jakiegoś zwariowanego tłuczka! Daj spokój, Oliverze, powiedz im, żeby mnie zostawili samego!

— To wszystko twoja wina — warknął George w stronę Wooda. — „Złap znicza albo zgiń, próbując złapać". Co za głupota, mówić coś takiego szukającemu!

Podeszła do nich pani Hooch.

— Jesteście gotowi do dalszej gry? — zwróciła się do Wooda.

Wood spojrzał na Harry'ego.

— No, dobra — powiedział. — Fred, George, słyszeliście, co powiedział Harry... zostawcie go, niech sobie sam radzi z tłuczkiem.

Deszcz rozpadał się na dobre. Na gwizdek pani Hooch Harry wzbił się w powietrze i natychmiast usłyszał za sobą złowieszczy furkot tłuczka. Poszybował wyżej. Wywijał pętle i spirale, nurkował i obracał się wokół osi miotły, starając się nie spuszczać wzroku z czarnej piłki. Grube krople deszczu rozmazywały mu się na okularach i wciskały do nosa, kiedy wisiał głową w dół, unikając kolejnego ataku złośliwej piłki. Słyszał śmiech widowni; wiedział, że musi wyglądać głupio, ale bezczelny tłuczek był ciężki i nie mógł zmieniać kierunku tak szybko jak on. Zaczął krążyć wokół stadionu, obracając się i wywijając koziołki jak wagonik diabelskiego młyna, zerkając przez srebrne strugi deszczu na słupki bramkowe Gryfonów, gdzie Adrian Pucey próbował właśnie minąć Wooda...

Po świście tuż przy uchu poznał, że tłuczek znowu chybił o włos; zrobił zwrot i poszybował w przeciwnym kierunku.

— Trenujesz do baletu, Potter? — ryknął Malfoy, kiedy Harry został zmuszony do wywinięcia zwariowanego młynka w powietrzu, żeby przechytrzyć tłuczka.

Piłka ścigała go, furkocąc kilka stóp za nim. Obejrzał się, zmierzył z nienawiścią Malfoya i zobaczył złotego znicza... Wisiał zaledwie parę cali nad lewym uchem Malfoya, który naśmiewając się z Harry'ego, nawet go nie zauważył.

Przez chwilę Harry zawisł nieruchomo w powietrzu, nie śmiąc pomknąć ku Malfoyowi w obawie, by ten nie zobaczył znicza.

ŁUUP!

Wisiał w powietrzu nieruchomo o sekundę za długo. Tłuczek trafił go w końcu, uderzając w łokieć. Harry poczuł, że pęka mu kość. Oszołomiony straszliwym bólem, zachwiał się na swojej przemoczonej miotle, zahaczony na niej jednym kolanem, z prawą ręką zwisającą luźno przy boku. Tłuczek nadleciał znowu, tym razem godząc prosto w jego twarz. Harry zrobił unik, a w jego otępiałym mózgu kołatała tylko jedna myśl: *dotrzeć do Malfoya*.

Ogarnięty bólem zanurkował poprzez mglistą zasłonę deszczu ku tej błyszczącej, drwiącej twarzy i zobaczył oczy rozszerzające się ze strachu: Malfoy pomyślał, że Harry go atakuje.

— Co ty... — wydyszał, usuwając się w bok.

Harry oderwał od miotły zdrową, lewą rękę i sięgnął nią rozpaczliwie ku złotej piłce. Poczuł jej chłód, zacisnął wokół niej palce, ale teraz ściskał miotłę tylko nogami. Widownia ryknęła głośno, kiedy zanurkował prosto ku ziemi, starając się nie spaść z miotły. Z głuchym łoskotem wylądował w błocie i stoczył się z miotły. Prawe ramię zwisało mu pod bardzo dziwnym kątem. Czuł fale porażającego bólu, słyszał — jakby z oddali — jakieś krzyki i gwizdy. Skupił się na zniczu, który ściskał w zdrowej ręce.

— Aha — powiedział, jakby w gorączce. — Zwyciężyliśmy.

I zemdlał.

Kiedy odzyskał przytomność, wciąż leżał na boisku, deszcz siekł go po twarzy. Ktoś się nad nim pochylał. Zobaczył błysk białych zębów.

— Och, nie... tylko nie to — jęknął.

— Nie wie, co mówi — powiedział głośno Lockhart do przerażonego tłumu Gryfonów, cisnących się wokół nich. — Nie martw się, Harry. Zaraz ci nastawię ramię.

— Nie! — syknął Harry. — Nie trzeba, dzięki...

Próbował usiąść, ale ból był trudny do wytrzymania. Usłyszał znajome kliknięcie.

— Nie chcę żadnego zdjęcia, Colin — powiedział głośno.

— Leż na plecach, Harry — uspokajał go Lockhart kojącym głosem. — To proste zaklęcie... używałem go wiele razy.

— Lepiej zanieście mnie od razu do szpitala — wycedził Harry przez zaciśnięte zęby.

— Tak, trzeba go zanieść do szpitala, panie profesorze — powiedział ubłocony Wood, uśmiechając się szeroko, mimo że jego szukający odniósł kontuzję. — Wspaniały chwyt, Harry, naprawdę bardzo widowiskowy, chyba twój najlepszy...

Przez gąszcz nóg Harry zobaczył Freda i George'a Weasleyów, mocujących się z tłuczkiem, który za nic nie chciał dać się zamknąć w skrzynce.

— Odsuńcie się — rozkazał Lockhart, podwijając rękawy ciemnozielonej szaty.

— Nie... nie chcę... — jęknął Harry, ale Lockhart już unosił różdżkę i w chwilę później wycelował ją prosto w jego ramię.

Poczuł dziwne i nieprzyjemne mrowienie, najpierw w ramieniu, potem coraz niżej, spływające aż do końców palców. W ślad za tym mrowieniem szła jakaś tępa niemoc i pustka, jakby całe ramię było pierwotnie napełnione powietrzem, które teraz z niego uszło. Bał się spojrzeć na swoją rękę, bał się zobaczyć, co z niej zostało. Zamknął oczy, odwrócił głowę w lewą stronę, ale jego najgorsze przeczucia zdały się sprawdzać, bo usłyszał zduszone okrzyki Gryfonów i szybkie klikanie aparatu Colina. Ramię już go nie bolało — w ogóle go nie czuł.

— Ach — westchnął Lockhart. — No tak. To się czasami zdarza. Ważne, że kości nie są już złamane. O tym trzeba pamiętać. Tak więc, Harry, możesz teraz iść do szpitala... Aha, panie Weasley, panno Granger... dobrze by było, gdybyście mu towarzyszyli... Nie martw się, Harry, pani Pomfrey na pewno zdoła... ee... doprowadzić cię do porządku.

Harry dźwignął się na nogi, stanął i poczuł się jakoś dziwnie krzywy. Wziął głęboki oddech i spojrzał na swój prawy bok. To, co zobaczył, prawie go zwaliło z nóg.

Z rękawa szaty zwisało coś, co przypominało grubą gumową rękawicę koloru ludzkiej skóry. Spróbował poruszyć palcami. Bezskutecznie.

Lockhart nie wyleczył mu złamanych kości. Po prostu je usunął. Pani Pomfrey nie była zachwycona tym, co zobaczyła.

— Powinieneś od razu przyjść do mnie! — krzyknęła, podnosząc smętną, bezwładną pozostałość czegoś, co jeszcze pół godziny wcześniej było sprawną ręką. — Złamaną kość jestem w stanie wyleczyć w ciągu sekundy... ale sprawić, żeby odrosła...

— Ale zrobi to pani, prawda? — zapytał zrozpaczony Harry.

— Zrobię, oczywiście, ale będzie trochę bolało — oświadczyła pani Pomfrey ponuro, rzucając mu piżamę. — Będziesz musiał zostać tu na noc...

Hermiona czekała za parawanami, którymi obstawiono łóżko Harry'ego, podczas gdy Ron pomagał mu włożyć piżamę. Długo trwało, zanim udało mu się wepchnąć do rękawa sflaczałą, pozbawioną kości rękę.

— No i co, Hermiono, nadal jesteś fanką Lockharta? — zawołał Ron zza parawanu, kiedy w końcu przeciągnął gumowe palce Harry'ego przez mankiet. — Gdyby Harry chciał, żeby go wydrylowano, toby sam poprosił.

— Każdy ma prawo do błędu — odpowiedziała Hermiona. — Ale już cię nie boli, Harry, prawda?

— Nie, nie boli. Coś, czego nie ma, nie może boleć.

I opadł na łóżko, a jego ręka pacnęła bezwładnie na pościel.

Hermiona i pani Pomfrey weszły za parawan. Pani Pomfrey trzymała wielką butlę z nalepką, na której było napisane: „Szkiele-Wzro".

— Poleżysz całą noc — oznajmiła, napełniając szklankę parującym płynem i wręczając Harry'emu. — Odtwarzanie kości to paskudna sprawa.

Paskudne okazało się samo zażycie Szkiele-Wzro. Płyn palił w usta i gardło, dusił i wywoływał kaszel. Pani Pomfrey, mrucząc coś pod nosem na temat niebezpiecznych sportów i niedouczonych konowałów, wyszła, prosząc Rona i Hermionę, by podali Harry'emu trochę wody, kiedy wypije już cały lek.

— No, ale zwyciężyliśmy — powiedział Ron, szczerząc zęby. — Ależ to był chwyt! Żebyś widział twarz Malfoya... Wyglądał, jakby chciał kogoś zabić!

— Chciałabym wiedzieć, jak mu się udało zaczarować tłuczka — wyznała ponuro Hermiona.

— Możemy to dodać do listy pytań, które mu zadamy po wypiciu Eliksiru Wielosokowego — powiedział Harry, opadając na poduszki. — Mam nadzieję, że będzie smakował trochę lepiej od tego świństwa...

— Po dodaniu odrobiny jakiegoś Ślizgona? Chyba żartujesz — prychnął Ron.

W tym momencie drzwi od skrzydła szpitalnego otworzyły się z hukiem. Przybyła reszta drużyny Gryffindoru, brudna i mokra, żeby zobaczyć się z Harrym.

— Harry, to, co wyprawiałeś w powietrzu, było zupełnie niesamowite — powiedział George. — Właśnie widziałem, jak Marcus Flint objeżdżał Malfoya. Wspominał coś o tępym bubku, który nie widzi znicza, mając go na głowie. W każdym razie Malfoy nie wyglądał na zadowolonego z życia.

Przynieśli ciastka, cukierki i butle soku z dyni. Zebrali się wokół łóżka Harry'ego i już mieli rozpocząć balangę, kiedy wpadła pani Pomfrey, grzmiąc:

— Ten chłopak potrzebuje spokoju, muszą mu odrosnąć trzydzieści trzy kości! Wynocha! WYNOCHA!

Harry został sam i nikt nie rozpraszał jego uwagi skupionej na rwącym bólu w bezwładnym ramieniu.

Wiele godzin później Harry obudził się nagle w gęstej ciemności i jęknął z bólu: teraz wydawało mu się, że cała ręka naszpikowana jest drzazgami. Przez chwilę myślał, że to go właśnie obudziło. Potem wzdrygnął się ze strachu, bo zdał sobie sprawę, że ktoś wyciera mu spocone czoło.

— Daj mi spokój! — powiedział głośno, a po chwili dodał: — *Zgredek?!*

Wyłupiaste oczy domowego skrzata wpatrywały się w niego z ciemności. Pojedyncza łza ściekała po długim, spiczastym nosie.

— Harry Potter wrócił do szkoły — wyszeptał żałosnym tonem. — Zgredek ostrzegał i ostrzegał Harry'ego Pottera. Ach, sir, dlaczego Harry Potter nie posłuchał Zgredka? Dlaczego Harry Potter nie wrócił do domu, kiedy spóźnił się na pociąg!

Harry dźwignął się na poduszkach i odepchnął gąbkę, którą Zgredek wycierał mu czoło.

— Co ty tutaj robisz? I skąd wiesz, że spóźniłem się na pociąg?

Wargi Zgredka zadrżały i Harry poczuł chłód podejrzenia.

— Ach, to ty! — powiedział powoli. — Ty sprawiłeś, że barierka nie chciała nas przepuścić.

— To prawda, sir — odrzekł Zgredek, kiwając gorliwie głową, aż mu zafalowały uszy. — Zgredek ukrył się i śledził Harry'ego Pottera, zapieczętował przejście i musiał później za karę wyprasować sobie ręce gorącym żelazkiem — pokazał Harry'emu swoje długie, obandażowane palce — ale Zgredek wszystko zniósł, bo myślał, że Harry Potter jest bezpieczny i do głowy Zgredkowi nie przyszło, że Harry Potter dostanie się do szkoły w inny sposób!

Kiwał się do tyłu i do przodu, trzęsąc swoją brzydką głową.

— Zgredek był tak wstrząśnięty, kiedy usłyszał, że Harry Potter wrócił do Hogwartu! Pozwolił, żeby przypalił się obiad jego pana! O, takiej chłosty Zgredek jeszcze nigdy w życiu nie dostał, sir...

Harry opadł z powrotem na poduszki.

— Przez ciebie o mało nas nie wylali, mnie i Rona — warknął gniewnie. — Lepiej zmywaj się stąd, zanim odrosną mi kości, bo mogę cię udusić.

Zgredek uśmiechnął się smętnie.

— Zgredek jest przyzwyczajony do takich gróźb, sir. W domu grożą mu śmiercią pięć razy dziennie.

Wydmuchał nos w róg brudnej poszewki, w którą był ubrany, a wyglądał tak żałośnie, że Harry poczuł, jak mu mija gniew.

— Dlaczego chodzisz w takim łachu? — zapytał.

— W tym, sir? — zapytał Zgredek, mnąc róg poszewki. — To jest oznaka mojego zniewolenia. Zgredek może odzyskać wolność tylko wtedy, gdy jego pan obdaruje go jakimś przyzwoitym odzieniem, sir. A ta rodzina nie da mi nigdy nawet skarpetki, bo wówczas byłbym wolny i już nigdy nie wróciłbym do ich domu.

Otarł swoje wyłupiaste oczy i nagle powiedział:

— Harry Potter musi wrócić do domu! Zgredek myślał, że jego tłuczek wystarczy, żeby...

— Twój tłuczek? — krzyknął Harry zduszonym głosem, czując, że znowu wzbiera w nim wściekłość. — Co chcesz przez to powiedzieć? To ty sprawiłeś, że tłuczek chciał mnie zabić?

— Nie zabić, sir, co to, to nie! — żachnął się Zgredek, wyraźnie wstrząśnięty samą myślą. — Zgredek chce uratować Harry'emu Potterowi życie! Lepiej wrócić do domu ciężko poranionym, niż tutaj zostać, sir! Zgredek chciał tylko, żeby Harry Potter został odesłany do domu, nic poza tym!

— Tak? Nic poza tym? — powiedział Harry ze złością. — To może mi powiesz, dlaczego miałem zostać odesłany do domu w kawałkach, co?

— Ach, gdyby Harry Potter wiedział! — jęknął Zgredek i na poszarpaną poszewkę pociekły łzy. — Gdyby wiedział, co to znaczy dla nas, nędznych, zniewolonych mętów czarodziejskiego świata! Zgredek dobrze pamięta, jak to było, kiedy Ten, Którego Imienia Nie Wolno Wymawiać był u szczytu potęgi! Nas, domowe skrzaty, traktowano jak robaki! To prawda, Zgredek jest nadal tak traktowany, sir — dodał, ocierając twarz poszewką — ale ogólnie rzecz biorąc, nasze życie uległo znacznej poprawie, odkąd Harry Potter zatriumfował nad Tym, Którego Imienia Nie Wolno Wymawiać. Harry Potter przeżył, a moc Czarnego Pana została zdruzgotana. To był brzask nowego dnia, sir, a Harry Potter jaśniał jak latarnia nadziei dla tych z nas, którzy już myśleli, że epoka ciemności nigdy się nie zakończy... A teraz w Hogwarcie ma dojść do straszliwych wydarzeń, być może już do nich dochodzi, i Zgredek nie może pozwolić, by Harry Potter tu pozostał... Nie, sir, nie teraz, kiedy historia ma zatoczyć koło, kiedy Komnata Tajemnic została ponownie otwarta...

Zgredek zamarł, przerażony, a potem chwycił dzbanek z wodą stojący na stoliku przy łóżku i uderzył się nim w głowę, znikając na chwilę, lecz po paru sekundach wczołgał się na łóżko, jęcząc:

— Zły Zgredek, bardzo niedobry Zgredek...

— A więc Komnata Tajemnic naprawdę istnieje? — wyszeptał Harry. — I... mówiłeś, że już wcześniej była otwarta? Powiedz mi, Zgredku!

Złapał kościsty przegub skrzata, gdy ten już sięgał po dzban.

— Przecież moi rodzice nie byli mugolami... Dlaczego ta Komnata może mi grozić?

— Ach, sir, nie pytaj o nic więcej, nie pytaj biednego Zgredka — zawodził skrzat, a jego wielkie oczy płonęły w ciemności. — Ma tu dojść do strasznych wydarzeń, ale Harry'ego Pottera nie może tu być, kiedy to się stanie. Wracaj do domu, Harry Potterze. Wracaj. Harry Potter nie może być w to zamieszany, to zbyt niebezpieczne, sir...

— Kto to jest, Zgredku? — zapytał Harry, trzymając go mocno za przegub. — Kto po raz pierwszy otworzył Komnatę? Kto ją teraz otworzył?

— Zgredek nie może, Zgredek nie może, Zgredkowi nie wolno! — zaskomlał skrzat. — Wracaj do domu, Harry Potterze, wracaj do domu!

— Nigdzie się stąd nie ruszę! — krzyknął Harry. — Moja najlepsza przyjaciółka urodziła się w rodzinie mugoli, będzie pierwszym celem, jeśli Komnata Tajemnic naprawdę zostanie otwarta...

— Harry Potter naraża własne życie dla swoich przyjaciół! — jęknął Zgredek ogarnięty czymś w rodzaju żałosnej ekstazy. — Cóż za szlachetność! Cóż za odwaga! Lecz Harry Potter musi ratować siebie, musi, nie wolno mu...

Zgredek nagle zamilkł i zamarł, nastawiając swoje uszy nietoperza. Harry też coś usłyszał. Z korytarza dochodził odgłos czyichś kroków.

— Zgredek musi znikać! — krzyknął skrzat zduszonym głosem; rozległ się trzask i dłoń Harry'ego nagle zacisnęła się w powietrzu. Wcisnął się w poduszkę, ze wzrokiem utkwionym w ciemnym wejściu do skrzydła szpitalnego. Kroki były coraz bliższe.

W mroku sypialni pojawiła się postać w długiej pelerynie i w szlafmycy na głowie. Był to Dumbledore. Dźwigał coś, co przypominało głowę posągu. Tuż za nim weszła profesor McGonagall, podtrzymując nogi posągu. Razem złożyli go na sąsiednim łóżku.

— Sprowadź panią Pomfrey — szepnął Dumbledore i profesor McGonagall znikła w ciemności.

Po chwili rozległy się przyciszone głosy i profesor McGonagall pojawiła się ponownie, tym razem z panią Pomfrey, która pospiesznie naciągała sweter na nocną koszulę. Harry usłyszał chrapliwy oddech.

— Co się stało? — zapytała szeptem pani Pomfrey, pochylając się nad posągiem na łóżku.

— Kolejna napaść — odrzekł Dumbledore. — Minerwa znalazła go na schodach.

— Obok leżała kiść winogron — dodała profesor McGonagall. — Sądzimy, że chciał się tu wśliznąć, żeby odwiedzić Pottera.

Coś przewróciło się Harry'emu w żołądku. Powoli i ostrożnie uniósł się o parę cali, żeby spojrzeć na figurę na łóżku. Smuga księżycowego światła padała na jej twarz.

Był to Colin Creevey. Oczy miał szeroko otwarte, a ręce lekko uniesione; trzymał w nich aparat fotograficzny.

— Spetryfikowany? — wyszeptała pani Pomfrey.

— Tak — odpowiedziała profesor McGonagall. — Ale aż mnie ciarki przechodzą, kiedy pomyślę... Gdyby Albus nie zszedł na dół po kubek gorącej czekolady, kto wie, co by się stało...

Przez chwilę wszyscy troje przyglądali się Colinowi w milczeniu. Potem Dumbledore pochylił się i wyłuskał aparat z jego zaciśniętych dłoni.

— Chyba nie myślisz, że udało mu się zrobić zdjęcie napastnikowi? — zapytała profesor McGonagall.

Dumbledore nie odpowiedział. Otworzył tylne wieczko aparatu.

— O Boże! — syknęła pani Pomfrey.

Z aparatu buchnął strumień dymu. Harry, leżący trzy łóżka dalej, poczuł woń spalonego plastiku.

— Stopiło się — zdumiała się pani Pomfrey. — Wszystko się stopiło...

— Co to znaczy, Albusie? — zapytała z niepokojem profesor McGonagall.

— To znaczy — rzekł Dumbledore — że Komnata Tajemnic rzeczywiście została otwarta.

Pani Pomfrey zatkała sobie usta dłonią. Profesor McGonagall wytrzeszczyła oczy na Dumbledore'a.

— Ale... Albusie... *kto?*

— To nie jest właściwe pytanie. Nie chodzi o to, *kto* — powiedział Dumbledore, wpatrując się w Colina. — Chodzi o to, *jak*...

Sądząc po jej minie, profesor McGonagall zrozumiała z tego akurat tyle, ile zrozumiał Harry, czyli nic.

ROZDZIAŁ JEDENASTY

Klub pojedynków

Harry obudził się w niedzielny poranek i stwierdził, że dormitorium zalane jest zimowym słońcem, a jego ręka, choć wciąż jeszcze sztywna, odzyskała utracone kości. Usiadł szybko i spojrzał na łóżko Colina, ale było zasłonięte wysokim parawanem, za którym sam się wczoraj przebierał. Pani Pomfrey natychmiast spostrzegła, że się obudził i podeszła, niosąc tacę ze śniadaniem. Postawiła ją na stoliku i zaczęła mu zginać i prostować rękę i palce.

— Wszystko w porządku — oświadczyła, kiedy niezdarnie zabrał się lewą ręką do owsianki. — Kiedy skończysz jeść, możesz wracać do swojej wieży.

Harry ubrał się tak szybko, jak potrafił, i pobiegł na wieżę Gryffindoru, pragnąc opowiedzieć Ronowi i Hermionie o Colinie i Zgredku, ale ich tam nie zastał. Wyszedł, żeby ich poszukać, nie mając pojęcia, gdzie mogli pójść, i czując się trochę urażony tym, że nie zainteresowało ich, czy odzyskał kości, czy nie. Kiedy mijał bibliotekę, wyszedł z niej Percy Weasley, w o wiele lepszym nastroju niż wówczas, gdy się widzieli po raz ostatni.

— O, cześć, Harry! — przywitał go dziarskim tonem. — Wspaniale wczoraj latałeś, naprawdę super. Gryffindor objął prowadzenie w rozgrywkach o Puchar Domów... Zarobiłeś dla nas pięćdziesiąt punktów!

— Może widziałeś gdzieś Rona i Hermionę, co? — zapytał Harry.

— Nie, nie widziałem ich — odrzekł Percy, a uśmiech spełzł mu z twarzy. — Mam nadzieję, że Ron nie polazł do jakiejś toalety *dla dziewczyn*...

Harry zmusił się do śmiechu, poczekał, aż Percy zniknie za rogiem korytarza i pomknął prosto do łazienki Jęczącej Marty. Właściwie nie miał powodu, by sądzić, że zastanie tam Rona i Hermionę, ale kiedy po upewnieniu się, że w pobliżu nie ma ani Filcha, ani żadnego z prefektów, otworzył drzwi, usłyszał ich głosy dochodzące z zamkniętej kabiny.

— To ja — powiedział, zamykając za sobą drzwi.

Z kabiny dobiegł szczęk metalu, plusk i zduszony okrzyk. W dziurce od klucza mignęło oko Hermiony.

— Harry! Ale nas przestraszyłeś... Wchodź... Jak twoja ręka?

— Świetnie — odpowiedział Harry, wciskając się do kabiny.

Na sedesie stał stary kociołek, a po dochodzących spod niego trzaskach poznał, że w muszli rozpalili ognisko. Wzniecanie przenośnych, wodoodpornych ognisk było specjalnością Hermiony.

— Powinniśmy cię odwiedzić, ale w końcu postanowiliśmy zacząć warzyć ten Eliksir Wielosokowy — wyjaśnił Ron, kiedy Harry, nie bez trudności, zamknął drzwi od kabiny. — Uznaliśmy, że to najbezpieczniejsze miejsce.

Harry zaczął im opowiadać o Colinie, ale Hermiona mu przerwała:

— Już wiemy, rano podsłuchaliśmy, jak profesor McGonagall mówiła o tym profesorowi Flitwickowi. Właśnie dlatego uznaliśmy, że lepiej od razu zabrać się do...

— Im wcześniej wyciągniemy coś z Malfoya, tym lepiej — burknął Ron. — Wiecie, co ja myślę? Tak się wściekł po meczu, że musiał się na kimś wyładować i wybrał sobie na ofiarę Colina.

— Jest coś jeszcze — powiedział Harry, obserwując, jak Hermiona rozciera pęki rdestu ptasiego i wrzuca je do kociołka. — W środku nocy odwiedził mnie Zgredek.

Ron i Hermiona wybałuszyli oczy. Harry przekazał im, co powiedział mu skrzat — a raczej czego mu nie powiedział. Słuchali go z otwartymi ustami.

— Komnata Tajemnic już kiedyś została otwarta? — zdumiała się Hermiona.

— To się trzyma kupy — oznajmił Ron triumfalnym głosem. — Lucjusz Malfoy musiał otworzyć Komnatę, kiedy był uczniem, a teraz powiedział swojemu kochanemu synalkowi, jak to zrobić. No jasne! Ale szkoda, że Zgredek nie powiedział ci, co za potwór tam siedzi. Bardzo jestem ciekaw, jak mu się udało wśliznąć do szkoły, żeby nikt tego nie zauważył.

— Może potrafi robić się niewidzialny — powiedziała Hermiona, wpychając pijawki na dno kotła. — Albo może potrafi się w coś zmienić... na przykład udaje, że jest zbroją albo czymś takim. Czytałam o ghulach kameleonowych...

— Za dużo czytasz, Hermiono — przerwał jej Ron, dodając utarte muchy siatkoskrzydłe do pijawek. Zmiął pustą torebkę po muchach i spojrzał na Harry'ego.

— Więc to Zgredek przeszkodził nam wsiąść do pociągu i złamał ci rękę... — Pokręcił głową. — Wiesz co, Harry? Jeśli on będzie wciąż próbował ratować ci życie, to cię w końcu załatwi na dobre.

W poniedziałek rano cała szkoła wiedziała już, że Colin Creevey został zaatakowany i teraz leży w skrzydle szpitalnym. Atmosfera była gęsta od pogłosek i podejrzeń. Pierwszorocznicy chodzili po zamku w zbitych grupkach, jakby się bali, że staną się łupem złych mocy, jeśli wyprawią się gdzieś samotnie.

Ginny Weasley, która na zaklęciach siedziała obok Colina Creeveya, była jakaś roztargniona, ale sposób, w jaki Fred i George usiłowali ją rozweselić, nie wydawał się Harry'emu zbyt szczęśliwy. Na zmianę chowali się za zbrojami lub posągami, okryci jakimś futrem albo pomalowani na twarzy w czarne kropki i wyskakiwali na nią znienacka. Przestali ją dręczyć dopiero wtedy, gdy Percy, siny z wściekłości, zagroził, że napisze do pani Weasley, donosząc jej, że Ginny ma nocne koszmary.

Jednocześnie za plecami nauczycieli odbywał się w całej szkole ożywiony handel talizmanami, amuletami i innymi środkami ochronnymi. Neville Longbottom kupił sobie wielką, cuchnącą, zieloną cebulę, ostro zakończony purpurowy kryształ i nadgniły ogon traszki, zanim mu koledzy nie wyjaśnili, że jemu nic nie grozi: jest czarodziejem czystej krwi i nikt go nie zaatakuje.

— Najpierw zabrali się za Filcha — powiedział Neville, blady jak kreda ze strachu — a przecież wszyscy wiedzą, że ja jestem prawie charłakiem.

W drugim tygodniu grudnia profesor McGonagall jak zwykle obeszła domy, zbierając nazwiska tych uczniów, którzy na Boże Narodzenie pozostaną w Hogwarcie. Harry, Ron i Hermiona wpisali się na jej listę; dowiedzieli się, że Malfoy zostaje, co wydało im się bardzo podejrzane. Święta byłyby idealnym okresem do użycia Eliksiru Wielosokowego i naciągnięcia go na zwierzenia.

Niestety, eliksir wciąż nie był gotowy. Nadal brakowało im rogu dwurożca i skóry afrykańskiego węża, a jedynym miejscem, gdzie te ingrediencje mogli znaleźć, był gabinet Snape'a. Harry w duchu uważał, że wolałby spotkać się oko w oko z legendarnym potworem Slytherina, niż zostać przyłapany przez Snape'a w jego gabinecie.

— Musimy przeprowadzić akcję dywersyjną — oświadczyła wojowniczo Hermiona w pewien czwartek, gdy zbliżała się popołudniowa lekcja eliksirów. — Zajmiemy czymś Snape'a, a w tym czasie jedno z nas wśliźnie się do jego gabinetu i zdobędzie to, czego nam brakuje.

Harry i Ron popatrzyli na nią z lekkim niepokojem.

— Uważam, że ja się do tego najlepiej nadaję — ciągnęła Hermiona rzeczowym tonem. — Was dwóch wyleją, jak wpadniecie w jakieś kłopoty, a ja mam czyste konto. Musicie tylko zrobić jakąś drakę, żeby Snape był zajęty przez co najmniej pięć minut.

Harry uśmiechnął się blado. Zrobienie draki na lekcji eliksirów było równie bezpieczne, jak dziobnięcie śpiącego smoka ołówkiem prosto w oko.

Lekcje eliksirów odbywały się w jednym z wielkich lochów. Czwartkowa lekcja nie różniła się niczym od innych. Dwadzieścia parujących kociołków bulgotało między drewnianymi stołami, na których stały mosiężne wagi i słoje z ingrediencjami. Snape krążył wśród obłoków pary, robiąc jadowite uwagi na temat pracy Gryfonów, co Ślizgoni kwitowali szyderczymi chichotami. Draco Malfoy, ulubiony uczeń Snape'a, co jakiś czas ciskał w Rona i Harry'ego oczami diabła morskiego, a oni wiedzieli, że jeśli mu oddadzą, dostaną szlaban szybciej, niż zdążą powiedzieć: „To niesprawiedliwe". Harry'emu daleko było jeszcze do zakończenia pracy nad sporządzeniem Eliksiru Rozdymającego, ale myślami był zupełnie gdzie indziej. Czekał na znak Hermiony i wcale się nie przejął, kiedy Snape zatrzymał się przy nim i głośno zakpił z wodnistej zawartości jego kociołka. Kiedy Snape odwrócił się i odszedł, żeby trochę podręczyć Neville'a, Hermiona upewniła się, że Harry na nią patrzy i kiwnęła głową.

Harry szybko kucnął za swoim kotłem, wyciągnął z kieszeni jeden ze sztucznych ogni Filibustera, który zwędził Fredowi, i stuknął weń różdżką. Kolorowy walec zaczął syczeć i trzaskać. Wiedząc, że ma tylko kilka sekund, Harry wyprostował się, wycelował i rzucił. Sztuczny ogień wylądował dokładnie tam, gdzie miał wylądować: w kociołku Goyle'a.

Nastąpiła eksplozja, w wyniku której wszyscy zostali obryzgani Eliksirem Rozdymającym. Malfoy został trafiony w twarz i jego nos natychmiast nabrzmiał do rozmiarów balona; Goyle miotał się, zakrywając dłońmi oczy, które zrobiły się wielkie jak talerze obiadowe, a Snape próbował przywrócić spokój i wykryć, co się właściwie stało. W tym zamieszaniu Hermiona wymknęła się z klasy.

— Cisza! CISZA! — ryczał Snape. — Wszyscy, którzy zostali ochlapani, niech tu podejdą po Wywar Dekompresyjny. Jak się dowiem, kto to zrobił...

Harry ledwo się powstrzymał od parsknięcia śmiechem, kiedy zobaczył Malfoya spieszącego po lek. Głowa uginała mu się pod ciężarem nosa wielkości małego melona. Ucierpiała połowa klasy; niektórzy mieli ramiona jak maczugi, inni nie mogli mówić z powodu warg nabrzmiałych jak szynki. Harry zobaczył Hermionę, wślizgującą się z powrotem do lochu; jej szata wydymała się lekko z przodu.

Kiedy każdy dostał porcję antidotum i rozmaite opuchnięcia znikły, Snape podskoczył do kociołka Goyle'a i wyłowił z niego poskręcane, czarne resztki fajerwerku. Zrobiło się bardzo cicho.

— Jak się dowiem, kto to wrzucił — oznajmił Snape złowrogim szeptem — możecie być pewni, że dopilnuję, by go wyrzucono ze szkoły.

Harry szybko zrobił minę wyrażającą, jak miał nadzieję, szczere zdumienie. Snape patrzył prosto na niego. Dzwonek, który rozległ się dziesięć minut później, jeszcze nigdy nie przyniósł mu takiej ulgi.

— Wie, że to ja — powiedział Ronowi i Hermionie, kiedy pędzili do toalety Jęczącej Marty. — Założę się, że wie.

Hermiona wrzuciła zdobyte składniki do kotła i zaczęła w nim gorliwie mieszać.

— Za dwa tygodnie będzie gotowy — oznajmiła radosnym tonem.

— Snape nie jest w stanie dowieść, że to ty — pocieszył Harry'ego Ron. — Co ci może zrobić?

— Znając Snape'a, założę się, że wymyśli coś paskudnego — odpowiedział Harry.

Wywar pienił się i bulgotał.

Tydzień później Harry, Ron i Hermiona przechodzili przez salę wejściową, kiedy zobaczyli grupkę uczniów zgromadzonych wokół tablicy ogłoszeń. Czytali mały pergamin, który właśnie wywieszono. Seamus Finnigan i Dean Thomas pomachali do nich, wyraźnie podekscytowani.

— Powstaje klub pojedynków! — powiedział z przejęciem Seamus. — Dziś wieczorem jest pierwsze spotkanie! Kilka lekcji pojedynkowania się może człowieka wyratować z niejednej opresji, zwłaszcza w tych dniach...

— A co, myślisz, że potwór Slytherina stanie z tobą do pojedynku? — zakpił Ron, ale sam też z zaciekawieniem przeczytał ogłoszenie.

— Może się przydać — powiedział do Harry'ego i Hermiony w drodze do jadalni. — Idziemy?

Harry i Hermiona byli tego samego zdania, więc o ósmej wieczorem udali się do Wielkiej Sali. Długie stoły jadalne znikły, a wzdłuż jednej ze ścian pojawiło się złote podwyższenie oświetlone tysiącami wiszących w powietrzu świec. Sklepienie było aksamitnie czarne. Zebrała się pod nim prawie cała szkoła. Wszyscy mieli różdżki i byli bardzo podnieceni.

— Ciekaw jestem, kto będzie nas uczył — powiedziała Hermiona, kiedy weszli w rozgadany tłum. — Ktoś mi mówił, że Flitwick był mistrzem pojedynków za swoich młodych lat, może to będzie on.

— Jeśli tylko nie będzie to... — zaczął Harry, ale urwał i jęknął.

Na podium wkraczał Gilderoy Lockhart we wspaniałej szacie koloru dojrzałej śliwki, a towarzyszył mu nie kto inny jak Snape, jak zwykle ubrany na czarno.

Lockhart pomachał ręką, aby uciszyć salę i zawołał:

— Przybliżcie się! Przybliżcie! Czy każdy mnie widzi? Czy wszyscy mnie słyszą? Wspaniale! Otóż profesor Dumbledore udzielił mi pozwolenia na zorganizowanie tego małego klubu pojedynków, żebyście potrafili się obronić tak, jak mnie się to tyle razy udało... Jeśli chodzi o szczegóły, wystarczy zajrzeć do moich książek.

Uśmiechnął się szeroko, ukazując swoje dorodne zęby, i spojrzał na Snape'a.

— Pozwólcie mi przedstawić mojego asystenta, profesora Snape'a. Powiedział mi, że trochę się zna na pojedynkach i zgodził się, jako prawdziwy dżentelmen, pomóc mi w krótkim pokazie, zanim przejdziemy do ćwiczeń. I proszę was, młodzieńcy i dziewczęta, nie lękajcie się o waszego mistrza eliksirów. Kiedy z nim skończę, będzie nadal żywy i cały, nie bójcie się!

— A nie byłoby lepiej, gdyby się nawzajem wykończyli? — mruknął Ron do ucha Harry'emu.

Snape odsłonił górne zęby, jakby zamierzał kogoś ugryźć. Harry dziwił się, dlaczego Lockhart wciąż się uśmiecha; gdyby Snape spojrzał w ten sposób *na niego*, czmychnąłby, gdzie pieprz rośnie.

Lockhart i Snape stanęli naprzeciw siebie i skłonili się; w każdym razie na pewno uczynił to Lockhart, bo Snape tylko nieznacznie kiwnął głową. A potem wyciągnęli ku sobie różdżki, jakby to były miecze.

— Jak widzicie, trzymamy różdżki w przyjętej pozycji bojowej — wyjaśnił Lockhart. — Jak policzę do trzech, rzucimy pierwsze zaklęcia. Oczywiście żaden z nas nie zamierza drugiego zabić.

— O to bym się nie założył — mruknął Harry, widząc, że Snape znowu obnaża zęby.

— Raz... dwa... trzy...

Obaj równocześnie machnęli różdżkami. Snape zawołał:

— *Expelliarmus!*

Błysnęło oślepiające szkarłatne światło i Lockhart został zdmuchnięty z podwyższenia. Uderzył o ścianę i ześliznął się po niej na podłogę, gdzie legł z rozciągniętymi ramionami.

Malfoy i kilku innych Ślizgonów zawyło z radości. Hermiona podskakiwała na czubkach palców.

— Myślicie, że nic mu się nie stało? — piszczała, zakrywając sobie usta dłonią.

— A kogo to obchodzi? — odpowiedzieli jednocześnie Harry i Ron.

Lockhart dźwigał się chwiejnie na nogi. Tiara spadła mu z głowy, a faliste włosy stanęły dęba.

— No więc sami widzieliście! — powiedział, wracając na podium. — To było Zaklęcie Rozbrajające... Jak widzicie, utraciłem różdżkę... Ach, dziękuję, panno Brown. Tak, to był wyśmienity pomysł, żeby im to pokazać, profesorze Snape, ale jeśli wolno mi uczynić pewną uwagę, z góry było wiadomo, co pan zamierza zrobić. Gdybym chciał pana powstrzymać, byłoby to zbyt łatwe. Zgadzam się jednak, że dla młodzieży było to bardzo pouczające...

W oczach Snape'a płonęła żądza mordu. Być może Lockhart to zauważył, bo powiedział:

— Dość demonstracji! Teraz poustawiam was w pary. Profesorze Snape, mógłby mi pan pomóc...

Ruszyli przez tłum, dobierając pary pojedynkowiczów. Lockhart ustawił Neville'a naprzeciw Justyna Finch-Fletchleya, ale Snape był szybszy i pierwszy doskoczył do Harry'ego i Rona.

— Czas, by podzielić drużynę marzeń — zakpił. — Weasley, będziesz partnerem Finnigana. Potter...

Harry ruszył automatycznie w stronę Hermiony.

— Nie, nie, Potter — powiedział Snape, uśmiechając się zimno. — Panie Malfoy, proszę tutaj. Zobaczymy, jak pan sobie poradzi ze słynnym Potterem. A panna Granger może się zmierzyć... z panną Bulstrode.

Malfoy podszedł, uśmiechając się głupkowato. Za nim szła ślizgońska dziewczyna, która przypominała Harry'emu obrazek z książki *Wakacje z wiedźmami*. Była wielka, prostokątna, z potężną dolną szczęką, którą zaczepnie wysunęła do przodu. Hermiona uśmiechnęła się do niej na powitanie, ale tamta nie zamierzała odwzajemnić uśmiechu.

— Stańcie naprzeciw swoich partnerów! — krzyknął Lockhart, który wrócił na podium. — Ukłon!

Harry i Malfoy ledwo skinęli głowami, nie spuszczając się z oczu.

— Różdżki w gotowości! — ryknął Lockhart. — Kiedy policzę do trzech, rzucajcie zaklęcia, żeby rozbroić przeciwnika... *tylko* rozbroić... nie chcemy nowych wypadków. Raz... dwa... trzy...

Harry machnął różdżką, ale Malfoy rzucił zaklęcie na „dwa": ugodziło ono Harry'ego tak potężnie, że poczuł się, jakby dostał w głowę sosjerką. Zachwiał się, ale prócz tego nic mu się nie stało, więc wycelował różdżkę prosto w Malfoya i krzyknął:

— *Rictusempra!*

Strumień żółtego światła ugodził Malfoya w brzuch. Zgiął się wpół i zrobił się siny na twarzy.

— Powiedziałem, tylko rozbroić! — krzyknął Lockhart ponad głowami walczących, kiedy Malfoy osunął się na kolana.

Harry ugodził go Zniewalającą Łaskotką i Malfoy nie mógł się wyprostować ze śmiechu. Harry uznał, że nie byłoby sportowo rozbroić Malfoya, póki ten tarza się ze śmiechu na podłodze, więc cofnął zaklęcie. Był to błąd.

Malfoy wziął głęboki oddech, wycelował różdżką w jego kolana i wykrztusił:

— *Tarantallegra!*

W następnej chwili nogi Harry'ego zaczęły wbrew jego woli wykonywać dzikie pląsy, jakby tańczył charlestona.

— Dosyć! Dosyć! — wrzasnął Lockhart, ale Snape przejął inicjatywę.

— *Finite Incantatem!* — zawołał.

Nogi Harry'ego uspokoiły się, Malfoy przestał dusić się ze śmiechu i byli w stanie rozejrzeć się wokoło.

Nad podium unosiła się zielonkawa mgiełka. Neville i Justyn leżeli na podłodze, dysząc ciężko, Ron podnosił szarego jak popiół Seamusa, przepraszając go za wyczyny swojej połamanej różdżki, natomiast Hermiona i Milicenta Bulstrode nadal walczyły: Milicenta założyła jej nelsona, a Hermiona skomlała z bólu. Ich różdżki leżały bezużytecznie na podłodze. Harry podskoczył i odciągnął Milicentę. Nie było to wcale łatwe, była od niego o wiele większa.

— No, no, no — pomrukiwał Lockhart, krążąc wśród tłumu i oglądając skutki pojedynków. — Wstawaj, Macmillan... Ostrożnie, panno Fawcett... Ściśnij to jak najmocniej, Boot, krwawienie zaraz ustanie...

Zatrzymał się pośrodku sali i pokręcił głową.

— Myślę, że będzie lepiej, jak nauczę was *blokowania* nieprzyjaznych zaklęć. — Spojrzał na Snape'a, któremu rozbłysły oczy, i szybko odwrócił wzrok. — Potrzebna będzie para ochotników... Longbottom i Finch-Fletchley, może wy, co?

— To nie jest dobry pomysł, profesorze — rzekł Snape, zjawiając się przy nich bezszelestnie jak wielki, złośliwy nietoperz. — Nawet najprostsze zaklęcia w wykonaniu Longbottoma zawsze kończą się tragicznie. To, co zostałoby z Finch-Fletchleya, musielibyśmy odesłać do szpitala w pudełku od zapałek. — Okrągła buzia Neville'a pokryła się rumieńcem wstydu. — Może Malfoy i Potter? — zapytał z chytrym uśmiechem.

— Znakomity pomysł! — ucieszył się Lockhart, zapraszając gestem Harry'ego i Malfoya na środek sali, kiedy tłum rozstąpił się, żeby zrobić im miejsce.

— A teraz posłuchaj, Harry — powiedział Lockhart. — Kiedy Draco wyceluje w ciebie różdżką, zrobisz *tak*.

Uniósł własną różdżkę i wykonał nią serię skomplikowanych ruchów, co skończyło się tym, że wyleciała mu z ręki. Snape uśmiechnął się drwiąco, kiedy Lockhart szybko ją podniósł, mówiąc:

— Uups... moja różdżka jest trochę za bardzo rozochocona.

Snape zbliżył się do Malfoya i szepnął mu coś do ucha. Malfoy też się uśmiechnął złośliwie. Harry spojrzał z niepokojem na Lockharta i poprosił:

— Panie profesorze, czy mógłby mi pan jeszcze raz pokazać tę blokadę?

— Pękasz, co? — mruknął Malfoy, tak żeby go Lockhart nie usłyszał.

— Chciałbyś — odpowiedział Harry kącikiem warg.

Lockhart poklepał go beztrosko po ramieniu.

— Zrób po prostu to, co ja zrobiłem, Harry!

— Co, mam upuścić różdżkę?

Ale Lockhart go nie słuchał.

— Raz... dwa... trzy... start! — krzyknął.

Malfoy szybko uniósł różdżkę i ryknął:

— *Serpensortia!*

Z końca różdżki wystrzelił najpierw błysk, a potem, ku przerażeniu Harry'ego, długi, czarny wąż, który spadł ciężko na posadzkę między nimi i wyprężył się, gotów do ataku. Rozległy się krzyki i tłum cofnął się w popłochu.

— Nie ruszaj się, Potter — wycedził Snape, wyraźnie ucieszony widokiem Harry'ego stojącego bez ruchu, oko w oko z syczącym gadem. — Zaraz go usunę...

— Ja to zrobię! — krzyknął Lockhart.

Machnął różdżką w kierunku węża i rozległ się donośny huk; wąż, zamiast zniknąć, podskoczył na dziesięć stóp w powietrze i spadł z głośnym pacnięciem. Rozwścieczony, sycząc gniewnie, popełzł prosto do Justyna Finch-Fletchleya i znowu uniósł trójkątny łeb, ukazując kły.

Harry nie wiedział, co kazało mu to zrobić. Nie był nawet świadom podjęcia takiej decyzji. Wiedział tylko, że nogi same prowadzą go ku wężowi. Zatrzymał się przed nim i krzyknął: .

— Zostaw go!

Stało się coś zadziwiającego, a dla Harry'ego zupełnie nieoczekiwanego. Wąż opadł na podłogę, potulny jak gumowy wąż ogrodowy, i utkwił wzrok w Harrym. Harry poczuł, że strach go opuszcza. W jakiś niewytłumaczalny sposób wiedział, że wąż już nikogo nie zaatakuje.

Spojrzał na Justyna z uśmiechem, spodziewając się, że ujrzy na jego twarzy ulgę, zdumienie, może nawet wdzięczność — ale z pewnością nie to, co ujrzał: złość i strach.

— Pewno uważasz, że to bardzo śmieszne, co? — krzyknął Justyn i zanim Harry zdążył zareagować, odwrócił się i wybiegł z sali.

Podszedł Snape i machnął różdżką w kierunku węża, który zamienił się w strzęp czarnego dymu. Snape też patrzył na Harry'ego jakoś dziwnie: było to przenikliwe, badawcze spojrzenie, które Harry'emu wcale się nie podobało. Nie podobał mu się też złowieszczy szmer wśród zgromadzonych uczniów. A potem poczuł, że ktoś ciągnie go z tyłu za szatę.

— Chodź — usłyszał w uchu głos Rona. — Rusz się... no, chodź...

Ron wyprowadził go z sali. Hermiona wyszła za nimi. Kiedy przechodzili przez drzwi, ludzie rozstąpili się gwałtownie, jakby w obawie, że się czymś zarażą. Harry nie miał pojęcia, co to wszystko znaczy, a Ron i Hermiona nie kwapili się z wyjaśnieniami, dopóki nie zaciągnęli go do pustego pokoju wspólnego Gryffindoru. Tam Ron pchnął Harry'ego na fotel i powiedział:

— Jesteś wężousty. Dlaczego nam nie powiedziałeś?

— *Co* ja jestem? — zapytał Harry.

— *Wężousty!* — powtórzył Ron. — Potrafisz rozmawiać z wężami!

— Wiem — powiedział Harry. — To znaczy... już raz to zrobiłem. Niechcący wypuściłem z klatki boa dusiciela... w ogrodzie zoologicznym, to dłuższa opowieść... a ten wąż powiedział mi, że nigdy nie był w Brazylii... Zresztą ja go wypuściłem, nie zdając sobie z tego sprawy... To było... no, kiedy jeszcze nie wiedziałem, że jestem czarodziejem.

— Boa dusiciel powiedział ci, że nigdy nie był w Brazylii? — powtórzył Ron.

— No i co z tego? Założę się, że w Hogwarcie co drugi potrafi rozmawiać z wężami.

— Mylisz się — powiedział Ron. — To rzadka umiejętność. Paskudna umiejętność, Harry.

— O co ci chodzi? — zapytał Harry, czując, że ogarnia go złość. — Odbiło wam wszystkim? Przecież gdybym nie powiedział wężowi, żeby zostawił Justyna w spokoju...

— Ach, więc *to* mu powiedziałeś?

— Co jest z tobą? Przecież byliście tam... słyszeliście.

— Słyszałem, że mówisz mową węzów — odpowiedział Ron. — Nie miałem pojęcia, *co* mówisz. Nic dziwnego, że Justyn spanikował, może pomyślał, że drażnisz węża czy coś w tym rodzaju. To brzmiało bardzo nieprzyjemnie, Harry.

Harry wytrzeszczył na niego oczy.

— Ja mówiłem w innym języku? Ale... ja sobie z tego nie zdawałem sprawy... Niby jak mogłem mówić w obcym języku, nie wiedząc, że to robię?

Ron pokręcił głową. Zarówno on, jak i Hermiona mieli miny, jakby ktoś umarł. Harry nie mógł zrozumieć, co ich tak przeraziło.

— Może mi powiecie, co było złego w tym, że przeszkodziłem wielkiemu, ohydnemu wężowi w odgryzieniu Justynowi głowy? Czy to takie ważne, *jak* to zrobiłem, skoro Justyn nie musiał przyłączyć się do polowania bez głów?

— To jest ważne — powiedziała Hermiona przyciszonym głosem. — Bo... widzisz... z tego właśnie słynął Salazar Slytherin. Z rozmawiania z wężami. To dlatego godłem Slytherinu jest wąż.

Harry'emu szczęka opadła.

— Tak właśnie było — powiedział Ron. — A teraz cała szkoła myśli, że jesteś jego pra-pra-pra-pra-wnukiem...

— Ale przecież nie jestem! — krzyknął Harry ogarnięty strachem, którego nie potrafił zrozumieć.

— Trudno ci to będzie udowodnić — powiedziała Hermiona. — Slytherin żył około tysiąca lat temu. Z tego, co wiemy, wynika, że możesz być jego potomkiem.

Tej nocy Harry długo nie mógł zasnąć. Przez szparę w kotarach wokół łóżka widział pierwsze płatki śniegu błąkające się za oknem wieży i rozmyślał.

Czy to możliwe, że jest potomkiem Salazara Slytherina? Ostatecznie niewiele wiedział o swojej rodzinie. Dursleyowie nie pozwalali mu pytać o krewnych.

Spróbował powiedzieć coś w języku wężów. Nic z tego nie wyszło, nie potrafił odnaleźć żadnego słowa. Może trzeba do tego stać oko w oko z wężem?

„Przecież jestem w Gryffindorze", pomyślał. „Tiara Przydziału nie umieściłaby mnie tutaj, gdybym był potomkiem Slytherina..."

„Ale Tiara Przydziału *chciała* cię umieścić w Slytherinie, nie pamiętasz?", odezwał się wstrętny głosik w jego mózgu.

Harry przewrócił się na bok. Jutro zobaczy się z Justynem na zielarstwie i wyjaśni mu, że wcale nie podjudzał węża, przeciwnie, kazał mu zostawić go w spokoju. „Nawet głupi powinien zdawać sobie z tego sprawę", pomyślał ze złością, bijąc pięścią w poduszkę.

Jednak następnego ranka śnieg, który zaczął padać w nocy, zamienił się w śnieżycę tak gęstą, że odwołano ostatnią w tym semestrze lekcję zielarstwa. Profesor Sprout zamierzała pozakładać na mandragory specjalne pokrywy i opaski — była to delikatna operacja, której nie powierzyłaby nikomu, zwłaszcza teraz, kiedy od szybkiego wzrostu mandragor zależało odpetryfikowanie Pani Norris i Colina Creeveya.

Harry gryzł się tym przy kominku w salonie Gryffindoru, a Ron i Hermiona grali w czarodziejskie szachy.

— Na miłość boską, Harry — powiedziała Hermiona rozdrażnionym tonem, kiedy jeden z gońców Rona zwalił jej rycerza z konia i zwlókł go z szachownicy — jeśli to takie dla ciebie ważne, idź i poszukaj Justyna!

Tak więc Harry wstał i wyszedł przez dziurę w portrecie, zastanawiając się, gdzie może być teraz Justyn.

W zamku było ciemniej niż zwykle w ciągu dnia, bo gęsty szary śnieg kłębił się za każdym oknem. Harry szedł korytarzami, mijając klasy, w których toczyły się lekcje. Profesor McGonagall wymyślała komuś, kto — sądząc po odgłosach — zamienił kolegę w bobra. Opierając się pokusie, by zerknąć na tę scenę, poszedł dalej, myśląc, że może Justyn wykorzystuje czas wolny do odrobienia jakichś zaległości, warto więc najpierw sprawdzić, czy nie ma go w bibliotece.

W głębi biblioteki rzeczywiście siedziała grupa Puchonów, ale nie wyglądali na pogrążonych w nauce. Siedzieli przy jednym stole głowa przy głowie i o czymś z przejęciem dyskutowali. Z daleka trudno było się zorientować, czy jest wśród nich Justyn. Harry ruszył w ich kierunku między dwoma rzędami półek, kiedy nagle dobiegło go, o czym rozmawiają, zatrzymał się więc, aby posłuchać, ukryty w Dziale Niewidzialności.

— W każdym razie — mówił jakiś tęgi chłopak — powiedziałem Justynowi, żeby się ukrył w naszym dormitorium. No bo jeśli Potter upatrzył go sobie na następną ofiarę, to lepiej niech się nie wychyla, przynajmniej przez jakiś czas. Justyn dobrze wiedział, że coś mu grozi od czasu, kiedy wygadał się Potterowi, że jego rodzice to mugole. Głupi, powiedział mu, że miał iść do Eton. Przecież czegoś takiego nie mówi się dziedzicowi Slytherina, no nie?

— Ernie, naprawdę myślisz, że to Potter? — zapytała dziewczyna z jasnymi mysimi ogonkami.

— Hanno — odpowiedział z powagą gruby chłopak — on jest wężousty. Wszyscy wiedzą, że to oznaka czarnoksiężnika. Słyszałaś o jakimś normalnym, przyzwoitym czarodzieju, który by rozmawiał z wężami? Wiesz, jakie miał przewisko Slytherin? Wężowy Język.

Rozległ się szmer podnieconych głosów, a potem Ernie znowu uciszył wszystkich, mówiąc:

— Pamiętacie, co było napisane na ścianie? *Strzeżcie się, wrogowie Dziedzica.* Potter miał jakieś starcie z Filchem. No i co? Kotkę Filcha znajdują sztywną. Creevey, ten pierwszoroczniak, naraził się Potterowi podczas meczu quidditcha, robiąc mu zdjęcia, kiedy ten leżał w błocie. No i co? Creevey leży sztywny w szpitalu.

— Ale on zawsze był taki fajny — powiedziała Hanna niepewnym tonem — no i... to on sprawił, że zniknął Sam-Wiesz-Kto. Przecież nie może być taki zły, prawda?

Ernie zniżył głos, jakby zamierzał im wyjawić jakąś tajemnicę. Puchoni pochylili się ku sobie jeszcze bardziej, tak że Harry musiał podkraść się jeszcze bliżej, żeby usłyszeć, co Ernie mówi.

— Nikt nie wie, w jaki sposób przeżył atak Sami-Wiecie-Kogo. Kiedy to się stało, był niemowlęciem, no nie? Przecież Sami-Wiecie-Kto powinien z niego zrobić miazgę. Tylko naprawdę potężny czarnoksiężnik mógłby się oprzeć takiemu zaklęciu. — Zniżył głos do szeptu i dodał: — Właśnie dlatego Sami-Wiecie-Kto chciał go zabić. Żeby nie mieć rywala. Mówię wam, że ten Potter to diabelski czarnoksiężnik, i to obdarzony straszliwą mocą!

Harry nie mógł już dłużej tego wytrzymać. Odchrząknął głośno i wyszedł spomiędzy półek z książkami. Gdyby nie był tak wściekły, na pewno wybuchnąłby śmiechem na widok Puchonów: wszyscy wyglądali, jakby ich spetryfikowano, a Ernie dodatkowo zrobił się blady jak ściana.

— Cześć — powiedział Harry. — Szukam Justyna Finch-Fletchleya.

Te słowa potwierdziły najgorsze obawy Puchonów. Spojrzeli ze strachem na Erniego.

— Czego od niego chcesz? — zapytał Ernie drżącym głosem.

— Chciałem mu powiedzieć, jak to naprawdę było z tym wężem na zebraniu klubu pojedynków.

Ernie przygryzł wargi, a potem wziął głęboki oddech i powiedział:

— Wszyscy tam byliśmy. Widzieliśmy, co się stało.

— Więc zauważyliście, że kiedy coś powiedziałem, wąż dał spokój Justynowi?

— Widzieliśmy tylko — odpowiedział odważnie Ernie, choć cały dygotał — że mówisz językiem węży i podpuszczasz tego gada, żeby zaatakował Justyna.

— Nikogo nie podpuszczałem! — krzyknął Harry ze złością. — Nawet go nie dotknąłem!

— Mało brakowało — powiedział Ernie. — A na wypadek, gdyby ci coś chodziło po głowie — dodał szybko — to mogę ci powiedzieć, że możesz prześledzić moje pochodzenie do dziewięciu pokoleń wstecz i znajdziesz same czarownice i samych czarodziejów. Mam tak czystą krew, jak mało kto, więc...

— W nosie mam czystość twojej krwi! — zawołał Harry. — Niby dlaczego miałbym coś przeciwko tym, którzy urodzili się w mugolskich rodzinach?

— Słyszałem, że nienawidzisz mugoli, u których mieszkasz.

— Jak byś ty pomieszkał z Dursleyami, to też byś ich szybko znienawidził — odpowiedział Harry.

Odwrócił się na pięcie i wybiegł z biblioteki, żegnany potępiającym spojrzeniem pani Pince, która polerowała pozłacaną okładkę wielkiej księgi z zaklęciami.

Ruszył korytarzem, tak wściekły, że nie zdawał sobie sprawy z tego, dokąd idzie. W rezultacie wpadł na coś wielkiego i twardego, co zwaliło go z nóg.

— Oo... cześć, Hagrid — wyjąkał Harry, patrząc na stojącą nad nim postać.

Twarz Hagrida była prawie całkowicie schowana pod pokrytą śniegiem wełnianą kominiarką, ale nie mógł być to ktoś inny, bo jego peleryna z kretów wypełniała prawie cały korytarz. W potężnej dłoni, okrytej rękawicą, trzymał za nogi martwego koguta.

— W porząsiu, Harry? — zapytał, podwijając kominiarkę. — Dlaczego nie jesteś na lekcji?

— Odwołana — odpowiedział Harry, wstając z podłogi. — A co ty tutaj robisz?

Hagrid uniósł martwego koguta.

— Już drugiego zagryzło w tym semestrze — wyjaśnił. — Albo lisy, albo jakiś popaprany wampir. Muszę wydębić od dyrektora pozwolenie na otoczenie kurnika jakimś solidnym zaklęciem.

Przyjrzał się uważniej Harry'emu spod swoich gęstych, ośnieżonych brwi.

— Harry, naprawdę nic ci nie jest? Wyglądasz, jakby cię coś wkurzyło.

Harry nie potrafił się zmusić do powtórzenia tego, co usłyszał od Erniego i reszty Puchonów.

— Ee, nic mi nie jest. No, ale lecę, zaraz mamy transmutację, muszę jeszcze iść po książki.

I odszedł, a w głowie kołatało mu to, co Ernie o nim powiedział: *Justyn dobrze wiedział, że coś mu grozi, od czasu, kiedy wygadał się Potterowi, że jego rodzice to mugole.*

Wszedł po schodach i znalazł się w kolejnym korytarzu, szczególnie ciemnym, bo pochodnie pogasił silny, lodowaty wiatr wdzierający się przez szpary we framugach okien. Był już w połowie korytarza, gdy nagle potknął się o coś dużego i twardego i upadł na zimną posadzkę.

Zerknął przez ramię, żeby zobaczyć, o co się potknął, i żołądek podszedł mu do gardła.

Na posadzce leżał Justyn Finch-Fletchley, sztywny i zimny, z zamarzniętym wyrazem krańcowego przerażenia na twarzy, z oczami utkwionymi w suficie. Ale na tym nie koniec. Obok niego zobaczył inną postać, a był to najdziwniejszy widok, jaki Harry w życiu zobaczył.

Był to Prawie Bezgłowy Nick, już nie perłowoblady i przezroczysty, ale czarny i jakby przydymiony. Jego ciało unosiło się poziomo jakieś sześć cali nad podłogą. Głowa zwisała mu z szyi, prawie odcięta, a na jego twarzy zastygł ten sam wyraz przerażenia, co na twarzy Justyna.

Harry dźwignął się na nogi. Oddech miał szybki i płytki, serce tłukło mu się po żebrach. Rozejrzał się nieprzytomnie po opustoszałym korytarzu i zobaczył rząd pająków umykających od martwych ciał. Było cicho, tylko przez zamknięte drzwi klas po obu stronach korytarza dobiegały stłumione głosy nauczycieli.

Mógł uciec i nikt by się nie dowiedział, że kiedykolwiek tu był. Nie mógł jednak tak zostawić leżących na podłodze ciał... „Muszę coś zrobić", pomyślał gorączkowo. „Muszę sprowadzić pomoc. Tylko... czy ktokolwiek uwierzy, że nie miałem z tym nic wspólnego?"

Kiedy tak stał wystraszony, miotany sprzecznymi uczuciami, tuż obok otworzyły się z hukiem drzwi. Wyskoczył przez nie poltergeist Irytek.

— Ooo, jest nasz biedny stuknięty Potter! — zachichotał, przekrzywiając mu w locie okulary. — Co Potter tu zmalował? Za czym tu węszy...

Nagle zatrzymał się w połowie zwariowanego salta. Wisząc w powietrzu głową na dół, wpatrywał się w Justyna i Prawie Bezgłowego Nicka. Potem wywinął kozła, wziął głęboki oddech i zanim Harry zdołał go powstrzymać, zawył przenikliwie:

— ATAK! ATAK! KOLEJNY ATAK! ŻADEN ŚMIERTELNIK ANI DUCH NIE JEST BEZPIECZNY! UCIEKAJCIE, JEŚLI WAM ŻYCIE MIŁE! ATAAAAK!

Trzask — trzask — trzask: wzdłuż całego korytarza po kolei otwierały się drzwi i wybiegali z nich ludzie. Przez kilka długich minut trwało takie zamieszanie, że mało brakowało, a rozdeptano by Justyna, a niektórzy stali w Prawie Bezgłowym Nicku. Wreszcie rozległy się głosy nauczycieli nawołujące do zachowania spokoju i tłum rozstąpił się, przygważdżając Harry'ego do ściany. Nadeszła profesor McGonagall, a za nią jej klasa; jeden z uczniów wciąż miał włosy w czarno-białe pasy. Wystrzeliła donośnie z różdżki, aby przywrócić ciszę, i kazała wszystkim wracać do klas. Gdy tylko scena opustoszała, pojawił się na niej zadyszany i blady Puchon Ernie.

— Złapany na gorącym uczynku! — zapiał, celując oskarżycielsko palcem w Harry'ego.

— Macmillan, dość! — uciszyła go ostro profesor McGonagall.

Irytek polatywał nad ich głowami, szczerząc zęby i z zachwytem obserwując bieg wydarzeń. Irytek uwielbiał chaos. Kiedy nauczyciele pochylili się nad Justynem i Prawie Bezgłowym Nickiem, zaskrzeczał:

Potter, diabła kumoter!
Dla niego zabić uczniów trzech
To czysta radość, luz i śmiech...

— Irytek, dosyć! — warknęła profesor McGonagall i poltergeist odleciał tyłem, pokazując Harry'emu język.

Justyn został zaniesiony do skrzydła szpitalnego przez profesora Flitwicka i profesora Sinistrę, który nauczał astronomii, ale nikt nie wiedział, co począć z Prawie Bezgłowym Nickiem. W końcu profesor McGonagall wyczarowała wielki wentylator, który dała Erniemu, polecając mu wciągnąć nim Nicka po schodach. Ernie zrobił to, „wentylując" za sobą ducha, który wyglądał jak czarny wir. W ten sposób Harry i profesor McGonagall zostali sami.

— Za mną, Potter — rozkazała.

— Pani profesor — powiedział szybko Potter — przysięgam, ja nie...

— To już wykracza poza moje kompetencje, Potter — przerwała mu szorstko.

Minęli załamanie korytarza i zatrzymali się przed wielką i wyjątkowo brzydką kamienną chimerą.

— Cytrynowy sorbet! — powiedziała profesor McGonagall.

Było to najwidoczniej hasło, ponieważ chimera nagle ożyła i odskoczyła w bok, a ściana poza nią rozstąpiła się. Harry, choć przerażony tym, co go czeka, ze zdumieniem zajrzał w otwór. Zobaczył spiralne ruchome schody, które sunęły łagodnie w górę. Kiedy na nie wstąpili, ściana za ich plecami zamknęła się z głuchym łoskotem. Wznosili się coraz wyżej po spirali, aż w końcu Harry, trochę oszołomiony, ujrzał nad sobą lśniące dębowe drzwi z mosiężną kołatką w kształcie gryfa.

Natychmiast zrozumiał, dokąd został przyprowadzony. Znalazł się przed siedzibą profesora Dumbledore'a.

ROZDZIAŁ DWUNASTY

Eliksir Wielosokowy

Zeszli z kamiennych ruchomych schodów i profesor McGonagall zakołatała w drzwi. Otworzyły się cicho i weszli do środka. Profesor McGonagall poleciła Harry'emu zaczekać i zostawiła go samego.

Harry rozejrzał się. Jednego był pewien: ze wszystkich gabinetów profesorskich, które widział, ten wydał mu się najbardziej interesujący. Gdyby go nie dręczyło okropne przeczucie, że za chwilę zostanie wyrzucony ze szkoły, byłby szczerze uradowany, mogąc go obejrzeć.

Był to wielki i piękny okrągły pokój, pełen dziwnych cichych odgłosów. Na stołach o cienkich, wrzecionowatych nogach stały rozmaite srebrne urządzenia, warczące, wirujące i wypuszczające obłoczki dymu. Ściany były obwieszone portretami byłych dyrektorów i dyrektorek, które drzemały sobie spokojnie w ramach. Było również olbrzymie biurko z nogami w kształcie szponów, a za nim, na półce, rozsiadła się wyświechtana, postrzępiona Tiara Przydziału.

Harry zawahał się. Przyjrzał się uważnie śpiącym czarodziejom na ścianach. A gdyby tak jeszcze raz nałożyć na głowę Tiarę Przydziału? To chyba nic złego... tylko żeby sprawdzić... żeby się upewnić, czy Tiara przydzieliła go do właściwego domu.

Obszedł na palcach biurko, zdjął tiarę z półki i powoli opuścił ją na głowę. Była o wiele za duża i natychmiast opadła mu na oczy, tak jak za pierwszym razem. Pogrążony w ciemności wnętrza tiary, czekał. Wreszcie usłyszał cichy głosik:

— Masz bzika, Harry Potterze?

— Ee... chyba tak — wyjąkał Harry. — Ee... przepraszam, że zawracam ci... no właśnie... głowę... chciałem tylko zapytać...

— Jesteś ciekaw, czy umieściłam cię we właściwym domu — przerwał mu głos. — Tak... ciebie było wyjątkowo trudno przydzielić, to prawda. Ale podtrzymuję to, co już ci powiedziałam — Harry'emu zabiło serce — że pasowałbyś do Slytherinu.

Harry poczuł niemiły skurcz w żołądku. Chwycił za koniec tiary i ściągnął ją z głowy. Zwisła mu w ręku, brudna i wypłowiała. Odłożył ją szybko na półkę, czując, że robi mu się niedobrze.

— Mylisz się — powiedział na głos do nieruchomej i cichej tiary.

Nie drgnęła. Harry cofnął się, nie spuszczając jej z oczu. Nagle za plecami usłyszał dziwne gęganie, więc obrócił się szybko na pięcie.

A jednak nie był sam w gabinecie. Na złotej żerdzi obok drzwi siedział jakiś wyliniały ptak, przypominający niedokładnie oskubanego indyka. Harry wpatrywał się w niego z ciekawością, a ptak najwyraźniej odwzajemniał to zainteresowanie, bo utkwił w Harrym smętne spojrzenie i znowu zagęgał. Wyglądał na bardzo chorego. Oczy miał mętne, a kiedy tak patrzył żałośnie, z ogona wypadło mu kilka piór.

Harry właśnie pomyślał, że jeszcze tego tylko brakuje, żeby ulubiony ptak Dumbledore'a wyzionął ducha, będąc z nim sam na sam w gabinecie, kiedy ptak nagle stanął w płomieniach.

Harry krzyknął ze strachu i cofnął się gwałtownie, wpadając na biurko. Rozejrzał się gorączkowo w poszukiwaniu jakiegoś dzbanka z wodą lub wazonu, ale nic takiego nie spostrzegł. Tymczasem ptak zamienił się w kulę ognia, zaskrzeczał przeraźliwie i po chwili zniknął z żerdzi, a na podłodze pojawiła się kupka popiołu.

Drzwi gabinetu otworzyły się. Wkroczył Dumbledore, a minę miał niezbyt wesołą.

— Panie profesorze — wyjąkał Harry — pana ptak... nie mogłem nic na to poradzić... on się właśnie spalił...

Ku jego zdumieniu Dumbledore uśmiechnął się.

— Najwyższy czas — powiedział. — Już od wielu dni wyglądał okropnie, powtarzałem mu, żeby coś ze sobą zrobił.

Na widok miny Harry'ego zachichotał.

— Fawkes jest feniksem. Kiedy nadchodzi czas ich śmierci, feniksy spalają się i odradzają z własnych popiołów. Popatrz...

Harry spojrzał na podłogę i zobaczył maleńką, pomarszczoną główkę wyłaniającą się z kupki popiołu. Była równie brzydka, jak ta poprzednia.

— Przykro mi, że musiałeś go zobaczyć akurat w Dniu Spalenia — powiedział Dumbledore, siadając za biurkiem. — Przez większość swojego życia jest naprawdę pięknym ptakiem, ma wspaniałe czerwono-złote upierzenie. To fascynujące stworzenia. Mogą przenosić największe ciężary, ich łzy mają uzdrawiającą moc i są bardzo wiernymi towarzyszami.

Harry był tak wstrząśnięty sceną, której był świadkiem, że zdążył już zapomnieć, dlaczego tu się znalazł. Teraz, kiedy Dumbledore zasiadł za biurkiem w fotelu o wysokim oparciu i utkwił w nim badawcze spojrzenie swoich bladoniebieskich oczu, przypomniał sobie wszystko.

Zanim jednak przemówił, drzwi gabinetu otworzyły się z hukiem i wpadł Hagrid z dzikim wyrazem twarzy, w kominiarce sterczącej na czubku kędzierzawej głowy i z martwym kogutem w dłoni.

— To nie Harry, panie psorze! — zawołał od progu.

— Rozmawiałem z nim parę sekund przed tym, jak to się stało, naprawdę, nie miał czasu, żeby...

Dumbledore próbował coś powiedzieć, ale Hagrid nie dał się uciszyć, wymachując rękami i rozsiewając pióra po całym gabinecie.

— ...to nie mógł być on... przysięgnę przed całym Ministerstwem Magii...

— Hagridzie, ja...

— ...złapał pan nie tego chłopaka, panie psorze... Ja wiem, że Harry nigdy...

— *Hagridzie!* — krzyknął Dumbledore. — Wcale nie myślę, że to Harry zaatakował tych ludzi.

— Och — wysapał Hagrid, a kogut wypadł mu z ręki i pacnął cicho o podłogę. — No to dobra. Więc... tego... poczekam na zewnątrz, panie psorze.

I wyszedł, wyraźnie zakłopotany.

— Nie myśli pan, że to ja? — powtórzył Harry z nadzieją, gdy Dumbledore strzepywał z biurka kogucie pierze.

— Nie, Harry, nie myślę — odrzekł Dumbledore, ale minę miał znowu posępną. — Chcę jednak z tobą porozmawiać.

Harry czekał w napięciu, a dyrektor przyglądał mu się w milczeniu, zetknąwszy końce swoich długich palców.

— Muszę cię zapytać, Harry, czy jest coś, o czym chciałbyś mi powiedzieć — wyrzekł w końcu. — Cokolwiek by to było.

Harry nie wiedział, co powiedzieć. Pomyślał o okrzyku Malfoya („Ty będziesz następna, szlamo!") i o Eliksirze Wielosokowym, bulgocącym w toalecie Jęczącej Marty. Potem pomyślał o głosie, który usłyszał dwukrotnie, i przypomniał sobie, co powiedział Ron: *Słyszenie głosów, których nikt inny nie słyszy, nie jest dobrą oznaką, nawet w świecie czarodziejów.* Pomyślał też o tym, co mówi o nim cała szkoła, i o narastającym lęku, że naprawdę może go coś łączyć z Salazarem Slytherinem...

— Nie, panie profesorze — odpowiedział.

Podwójny atak na Justyna i Prawie Bezgłowego Nicka sprawił, że to, co dotąd było niepokojem, zamieniło się w prawdziwą panikę. To dziwne, ale najbardziej przerażał wszystkich los Prawie Bezgłowego Nicka. *Co zaatakowało ducha?* Cóż za straszliwa potęga mogła skrzywdzić kogoś, kto już był martwy? Wszyscy gorączkowo rezerwowali sobie miejsca w ekspresie Hogwart-Londyn, pragnąc wrócić do domu na Boże Narodzenie.

— Wygląda na to, że tylko my zostajemy — powiedział Ron do Harry'ego i Hermiony. — My, Malfoy, Crabbe i Goyle. Szykują się wesołe ferie, nie ma co!

Crabbe i Goyle, którzy zawsze robili to samo co Malfoy,

również wpisali się na listę pozostających w zamku. Harry cieszył się jednak z tego, że prawie wszyscy wyjeżdżają. Miał już dość ludzi obchodzących go wielkim łukiem, jakby się bali, że pokaże im kły albo opluje jadem; miał już dość szeptów, syków i pokazywania palcami.

Dla Freda i George'a był to jeszcze jeden powód do wygłupów. Zdarzało się, że szli przed Harrym korytarzami, wołając:

— Przejście dla dziedzica Slytherina, potężnego czarnoksiężnika!

Percy był wyraźnie zgorszony takim zachowaniem.

— To wcale nie jest powód do śmiechu — skarcił ich za którymś razem.

— Zjeżdżaj, Percy — odpowiedział Fred. — Harry się spieszy.

— Tak, zasuwa do Komnaty Tajemnic na filiżankę herbaty ze swoim jadowitym sługą — dodał George, chichocąc.

Ginny też nie widziała w tym nic zabawnego.

— Och, przestańcie! — jęczała za każdym razem, kiedy Fred pytał głośno Harry'ego, kto ma być jego następną ofiarą, albo gdy George udawał, że przed każdym spotkaniem z Harrym musi zjeść wielką główkę czosnku.

Harry'emu to nie przeszkadzało; czuł się nawet lepiej, widząc, że uznawanie go za dziedzica Slytherina wydaje się śmieszne przynajmniej Fredowi i George'owi. Natomiast ich wygłupy wyraźnie złościły Dracona Malfoya, jeśli był ich świadkiem.

— A wiecie dlaczego? Bo aż go rozsadza, żeby oznajmić, że to on jest prawdziwym dziedzicem Slytherina — powiedział Ron tonem znawcy. — Wiecie, jak nie znosi, kiedy ktoś go w czymś wyprzedza, a Harry skupia na sobie całą uwagę.

— Już niedługo — powiedziała Hermiona z mściwą satysfakcją. — Eliksir Wielosokowy jest już prawie gotowy. Za dzień lub dwa wyciągniemy z niego całą prawdę.

W końcu nadszedł koniec semestru i zamek ogarnęła cisza głęboka jak śnieg na otaczających go łąkach. Harry'emu nie wydawała się wcale ponura; odnajdywał w niej spokój i cieszył się, że teraz on, Weasleyowie i Hermiona mają całą wieżę Gryffindoru dla siebie, co oznaczało, że mogą grać w Eksplodującego Durnia, nie przeszkadzając nikomu, i ćwiczyć pojedynki. Fred, George i Ginny woleli zostać w zamku niż jechać z rodzicami do Egiptu, żeby odwiedzić Billa. Percy krzywił się na ich zachowanie, które uważał za dziecinne, i nie spędzał wiele czasu w salonie Gryffindoru. Oświadczył im pompatycznie, że on zostaje na ferie bożonarodzeniowe tylko dlatego, że jest jego obowiązkiem jako prefekta wspieranie profesorów w tak trudnym okresie.

Nadszedł ranek Bożego Narodzenia, zimny i mokry. Harry'ego i Rona wcześnie obudziła Hermiona, która wpadła do dormitorium już kompletnie ubrana, przynosząc im prezenty.

— Pobudka! — krzyknęła, rozsuwając zasłony na oknie.

— Hermiono... nie powinnaś wchodzić do sypialni dla chłopców — powiedział Ron, zasłaniając sobie oczy przed światłem.

— Wesołych świąt! — zawołała Hermiona, rzucając w niego prezentem. — Jestem już na nogach od godziny, dodałam do eliksiru trochę much siatkoskrzydłych. Jest gotowy.

Harry usiadł gwałtownie, całkowicie rozbudzony.

— Jesteś pewna?

— Absolutnie — oznajmiła Hermiona, podnosząc szczura Parszywka, żeby móc usiąść w nogach łóżka. — Jeśli mamy to zrobić, to możemy dziś wieczorem.

W tym momencie do pokoju wleciała Hedwiga, niosąc w dziobie bardzo małą paczuszkę.

— Cześć! — powitał ją uradowany Harry, kiedy wylądowała na łóżku. — Już nie jesteś na mnie obrażona?

Uszczypnęła go pieszczotliwie w ucho, co było o wiele milszym prezentem niż to, co mu przyniosła, a był to prezent od Dursleyów. Przysłali mu wykałaczkę i krótki liścik, w którym zapytywali, czy uda mu się pozostać w Hogwarcie również przez całe lato.

Pozostałe prezenty były o wiele przyjemniejsze. Hagrid przysłał mu dużą puszkę karmelowej krajanki, którą Harry postanowił zmiękczyć przez podgrzanie. Ron dał mu książkę pod tytułem *W powietrzu z Armatami*, pełną bardzo ciekawych faktów o jego ulubionej drużynie quidditcha, a Hermiona kupiła mu luksusowe orle pióro. W ostatniej paczce znalazł nowy, ręcznie robiony sweter i wielki placek ze śliwkami od pani Weasley. Kiedy wziął do ręki jej kartkę, przeszyło go poczucie winy, bo pomyślał o samochodzie pana Weasleya, którego nikt nie widział od czasu pamiętnej kraksy, i o punktach regulaminu szkolnego, które on i Ron właśnie zamierzali złamać.

Nikt, nawet ci, którzy planowali wypicie Eliksiru Wielosokowego, nie mogli nie cieszyć się na bożonarodzeniowy obiad w Hogwarcie.

Wielka Sala wyglądała naprawdę wspaniale. Pod ścianami stało kilkanaście okrytych śnieżnym puchem choinek, z sufitu zwieszały się grube festony ostrokrzewu i jemioły, padał zaczarowany śnieg, suchy i ciepły. Dumbledore odśpiewał z nimi kilka swoich ulubionych kolęd, a Hagrid promieniał coraz bardziej (i głośniej) z każdym pucharem gorącego wina z korzeniami i koglem-moglem. Percy, który nie zauważył, że Fred zaczarował mu odznakę, tak że teraz zmiast słowa „Prefekt" widniał na niej napis: „Pierdek", wciąż ich pytał, co tym razem knują. Harry nie zwracał uwagi nawet na Malfoya, który robił głośne i obraźliwe uwagi na temat jego nowego swetra. Wiedział, że przy odrobinie szczęścia za parę godzin dowiedzą się o Malfoyu wszystkiego.

Ledwo Harry i Ron pochłonęli trzecią dokładkę bożonarodzeniowego puddingu, Hermiona dała im znak, żeby za nią wyszli.

— Musimy jeszcze zdobyć odrobinę tych, w których się zamienicie — powiedziała rzeczowym tonem, jakby wysyłała ich do sklepu po proszek do prania. — Chyba jest oczywiste, że chodzi o Crabbe'a i Goyle'a, to jego najlepsi przyjaciele i im powie wszystko. Musicie zdobyć parę ich włosów. No i musimy być pewni, że prawdziwi Crabbe i Goyle nie wpadną na nas, kiedy będziemy wypytywać Malfoya.

— Wszystko już obmyśliłam — dodała, nie zwracając uwagi na ich ogłupiałe miny. Pokazała im dwa nieco rozmiękłe ciasteczka czekoladowe. — Nasyciłam je Eliksirem Słodkiego Snu. Musicie tylko zadbać, żeby Crabbe i Goyle gdzieś się na nie natknęli. Wiecie, jacy są łakomi, zjedzą je na pewno. A kiedy zasną, wyrwiecie im po parę włosów, a ich samych ukryjecie w komórce na miotły.

Harry i Ron spojrzeli na siebie wytrzeszczonymi oczami.

— Hermiono, nie sądzę...

— To się nie uda...

Ale w oczach Hermiony dostrzegli stalowy błysk, bardzo przypominający spojrzenie profesor McGonagall, kiedy ktoś próbował się jej sprzeciwić.

— Bez włosów Crabbe'a i Goyle'a eliksir będzie bezużyteczny — oświadczyła stanowczo. — Chcecie wypytać Malfoya, czy nie chcecie?

— No dobra już, dobra — powiedział Harry. — A ty? Komu wyrwiesz włos?

— Ja już swój mam! — zawołała beztrosko Hermiona, wyciągając z kieszeni małą szklaną fiolkę i pokazując im zamknięty w niej włos. — Pamiętacie tę Milicentę Bulstrode, która walczyła ze mną na pierwszym zebraniu klubu pojedynków? Zostawiła go na mojej szacie, kiedy próbowała rozłożyć mnie na łopatki! I pojechała do domu... więc muszę tylko powiedzieć Ślizgonom, że postanowiłam wrócić.

Hermiona pobiegła, by po raz ostatni sprawdzić Eliksir Wielosokowy, a kiedy Ron odwrócił się do Harry'ego, na jego twarzy malowało się przeczucie klęski.

— Słyszałeś kiedy o planie, w którym aż tyle rzeczy może nie wyjść? — zapytał złowieszczo.

Ku głębokiemu zdumieniu Rona i Harry'ego, pierwsza faza operacji przebiegła tak gładko, jak to przewidziała Hermiona. Po świątecznym podwieczorku zaczaili się w sali wejściowej, czekając na Crabbe'a i Goyle'a, którzy zostali sami przy stole Ślizgonów, nałożywszy sobie czwartą porcję biszkoptowego ciasta z owocami i kremem. Harry położył czekoladowe ciasteczka na końcu szerokiej poręczy marmurowych schodów. Kiedy zauważyli, że Crabbe i Goyle wychodzą z Wielkiej Sali, schowali się szybko za zbroją tuż obok frontowych drzwi.

— Myślisz, że można być jeszcze głupszym? — szepnął uradowany Ron, kiedy Crabbe pokazał Goyle'owi ciasteczka. Obaj porwali je i bez wahania wepchnęli sobie do wielkich ust. Przez chwilę żuli je smakowicie, z wyrazem błogości na pulchnych gębach, a potem, nie zmieniając wyrazu twarzy, padli na posadzkę jak dwa worki tłuczonych ziemniaków.

Najtrudniejsze okazało się zaciągnięcie ich do komórki na narzędzia. Kiedy już złożyli ich uśpione ciała między wiadrami i mopami, Harry wyrwał parę włosów ze szczeciny pokrywającej czoło Goyle'a, a Ron zrobił to samo z Crabbe'em. Zabrali im też buty, bo ich własne były o wiele za małe, by pomieścić stopy Crabbe'a i Goyle'a. A potem, trochę oszołomieni tym, co właśnie zrobili, pobiegli na górę do toalety Jęczącej Marty.

Wewnątrz było aż gęsto od czarnego dymu buchającego z kabiny, w której Hermiona warzyła swój eliksir. Zasłonili sobie twarze skrajem szat i zapukali cicho do drzwi.

— Hermiono!

Zgrzytnął zamek i pojawiła się Hermiona, spocona i z obłędem w oczach. Zza jej pleców dobiegał donośny bulgot, jakby ktoś warzył melasę. Na umywalce stały przygotowane trzy szklane kubki.

— Macie? — zapytała bez tchu Hermiona.

Harry pokazał jej włosy Goyle'a.

— Dobra. A ja zwinęłam z pralni zapasowe ciuchy. — Wskazała na mały tobołek. — Będą wam potrzebne większe, skoro macie być tymi gorylami.

Wszyscy troje zajrzeli do kociołka. Z bliska wywar wyglądał jak gęsty szlam, bulgocący leniwie.

— Jestem pewna, że wszystko zrobiłam jak należy — powiedziała Hermiona, zerkając nerwowo na pomiętą stronicę *Najsilniejszych eliksirów*. — I wygląda tak, jak tutaj piszą... Kiedy wypijemy, będziemy mieć dokładnie godzinę, zanim z powrotem zamienimy się w siebie.

— Co teraz? — szepnął Ron.

— Porozlewamy go do trzech kubków i dodamy włosy.

Hermiona nalała gęstego płynu do kubków, a potem lekko drżącą ręką wytrząsnęła włos Milicenty Bulstrode do pierwszego kubka.

Napój zasyczał, zabulgotał i spienił się gwałtownie, a po chwili przybrał jadowicie żółtą barwę.

— Uhhh... esencja Milicenty Bulstrode — skrzywił się Ron, przyglądając się płynowi z odrazą. — Założę się, że smakuje jeszcze gorzej.

— Wrzućcie swoje włosy — powiedziała Hermiona.

Harry wrzucił szczecinę Goyle'a do środkowego, a Ron włosy Crabbe'a do ostatniego kubka. W obu płyn zasyczał i spienił się wściekle; esencja Goyle'a zrobiła się zgniłozielona, a Crabbe'a ciemnobrązowa.

— Poczekajcie — powiedział Harry, kiedy Ron i Hermiona sięgnęli po swoje kubki. — Lepiej nie pijmy tego świństwa razem, bo jak się zamienimy w Crabbe'a i Goyle'a, już stąd nie wyjdziemy. Milicenta też nie jest skrzatem.

— Racja — rzekł Ron, otwierając drzwi. — Zajmiemy osobne kabiny.

Uważając, by nie wylać ani kropli Eliksiru Wielosokowego, Harry wśliznął się do środkowej kabiny.

— Gotowi? — zawołał.

— Gotowi — usłyszał głosy Rona i Hermiony.

— Raz... dwa... trzy...

Harry zatkał sobie nos i wypił eliksir dwoma wielkimi łykami. Smakował jak rozgotowana kapusta.

Nagle wnętrzności skręciły mu się, jakby połknął żywe węże. Zgiął się wpół, oczekując ataku mdłości, ale zamiast nich poczuł przebiegającą od żołądka po czubki palców rąk i nóg falę ostrego, piekącego bólu. Zaraz potem coś strasznego powaliło go na kolana... jakby skóra na całym ciele roztopiła się jak gorący wosk... i oto na jego oczach ręce zaczęły mu rosnąć, palce grubieć, paznokcie poszerzać się, a knykcie puchnąć i twardnieć. Ramiona rozciągnęły mu się boleśnie, a po mrowieniu na czole poznał, że włosy sięgają mu teraz brwi; jego szata pękła z trzaskiem na piersiach, które wydęły się jak beczka; poczuł potworny ból w stopach, które tkwiły w butach o cztery numery za małych...

I tak nagle, jak się zaczęło, wszystko ustało. Harry leżał na zimnej kamiennej posadzce, słysząc żałosne pojękiwania Marty w końcu łazienki. Nie bez trudności ściągnął buty i wstał. A więc tak się człowiek czuje, kiedy jest Goyle'em... Drżącymi łapami ściągnął swoje stare szaty, wciągnął nowe i nałożył wielkie jak kajaki buty Goyle'a. Sięgnął odruchowo ręką, by odgarnąć sobie włosy z oczu, ale wyczuł tylko krótką i sztywną szczecinę zarastającą mu całe czoło. Potem zdał sobie sprawę, że widzi jak przez mgłę, i zrozumiał, że Goyle nie nosi okularów, bo ich nie potrzebuje. Zdjął je i zawołał:

— No jak, w porządku?

Wzdrygnął się na dźwięk swojego głosu: było to ochrypłe warknięcie.

— Taaa — usłyszał równie gruby i ordynarny głos z kabiny po prawej stronie.

Harry otworzył drzwi i podszedł do popękanego lustra. Goyle spojrzał na niego swoimi głupawymi, głęboko osadzonymi oczkami. Harry podrapał się w ucho. Goyle uczynił to samo.

Otworzyły się drzwi od kabiny Rona. Wytrzeszczyli na siebie oczy. Ron był blady i wstrząśnięty, ale nie można go było odróżnić od Crabbe'a — od podgolonego łba po długie ramiona małpy.

— To jest zupełnie niewiarygodne — powiedział Ron, pochodząc do lustra i gładząc się po płaskim nosie Crabbe'a. — Niewiarygodne.

— Lepiej się stąd zmywajmy — rzekł Harry, poluzowując sobie zegarek, który werżnął się głęboko w tłusty przegub. — Musimy jeszcze znaleźć salon Ślizgonów, przecież nigdy tam nie byliśmy... Może ktoś tam będzie szedł, to my za nim...

Ron wpatrywał się w niego ze zdumieniem.

— Nie masz pojęcia, jakie to dziwne uczucie... widzieć Goyle'a *myślącego*. — Zastukał do drzwi kabiny Hermiony. — Wyłaź, musimy już iść...

— Ja... ja chyba jednak z wami nie pójdę — rozległ się piskliwy głos. — Idźcie beze mnie.

— Hermiono, przecież wiemy, że Milicenta Bulstrode jest brzydka, nikt nie będzie wiedział, że to ty.

— Nie... naprawdę... chyba nie pójdę. Wy lećcie, tracicie tylko czas.

Harry spojrzał na Rona w osłupieniu.

— *To* mi wygląda bardziej na Goyle'a — wyjąkał Ron.

— Tak się zachowuje za każdym razem, kiedy nauczyciel zada mu jakieś pytanie.

— Hermiono, nic ci nie jest? — zapytał Harry przez drzwi.

— Nie, w porządku... Idźcie...

Harry spojrzał na zegarek. Minęło już pięć albo sześć cennych minut.

— Spotkamy się tutaj, dobra? — powiedział i ruszyli do drzwi.

Otworzyli je ostrożnie, sprawdzili, czy nikogo nie ma, i ruszyli korytarzem.

— Nie machaj tak tymi łapami — mruknął Harry do Rona.

— Co?

— Crabbe trzyma je tak jakoś sztywno...

— Może tak?

— Tak, teraz lepiej.

Zeszli po marmurowych schodach. Teraz musieli znaleźć jakiegoś Ślizgona, za którym mogliby pójść. W pobliżu nie było jednak nikogo.

— Masz jakiś pomysł? — mruknął Harry.

— Ślizgoni zawsze wychodzą na śniadanie stąd. — Ron wskazał na wejście do lochów.

Zaledwie skończył, kiedy w wejściu pojawiła się dziewczyna z długimi kręconymi włosami.

— Przepraszam — powiedział Ron, podbiegając do niej — zapomnieliśmy, gdzie jest nasz pokój wspólny.

— Słucham? — odrzekła wyniośle. — *Nasz* pokój wspólny? Ja jestem z Ravenclawu.

I odeszła, oglądając się na nich podejrzliwie.

Harry i Ron zeszli po kamiennych schodach, dudniąc wielkimi buciorami. Czuli, że nie będzie tak łatwo, jak mieli nadzieję.

Mroczny labirynt był opustoszały. Zagłębiali się coraz bardziej w podziemia, wciąż zerkając na zegarki, żeby sprawdzić, ile im zostało czasu. Po kwadransie, kiedy już zaczęła ogarniać ich rozpacz, usłyszeli przed sobą czyjeś kroki.

— Dobra! — szepnął podniecony Ron. — Jest jeden z nich!

Z bocznej komnaty wyszła jakaś postać. Podeszli bliżej i serca im zamarły. To nie był żaden Ślizgon. To był Percy.

— Co ty tutaj robisz? — zapytał zaskoczony Ron.

Percy zrobił obrażoną minę.

— Nie twój interes — odpowiedział sucho. — Crabbe, tak?

— Jaki... och, tak — wyjąkał Ron ochrypłym głosem.

— No to zjeżdżajcie do swoich sypialni — oświadczył Percy przemądrzałym tonem. — Dobrze wiecie, że ostatnio nie jest bezpiecznie włóczyć się po korytarzach.

— A *ty* to co? — zapytał wojowniczo Ron.

— Ja — odpowiedział Percy, wypinając pierś z odznaką — jestem prefektem. Mnie nic nie zaatakuje.

Nagle za plecami Harry'ego i Rona odbił się echem czyjś głos. Obejrzeli się i zobaczyli Dracona Malfoya. Po raz pierwszy w życiu Harry ucieszył się na jego widok.

— A, tu jesteście — powiedział, patrząc na nich. — Nażarliście się wreszcie? Szukałem was, mam wam do pokazania coś naprawdę super.

Obrzucił Percy'ego pogardliwym spojrzeniem.

— A co ty tutaj robisz, Weasley? — zapytał drwiącym tonem.

Percy zrobił obrażoną minę.

— Trochę szacunku dla prefekta! — powiedział. — Nie podoba mi się twoje zachowanie!

Malfoy parsknął śmiechem i skinął na Harry'ego i Rona, żeby za nim poszli. Harry już chciał Percy'emu powiedzieć coś na swoje usprawiedliwienie, ale w ostatniej chwili ugryzł się w język. Ruszyli za Malfoyem, który skręcił w boczny korytarz.

— Ten Peter Weasley... — zaczął Malfoy.

— Percy — poprawił go automatycznie Ron.

— A niech mu tam będzie Percy. Ostatnio za bardzo węszy. Założę się, że wiem, czego szuka. Myśli, że sam złapie dziedzica Slytherina.

Zaśmiał się drwiąco. Harry i Ron wymienili spojrzenia. Malfoy zatrzymał się przed nagą, wilgotną ścianą.

— Jakie jest to nowe hasło? — zapytał Harry'ego.

— Eee...

— Och, tak... *Czysta krew*! — zawołał Malfoy, nie zwracając na Harry'ego uwagi.

W ścianie otworzyły się kamienne drzwi. Weszli przez nie za Malfoyem.

Pokój wspólny Ślizgonów był długim, nisko sklepionym lochem o kamiennych ścianach. Z sufitu zwieszały się na łańcuchach zielonkawe lampy. Wewnątrz bogato zdobionego kominka płonął ogień, a w rzeźbionych krzesłach z poręczami siedziało kilku Ślizgonów.

— Poczekajcie tu — rozkazał Malfoy Harry'emu i Ronowi, wskazując im parę pustych krzeseł koło kominka. — Zaraz to przyniosę... ojciec właśnie mi przysłał...

Harry i Ron usiedli, usiłując sprawiać wrażenie, że czują się jak u siebie w domu, ciekawi, co im Malfoy chce pokazać.

Wrócił minutę później, trzymając coś, co wyglądało jak wycinek z gazety. Podsunął to Ronowi pod nos.

— Skonasz ze śmiechu!

Harry zobaczył, jak Ronowi rozszerzają się oczy. Przeczytał szybko wycinek, parsknął wymuszonym śmiechem i wręczył go Harry'emu.

Była to informacja z „Proroka Codziennego".

DOCHODZENIE
W MINISTERSTWIE MAGII

Artur Weasley, kierownik Urzędu Niewłaściwego Użycia Produktów Mugoli, został dzisiaj ukarany grzywną w wysokości pięćdziesięciu galeonów za zaczarowanie mugolskiego samochodu. Pan Lucjusz Malfoy, przewodniczący rady nadzorczej Szkoły Magii i Czarodziejstwa w Hogwarcie, wezwał pana Weasleya do rezygnacji ze stanowiska. „Weasley okrył hańbą ministerstwo", powiedział pan Malfoy naszemu reporterowi. „To oczywiste, że nie nadaje się na strażnika naszego prawa, a jego żałosna Ustawa o Ochronie Mugoli powinna być natychmiast anulowana".

Pan Weasley uchylił się od komentarza, a jego żona powiedziała reporterom, żeby opuścili jej dom, bo poszczuje na nich rodzinnego ghula.

— No i co? — zapytał niecierpliwie Malfoy, kiedy Harry oddał mu wycinek. — Ale ubaw, co?

— Ha, ha — mruknął Harry.

— Artur Weasley tak uwielbia mugoli, że powinien przełamać swoją różdżkę i przyłączyć się do tych gnojków — powiedział Malfoy pogardliwym tonem. — Sądząc po zachowaniu Weasleyów, nigdy bym nie powiedział, że są czystej krwi.

Twarz Rona — a raczej Crabbe'a — wykrzywił grymas wściekłości.

— Co jest z tobą, Crabbe? — warknął Malfoy.

— Brzuch mnie rozbolał — odpowiedział chrapliwie Ron.

— No to idź do skrzydła szpitalnego i przykop ode mnie

tym wszystkim szlamom — powiedział Malfoy, parskając śmiechem. — Wiecie co? Dziwię się, dlaczego „Prorok Codzienny" nie donosi o tych napaściach w naszej budzie. Założę się, że Dumbledore próbuje wszystko zatuszować. Jak dojdzie do nowych ataków, będzie wykończony. Ojciec zawsze powtarza, że Dumbledore to klęska dla szkoły. Szlamy to jego pupilki. Przyzwoity dyrektor Hogwartu nie powinien pozwolić, by plątały się tutaj takie szlamy jak ten Creevey.

Malfoy zaczął udawać, że pstryka zdjęcia i zapiszczał głosem Colina:

— Potter, mogę ci zrobić zdjęcie, co? Mógłbym dostać twój autograf? A może mógłbym wylizać ci buty, co, Potter? Błagam...

Opuścił ręce i spojrzał na Harry'ego i Rona.

— Co jest z wami, chłopaki?

Harry i Ron zmusili się do mocno spóźnionego śmiechu, ale Malfoyowi najwyraźniej to wystarczyło. Prawdopodobnie Crabbe i Goyle zawsze potrzebowali trochę czasu, aby zareagować.

— Święty Potter, przyjaciel szlam — wycedził Malfoy. — Nie ma za grosz instynktu prawdziwego czarodzieja, bo gdyby miał, toby nie chodził z tą porąbaną szlamą Granger. A ludzie myślą, że to on jest dziedzicem Slytherina!

Harry i Ron czekali, wstrzymując oddech. Malfoy na pewno zaraz im powie, że to on jest prawdziwym dziedzicem...

— Bardzo bym chciał wiedzieć, kto nim jest — powiedział Malfoy ze złością. — Mógłbym im pomóc.

Ronowi opadła szczęka, tak że twarz Crabbe'a wyglądała jeszcze bardziej głupkowato niż zazwyczaj. Na szczęście

Malfoy niczego nie zauważył, a Harry wypalił bez zastanowienia:

— Przecież musisz podejrzewać, kto się za tym wszystkim kryje...

— Wiesz dobrze, Goyle, że nie mam pojęcia. Ile razy mam ci to powtarzać? — warknął Malfoy. — A ojciec nie powiedział mi nic o tym ostatnim otwarciu Komnaty. Tak, to było pięćdziesiąt lat temu, nie jego czasy, ale doskonale wie, co się wtedy wydarzyło. Zawsze powtarza, że byłoby podejrzane, gdybym wiedział za dużo. Ale wiem jedno: ostatnim razem, kiedy Komnata Tajemnic została otwarta, musiała zginąć jakaś szlama. I dlatego mogę się założyć, że i tym razem prędzej czy później stanie się to samo... Mam nadzieję, że to będzie Granger.

Ron zaciskał wielkie pięści Crabbe'a. Gdyby rąbnął Malfoya, mogłoby to pokrzyżować ich plany, więc Harry rzucił mu ostrzegawcze spojrzenie i zapytał:

— A złapano tego, kto otworzył Komnatę?

— No pewnie... Nie wiem, kto to był, ale go wywalono ze szkoły — odpowiedział Malfoy. — Pewnie nadal jest w Azkabanie.

— W Azkabanie? — powtórzył Harry.

— W Azkabanie, Goyle... w więzieniu dla czarodziejów — powiedział Malfoy, patrząc na niego z politowaniem. — Wiesz co, gdybyś jeszcze trochę wolniej myślał, to zacząłbyś się cofać.

Uniósł się niespokojnie w krześle i dodał:

— Ojciec wciąż mi mówi, żebym siedział cicho i pozwolił działać dziedzicowi Slytherina. Mówi, że trzeba oczyścić szkołę z tego całego szlamu, ale żebym się do tego nie mieszał. Ma swoje kłopoty. Wiecie, że Ministerstwo Magii zrobiło u niego rewizję?

Harry starał się za wszelką cenę przywołać zainteresowanie na głupkowatą twarz Goyle'a.

— Taak... — rzekł Malfoy. — Wiele im się nie udało znaleźć. Mój stary ma bardzo cenne czarnoksięskie przedmioty. Ale, na szczęście, mamy własną tajną komnatę pod salonem...

— Ach! — krzyknął Ron.

Malfoy spojrzał na niego. To samo zrobił Harry. Ron zaczerwienił się. Czerwone zrobiły mu się nawet włosy. Nos powoli mu się wydłużał — mijał okres działania eliksiru. Ron zamieniał się z powrotem w Rona, a po przerażonej minie, jaką zrobił, patrząc na Harry'ego, Harry poznał, że i on wraca do swojej własnej postaci.

Obaj zerwali się na nogi.

— Nie wytrzymam, muszę łyknąć jakieś prochy albo inne świństwo! — krzyknął Ron i obaj przebiegli pokój wspólny Ślizgonów, rzucili się na kamienną ścianę i wypadli na korytarz, mając rozpaczliwą nadzieję, że Malfoy niczego nie zauważył. Harry poczuł, że stopy ślizgają mu się w olbrzymich butach Goyle'a, a luźna szata opada mu z ramion. Wbiegli po schodach do ciemnej sali wejściowej i usłyszeli łomotanie w drzwi komórki, w której zamknęli Crabbe'a i Goyle'a. Zostawili buty pod drzwiami i pomknęli w skarpetkach do toalety Jęczącej Marty.

— No, ale nie była to całkowita strata czasu — wydyszał Ron, zamykając drzwi toalety. — Tak, wiem, że nie odkryliśmy, kto się kryje za tymi napaściami, ale jutro napiszę do taty, żeby zbadał, co Malfoy ukrywa pod podłogą salonu.

Harry sprawdził, jak wygląda, w popękanym lustrze. Znowu był sobą. Założył okulary, a Ron zabębnił w drzwi kabiny Hermiony.

— Hermiono, wyłaź, mamy ci kupę do opowiadania...

— Zostawcie mnie! — zapiszczała Hermiona.

Harry i Ron spojrzeli po sobie.

— O co ci chodzi? — zapytał Ron. — Przecież musisz już wracać do siebie, my obaj...

Przez drzwi ostatniej kabiny przepłynęła nagle postać Jęczącej Marty. Harry jeszcze nigdy nie widział jej tak uradowanej.

— Ooooooch! Poczekajcie, aż sami zobaczycie — powiedziała. — To jest straszne!

Usłyszeli szczęk zamka i pojawiła się Hermiona. Łkała głośno i miała szatę zarzuconą na głowę.

— Co jest? — zapytał niepewnie Ron. — Wciąż masz nos Milicenty?

Hermiona pozwoliła, by szata opadła. Ron cofnął się gwałtownie.

Jej twarz pokrywało czarne futerko. Miała żółte oczy, a spomiędzy włosów na głowie wystawały ostro zakończone uszy.

— To był... włos k-kota! — zawyła. — M-milicenta Bulstrode m-musi mieć kota! A t-tego eliksiru nie używa się do t-transmutacji zwierząt!

— Uau! — wykrzyknął Ron.

— Ale się będą wyśmiewać z takiej szkarady — cieszyła się Marta.

— Hermiono, uspokój się — powiedział szybko Harry. — Zaraz cię zaprowadzimy do skrzydła szpitalnego. Pani Pomfrey nigdy nie zadaje wielu pytań...

Długo trwało, zanim zdołali nakłonić Hermionę, by opuściła łazienkę. Jęcząca Marta poszybowała za nimi, zanosząc się śmiechem.

— Poczekajcie, aż wszyscy zobaczą, że ona ma *ogon*!

ROZDZIAŁ TRZYNASTY

Bardzo sekretny dziennik

Hermiona spędziła w skrzydle szpitalnym kilka tygodni. Kiedy reszta szkoły powróciła z ferii bożonarodzeniowych, natychmiast zaczęło krążyć mnóstwo pogłosek na temat jej zniknięcia, bo oczywiście wszyscy pomyśleli, że padła ofiarą kolejnej napaści. Wokół skrzydła szpitalnego kręciło się tyle osób, żeby zajrzeć do środka i choć przez chwilę zobaczyć Hermionę, że pani Pomfrey znowu wyciągnęła swój parawan i ustawiła go wokół jej łóżka, aby oszczędzić jej wstydu.

Harry i Ron odwiedzali ją co wieczór. Kiedy zaczął się nowy semestr, przynosili jej codziennie książki i tematy prac domowych.

— Gdyby mnie wyrosły kocie wąsy, to przestałbym się uczyć — powiedział pewnego wieczoru Ron, kładąc stos książek na stoliku przy łóżku Hermiony.

— Nie bądź głupi, Ron, muszę się jakoś trzymać — odpowiedziała dziarsko Hermiona. — Była w o wiele lepszym nastroju, bo z jej twarzy zniknęła już sierść, a oczy powoli przybierały dawny brązowy kolor. — No i co —

dodała szeptem, żeby pani Pomfrey nie usłyszała — wciąż nie macie żadnych nowych śladów?

— Nic — przyznał ponuro Harry.

— A taki byłem pewny, że to Malfoy — powiedział po raz setny Ron.

— Co to jest? — zapytał Harry, wskazując na coś złotego, co wystawało spod poduszki Hermiony.

— A... to tylko kartka z życzeniami powrotu do zdrowia — odpowiedziała szybko Hermiona, próbując ją schować, ale Ron był szybszy. Wyciągnął złożony kartonik, otworzył go i przeczytał na głos:

Dla Panny Granger, z życzeniami szybkiego powrotu do zdrowia od jej zatroskanego nauczyciela, profesora Gilderoya Lockharta, kawalera Orderu Merlina Trzeciej Klasy, Honorowego Członka Ligi Obrony przed Czarnymi Mocami i pięciokrotnego laureta Nagrody Czarującego Uśmiechu tygodnika „Czarownica"

Ron spojrzał na Hermionę z niesmakiem.

— Śpisz z tym pod poduszką?

Na szczęście pani Pomfrey oszczędziła Hermionie męki odpowiedzi na to pytanie, bo wkroczyła z wieczorną porcją leków i oznajmiła, że to koniec wizyty.

— Słuchaj, czy ten Lockhart to największy lizus, jakiego spotkałeś w życiu, czy może znasz większego? — zapytał Ron Harry'ego, kiedy opuścili dormitorium i szli ku wieży Gryffindoru.

Snape zadał im tyle pracy domowej, że Harry nie wierzył, by udało mu się z nią uporać przed ukończeniem szkoły. Ron właśnie opowiadał, jak mu żal, że nie zapytał Hermiony, ile ogonów szczurzych trzeba dodać do Eliksiru Bujnego Owłosienia, kiedy usłyszeli jakiś rozgniewany głos dochodzący z górnego piętra.

— To Filch — mruknął Harry.

Pomknęli po schodach i zatrzymali się za węgłem, nasłuchując.

— Ale chyba nie myślisz, że ktoś znowu został napadnięty?

Stali nieruchomo, wyciągając głowy w stronę głosu Filcha, który dostał prawdziwego ataku histerii.

— ...i znowu harówka! Co, może wyobrażają sobie, że będę zmywać podłogę przez całą noc, jakbym nie miał dość roboty przez cały dzień?! O nie, mam już tego dość, idę do Dumbledore'a...

Usłyszeli oddalające się kroki, a po chwili trzasnęły gdzieś drzwi.

Wychylili głowy zza węgła. Filch najwidoczniej zamierzał zająć swój zwykły posterunek obserwacyjny: było to miejsce, gdzie Pani Norris padła ofiarą napaści złych mocy. Natychmiast spostrzegli, co go tak rozeźliło. Połowę podłogi korytarza pokrywała woda, która wciąż wypływała spod drzwi do łazienki Jęczącej Marty. Teraz, kiedy Filch przestał wrzeszczeć, usłyszeli jej donośne zawodzenia.

— Co jej się stało? — zapytał Ron.

— Wejdźmy tam i zobaczmy — odrzekł Harry.

Podkasali szaty i przeszli przez wielką kałużę aż do drzwi z napisem „Nieczynna", i weszli do środka.

Jęcząca Marta zawodziła jeszcze głośniej i namiętniej niż zwykle, jeśli to w ogóle możliwe, ukryta w swojej kabinie. W toalecie było ciemno, bo świece pogasły; mokra była nie tylko posadzka, ale i ściany.

— Marto, co się stało? — zapytał Harry.

— Ktoś ty? — zachlipała Marta. — Przyszedłeś, żeby znowu we mnie czymś rzucić, tak?

Harry podszedł do kabiny. W butach miał pełno wody.

— Dlaczego miałbym czymś w ciebie rzucać?

— Odczep się! — krzyknęła Marta i przeniknęła przez drzwi kabiny wraz z nową falą wody, która chlusnęła na już zalaną podłogę. — Ja pilnuję własnego nosa, a ktoś uważa, że to wspaniała zabawa, rzucać we mnie książką...

— Ale przecież nie można cię skrzywdzić, rzucając czymś w ciebie — powiedział Harry, nie tracąc rozsądku.

— To znaczy... przecież wszystko przez ciebie przelatuje, prawda?

Uwaga może i była rozsądna, ale okazała się nie do końca przemyślana. Marta nadęła się i wrzasnęła:

— Tak, niech wszyscy rzucają w Martę książkami, bo ona przecież nic nie czuje! Dziesięć punktów za przerzucenie książki przez jej żołądek! Pięćdziesiąt, jeśli przeleci przez jej głowę! Ha ha ha! Wspaniała gra, nie ma co!

— No dobrze, ale kto rzucił w ciebie książką? — zapytał Harry.

— A skąd mam wiedzieć? Siedziałam sobie w kolanku odpływu, rozmyślając o śmierci, kiedy nagle ta książka przeleciała mi przez głowę — odpowiedziała Marta, patrząc na nich ze złością. — Jest tam, musiała wypłynąć.

Harry i Ron spojrzeli pod umywalkę, tam, gdzie pokazywała Marta. Leżała tam mała, cienka książeczka. Miała postrzępioną czarną okładkę i była mokra, jak zresztą wszystko w toalecie. Harry zrobił krok, żeby ją podnieść, ale Ron nagle złapał go z tyłu za szatę.

— Co jest? — zapytał Harry.

— Zwariowałeś? To może być niebezpieczne.

— Niebezpieczne? — powtórzył Harry, parskając śmiechem. — Nie wygłupiaj się, niby w jaki sposób?

— Możesz się narazić na przykrą niespodziankę — odpowiedział Ron, wpatrując się w książkę. — Niektóre z książek skonfiskowanych przez ministerstwo... tata mi mówił... była taka, która wypalała oczy. A każdy, kto przeczytał *Sonety czarnoksiężnika*, mówił limerykami aż do śmierci. A jedna stara wiedźma w Bath miała książkę, której nigdy nie można było przestać czytać, jak się raz zaczęło! Trzeba było chodzić wszędzie z nosem w tej książce... a jak się chciało coś zrobić, to tylko jedną ręką i na oślep. A...

— No dobra, już przestań, zrozumiałem — przerwał mu Harry.

Książeczka leżała na podłodze, mokra, postrzępiona i tajemnicza.

— Ale nie dowiemy się, co to za książka, jeśli do niej nie zajrzymy — dodał i błyskawicznie porwał ją z podłogi.

Natychmiast poznał, że ma w ręku czyjś dziennik. Z wyblakłych cyfr na okładce wynikało, że pochodzi sprzed pięćdziesięciu lat. Otworzył go skwapliwie. Z trudem odczytał nazwisko na pierwszej stronie, bo atrament się rozmazał: T.M. Riddle.

— Znam to nazwisko — powiedział Ron, który zbliżył się ostrożnie i zajrzał mu przez ramię. — T.M. Riddle dostał nagrodę za specjalne zasługi dla szkoły pięćdziesiąt lat temu.

— A niech cię! A ty skąd o tym wiesz? — zdumiał się Harry.

— Bo Filch kazał mi polerować jego pamiątkowy medalion chyba przez godzinę, jak dostałem szlaban — odpowiedział Ron ze wstrętem. — Akurat odbiło mi się ślimakami i wszystko poleciało na tę złotą tarczę. Gdybyś musiał przez godzinę wycierać ślimaczy śluz z czyjegoś nazwiska, to byś też je zapamiętał, uwierz mi na słowo.

Harry zaczął przewracać mokre kartki. Były idealnie czyste, bez najmniejszego śladu atramentu czy ołówka, bez takich choćby zapisków, jak „urodziny cioci Mabel" albo „dentysta 15.30".

— Nic nie zapisywał — rzekł Harry, bardzo zawiedziony.

— Ale dlaczego ktoś chciał go się pozbyć, spuszczając z wodą do klozetu? — zapytał Ron.

Harry spojrzał na tylną okładkę i zobaczył wydrukowane nazwisko właściciela sklepiku z gazetami w Londynie, przy Vauxhall Road.

— Musiał urodzić się w rodzinie mugoli — powiedział z namysłem Harry — skoro kupił sobie notes na Vauxhall Road...

— W każdym razie niczego się z niego nie dowiemy — rzekł Ron. — Pięćdziesiąt punktów, jeśli rzucisz nim przez nos Marty — dodał ściszonym głosem.

Ale Harry schował mokry dziennik do kieszeni.

Na początku lutego Hermiona opuściła skrzydło szpitalne odwąsowiona, odogoniona i odfuterkowana. W pierwszy wieczór po jej powrocie do wieży Gryffindoru Harry pokazał jej dziennik T.M. Riddle'a i opowiedział, jak go znaleźli.

— Ooooch... może ukrywać tajemne moce... — wyszeptała podniecona Hermiona i chwyciła dziennik, by mu się bliżej przyjrzeć.

— Jeśli tak, to musi je bardzo dobrze ukrywać — zauważył Ron. — Może jest nieśmiały. Bardzo jestem ciekaw, Harry, dlaczego go nie wyrzuciłeś.

— A ja bardzo bym chciał wiedzieć, dlaczego ktoś próbował go wyrzucić — odrzekł Harry. — I chętnie bym się dowiedział, za co Riddle dostał specjalną nagrodę.

— Czy ja wiem? Mógł dostać za wszystko. Może zarobił trzydzieści punktów, albo uratował jakiegoś nauczyciela przed wielkim pająkiem. Może zamordował Martę, co wszyscy przyjęli z wielką ulgą...

Po minie Hermiony Harry poznał jednak, że i ona myśli o tym samym, co on.

— Co? — zapytał Ron, spoglądając to na niego, to na nią.

— Sam pomyśl... Komnata Tajemnic została otwarta właśnie pięćdziesiąt lat temu, prawda? Tak nam powiedział Malfoy.

— No taak — przyznał Ron.

— A ten dziennik pochodzi sprzed pięćdziesięciu lat, prawda? — dodała Hermiona, stukając palcem w okładkę.

— Więc?

— Och, Ron, obudź się wreszcie! — warknęła Hermiona. — Wiemy, że osoba, która ostatnio otworzyła Komnatę, została wyrzucona ze szkoły pięćdziesiąt temu. Wiemy, że T.M. Riddle dostał nagrodę za specjalne zasługi dla szkoły pięćdziesiąt lat temu. A może ten Riddle dostał specjalną nagrodę za schwytanie dziedzica Slytherina? Jego dziennik mógłby nam powiedzieć wszystko: gdzie jest ta Komnata, jak ją otworzyć i co za potwór w niej mieszka. Osoba, która kryje się za ostatnimi napaściami, nie chciałaby, żeby coś takiego wpadło komuś w ręce, prawda?

— To naprawdę olśniewająca hipoteza, Hermiono — powiedział Ron. — Ma tylko jeden słaby punkt. W tym dzienniku nikt niczego nie zapisał.

Ale Hermiona już wyciągała różdżkę z torby.

— To mógł być niewidzialny atrament! — wyszeptała z przejęciem.

Stuknęła w dziennik trzykrotnie i powiedziała:

— *Aperacjum!*

Nic się nie wydarzyło. Nie zrażona tym Hermiona sięgnęła ponownie do torby i wyjęła coś, co wyglądało jak jaskrawoczerwona gumka do wycierania.

— To ujawniacz, kupiłam go na ulicy Pokątnej — wyjaśniła.

Potarła mocno puste miejsce pod napisem: „1 stycznia".

Nic się nie wydarzyło.

— Mówię wam, tu nic nie ma — upierał się Ron. — Riddle po prostu dostał dziennik na Boże Narodzenie i nie chciało mu się go prowadzić.

Harry nie potrafił wyjaśnić, nawet samemu sobie, dlaczego po prostu nie wyrzucił dziennika Riddle'a. Mało tego, choć wiedział, że wszystkie strony są czyste, wciąż brał dziennik do ręki i przewracał je, jakby to była powieść, którą chce skończyć. I choć był pewny, że nigdy przedtem nie słyszał nazwiska T.M. Riddle, miał niejasne poczucie, że ono coś dla niego znaczy, jakby ten Riddle był jego przyjacielem, kiedy Harry był bardzo mały i prawie go nie pamiętał. Oczywiście, było to absurdalne. Nigdy nie miał przyjaciół przed pójściem do Hogwartu. Dudley o to zadbał.

Harry postanowił jednak dowiedzieć się czegoś więcej o Riddle'u, więc następnego dnia, w czasie przerwy w lekcjach, udał się do izby pamięci, żeby zbadać jego specjalną nagrodę. Towarzyszyła mu równie zaciekawiona Hermiona i całkowicie sceptyczny Ron, który powiedział im, że w izbie pamięci przebywał już na tyle długo, że wystarczy mu do końca życia.

Złoty medalion Riddle'a schowany był w narożnej gablotce. Nie było na nim ani słowa, za co został przyznany („I Bogu dzięki, bo byłby większy i polerowałbym go do tej pory", powiedział Ron). Nazwisko Riddle'a znaleźli jednak również na starym medalu „Za zasługi na polu magii" i na liście dawnych prefektów szkoły.

— Zaleciało mi Percym — oświadczył Ron, marszcząc nos z odrazą. — Prefekt, prymus, na pewno pierwszy we wszystkim.

— Jakby było w tym coś złego — powiedziała Hermiona nieco urażonym tonem.

Słońce, choć blade, znowu zajaśniało nad Hogwartem. Wewnątrz zamku atmosfera nieco się polepszyła. Od czasu napaści na Justyna i Prawie Bezgłowego Nicka nie wydarzyło się nic złowrogiego, a pani Pomfrey miała przyjemność zameldować, że mandragory zrobiły się markotne i jakieś tajemnicze, co oznaczało, że wychodzą z okresu dzieciństwa.

— Jak tylko zejdą im pryszcze, będą gotowe do rozsady — powiedziała kiedyś Filchowi. — A potem tylko patrzeć, jak je wytniemy i wrzucimy do kociołka. Jeszcze trochę cierpliwości, a Pani Norris wróci do siebie.

Harry przypuszczał, że dziedzic — lub dziedziczka — Slytherina mógł — lub mogła — stracić odwagę. Otwarcie Komnaty Tajemnic w okresie, gdy w szkole huczało od podejrzeń, stawało się coraz bardziej ryzykowne. Może nawet ów potwór, czymkolwiek był, zapadł już w sen na kolejne pięćdziesiąt lat...

Ernie Macmillan z Hufflepuffu nie podzielał tego optymizmu. Wciąż był przekonany, że to Harry jest owym dziedzicem i że „puścił farbę" podczas nauki pojedynków. Irytek też dbał o podgrzewanie nastroju: wciąż włóczył się po korytarzach, podśpiewując: „Potter, diabła kumoter..." i wykonując przy tym skomplikowany taniec w powietrzu.

Gilderoy Lockhart sprawiał wrażenie, jakby był święcie przekonany, że to on przerwał serię złowrogich napaści. Harry podsłuchał, jak przechwalał się przed profesor McGonagall, kiedy Gryfoni zbierali się na lekcję transmutacji.

— Nie sądzę, by coś podobnego znowu się miało wydarzyć, Minerwo — oświadczył, pukając się palcem po nosie i mrugając znacząco. — Uważam, że tym razem Komnata została zamknięta na zawsze. Ten złoczyńca musiał zrozumieć, że schwytanie go to dla mnie tylko kwestia czasu. Więc dał spokój, bo w końcu to jedyne rozsądne wyjście w jego sytuacji. Teraz szkole potrzebne jest coś, co wzmocni jej morale. Trzeba czymś spłukać złe wspomnienia z poprzedniego semestru. Nie powiem na razie nic więcej, ale myślę, że wiem, jak tego dokonać...

Jeszcze raz popukał się znacząco po nosie i odszedł.

Pomysł Lockharta na wzmocnienie morale szkoły stał się znany 14 lutego w porze śniadania. Poprzedniego wieczoru Gryfoni trenowali quidditcha do późnej nocy i Harry nie wyspał się jak należy, więc spóźnił się trochę na śniadanie. Kiedy wszedł do Wielkiej Sali, przez chwilę myślał, że wybrał niewłaściwe drzwi.

Ściany pokryte były wielkimi, bladoróżowymi kwiatami. Co gorsza, z bladoniebieskiego sklepienia spadał deszcz konfetti w kształcie serduszek. Harry ruszył ku stołowi Gryfonów, gdzie zastał Rona wyglądającego, jakby go okropnie mdliło, i Hermionę, która była trochę rozchichotana.

— Co się dzieje? — zapytał Harry, siadając i zdmuchując konfetti z bekonu.

Ron wskazał bez słowa na stół nauczycielski; był najwyraźniej zbyt zdegustowany, by coś powiedzieć. Lockhart, ubrany w okropną bladoróżową szatę, znakomicie pasującą do dekoracji, machał ręką, aby uciszyć salę. Reszta nauczycieli miała grobowe miny. Pani profesor McGonagall nerwowo drgał policzek. Snape wyglądał, jakby przed chwilą wypił wielki kubek Szkiele-Wzro.

— Witajcie w walentynki! — krzyknął Lockhart. — I niech mi będzie wolno podziękować tym czterdziestu sześciu osobom, które przysłały mi kartki! Tak, pozwoliłem sobie na zaaranżowanie tej małej niespodzianki... ale nie koniec na tym!

Klasnął w dłonie i do sali wkroczył tuzin dość gburowato wyglądających krasnoludów. Nie były to jednak byle jakie krasnoludy. Lockhart podoczepiał im złote skrzydełka; każdy niósł też harfę.

— Moje słodkie kupidyny, niebiańscy posłańcy! — zawołał rozpromieniony Lockhart. — Dzisiaj będą krążyć po szkole, rozdając wam walentynkowe kartki! I na tym nie koniec zabawy! Jestem pewny, że moi szanowni koledzy chętnie się do niej przyłączą! Dalej, młodzieży, nie wahaj się poprosić profesora Snape'a, by puścił w obieg Eliksir Miłości! A jeśli już jesteśmy przy tym temacie, to zapewniam was, że profesor Flitwick wie więcej o zaklęciach wprawiających w upojny trans niż jakikolwiek inny czarodziej! Nuże, stary szelmo, pokaż im, co potrafisz!

Profesor Flitwick ukrył twarz w dłoniach. Snape wyglądał, jakby zamierzał podać truciznę pierwszej osobie, która go poprosi o Eliksir Miłości.

— Hermiono, błagam cię, powiedz, że nie byłaś jedną

z tych czterdziestu sześciu osób, które mu posłały kartki — powiedział Ron, kiedy wyszli z Wielkiej Sali, udając się na pierwszą lekcję.

Hermiona zaczęła nagle gorączkowo przetrząsać swoją torbę w poszukiwaniu rozkładu zajęć i w związku z tym nic nie odpowiedziała.

Przez cały dzień, ku zgrozie nauczycieli, krasnoludy włóczyły się po klasach, wręczając kartki walentynkowe. Późnym popołudniem jeden z nich wypatrzył Harry'ego, który razem z innymi Gryfonami szedł po schodach na lekcję zaklęć.

— Hej, ty! Arry Potter! — krzyknął, a wyglądał na wyjątkowego gbura.

I ruszył ku Harry'emu, roztrącając innych uczniów łokciami. Na myśl o tym, że zaraz dostanie kartkę walentynkową na oczach tłumu pierwszoroczniaków (tak się złożyło, że była wśród nich Ginny), Harry'emu zrobiło się gorąco. Karzeł zręcznie torował sobie drogę, kopiąc ludzi w golenie i dopadł go, zanim Harry zrobił dwa kroki.

— Mam wiadomość muzyczną, którą muszę osobiście przekazać Arry'emu Potterowi — oznajmił, szarpiąc struny harfy w bardzo niebezpieczny sposób.

— Nie tutaj — syknął Harry, próbując uciec.

— Stój! — ryknął krasnolud, chwytając torbę Harry'ego i ciągnąc go z powrotem.

— Puść mnie! — warknął Harry, wyrywając mu torbę.

Torba rozdarła się z głośnym trzaskiem. Książki, różdżka, pergamin i pióro wysypały się na podłogę, a na to wszystko upadł kałamarz i roztrzaskał się na drobne kawałki.

Harry padł na kolana, żeby to pozbierać, zanim krasnolud zacznie śpiewać. Na korytarzu zrobił się okropny korek.

— Co tu się dzieje? — rozległ się zimny głos Dracona Malfoya.

Harry zaczął gorączkowo zgarniać wszystko do rozdartej torby, pragnąc za wszelką cenę opuścić tę scenę, zanim Malfoy usłyszy jego muzyczną walentynkę.

— Co to za zbiegowisko? — zapytał inny znajomy głos. Na scenę wkroczył Percy Weasley.

Harry stracił głowę i rzucił się do ucieczki, ale krasnolud złapał go za nogi i powalił na posadzkę.

— Siedź cicho — mruknął, przygniatając mu stopy. — Oto twoja śpiewająca walentynka.

Ma oczy zielone jak pikle z ropuchy
Jego włosy są czarne jak tablica.
O, gdyby moim został, bohater mych snów,
Służyłabym mu jak diablica.

Harry oddałby całe złoto Gringotta, gdyby mógł wyparować z tego miejsca. Starając się dzielnie śmiać razem z wszystkimi, wstał, chwiejąc się na nogach zdrętwiałych od ciężaru krasnoluda. Percy Weasley robił, co mógł, żeby rozpędzić zbiegowisko. Większość ryczała z uciechy.

— Rozejść się, rozejść się, już pięć minut po dzwonku, do klasy, no już! — nawoływał Percy, zaganiając stadko młodszych uczniów. — Ty też, Malfoy.

Harry zobaczył, że Malfoy pochyla się i szybko podnosi coś z podłogi, a potem pokazuje to Crabbe'owi i Goyle'owi, patrząc na nich znacząco. Poznał dziennik Riddle'a.

— Oddaj to — wycedził przez zęby Harry.

— Ciekawe, co też Potter w nim zapisał — powiedział wolno Malfoy, który najwidoczniej nie zauważył roku na okładce i był pewien, że to dziennik Harry'ego.

W tłumie rozległ się szmer i zapadła cisza. Ginny spoglądała to na dziennik, to na Harry'ego, wyraźnie przerażona.

— Oddaj to, Malfoy — powiedział Percy groźnym tonem.

— Oddam, tylko sobie popatrzę — odrzekł Malfoy, wymachując czarnym notesem.

— Jako prefekt szkoły... — zaczął Percy, ale Harry stracił już cierpliwość. Wyciągnął różdżkę i krzyknął:

— *Expelliarmus!*

Czując się jak Lockhart rozbrojony przez Snape'a, Malfoy zobaczył, jak czarna książeczka wymyka mu się z ręki i wzlatuje w powietrze. Ron złapał ją, śmiejąc się triumfalnie.

— Harry! — krzyknął Percy. — Żadnych czarów na korytarzach. Będę musiał złożyć raport, wiesz o tym!

Ale Harry miał to w nosie. Zdobył punkt w rozgrywce z Malfoyem, a to było warte pięć punktów odjętych Gryffindorowi. Malfoy był wściekły. Kiedy Ginny mijała go, idąc do klasy, zawołał:

— Nie sądzę, żeby Potterowi spodobała się twoja walentynka!

Ginny zakryła twarz rękami i wbiegła do klasy. Ron wydał zduszony okrzyk i też wyciągnął różdżkę, ale Harry odciągnął go na bok. Nie zamierzał pozwolić, żeby Ron wymiotował ślimakami przez całą lekcję zaklęć.

Dopiero kiedy doszli do klasy profesora Flitwicka, Harry zauważył coś dziwnego. Wszystkie książki powalane były szkarłatnym atramentem, a dziennik Riddle'a pozostał zupełnie czysty. Chciał o tym powiedzieć Ronowi, ale Ron miał znowu trudności ze swoją różdżką: z jej końca wydymały się wielkie purpurowe bąble.

Tego wieczoru nikt nie poszedł do łóżka tak wcześnie jak Harry. Częściowo dlatego, że miał już dosyć wyśpiewywania przez Freda i George'a: „Ma oczy zielone jak pikle z ropuchy", a częściowo dlatego, że chciał jeszcze raz zbadać dziennik Riddle'a, a wiedział, że Ron uzna to za stratę czasu.

Usiadłszy na swoim łożu pod baldachimem, zaczął przerzucać czyste kartki. Na żadnej nie było ani śladu czerwonego atramentu. Wyjął pełną butelkę z szafki przy łóżku, zanurzył w niej pióro i zrobił wielki kleks na pierwszej stronie.

Atrament zalśnił czerwienią, ale po sekundzie zniknął, jakby całkowicie wsiąknął w papier. Harry, podekscytowany tym odkryciem, ponownie umoczył pióro i szybko napisał: „Nazywam się Harry Potter".

Litery zabłysły przez chwilę i znikły bez śladu. A potem coś się wreszcie wydarzyło.

Na czystej stronicy pojawiły się słowa wypisane jego czerwonym tuszem, ale na pewno nie przez niego:

— *Witaj, Harry. Nazywam się Tom Riddle. Skąd masz mój dziennik?*

Te słowa również natychmiast znikły, ale Harry zdążył odpisać:

— Ktoś próbował utopić go w toalecie.

Czekał niecierpliwie na odpowiedź Riddle'a.

— *Całe szczęście, że zanotowałem swoje wspomnienia czymś trwalszym od czerwonego atramentu. Ale zawsze wiedziałem, że znajdą się tacy, którzy nie będą chcieli, żeby ktoś przeczytał mój dziennik.*

— Co masz na myśli? — naskrobał Harry, robiąc wielkiego kleksa.

— To, że dziennik zawiera opis strasznych wydarzeń. Wydarzeń, które zręcznie zatuszowano. Wydarzeń, które miały miejsce w Szkole Magii i Czarodziejstwa w Hogwarcie.

— Właśnie w niej jestem — odpisał szybko Harry. — Jestem w Hogwarcie i dzieją się tu straszne rzeczy. Czy wiesz coś o Komnacie Tajemnic?

Serce biło mu jak młotem. Riddle natychmiast odpowiedział, a jego pismo stało się niechlujne, jakby się spieszył, żeby powiedzieć wszystko, co wie.

— *Oczywiście, wiem o Komnacie Tajemnic. Za moich czasów mówiono nam, że to legenda, że Komnata nie istnieje. To kłamstwo. Kiedy byłem w piątej klasie, ktoś ją otworzył i potwór zaatakował kilkanaście osób, a w końcu jedną uśmiercił. Wykryłem, kto otworzył Komnatę, i wyrzucono go ze szkoły, ale dyrektor, profesor Dippet, zawstydzony, że coś takiego wydarzyło się w Hogwarcie, zakazał mi mówienia prawdy. Według oficjalnej wersji dziewczynka zginęła w nieszczęśliwym wypadku. Dali mi ładny, błyszczący medalion z wygrawerowanym nazwiskiem i kazali siedzieć cicho. Wiem jednak, że to się może powtórzyć. Potwór przeżył, a tego, kto go uwolnił, nie uwięziono.*

Harry tak się spieszył, że o mało co nie rozlał butelki z atramentem.

— To się znowu zaczęło. Były już trzy ataki i nikt nie wie, kto za tym się kryje. Kto to był za twoich czasów?

— *Mogę ci pokazać, jeśli chcesz. Do tego niepotrzebne są słowa. Mogę ci pokazać moje wspomnienie tej nocy, w której go schwytałem.*

Harry zawahał się, zatrzymując pióro w powietrzu. Co Riddle ma na myśli? Jak można pokazać komuś drugiemu swoje wspomnienia? Zerknął nerwowo na drzwi dormitorium. Robiło się coraz ciemniej. Kiedy znowu spojrzał na dziennik, ujrzał świeży zapis.

— *Pozwól, żebym ci pokazał.*

Tym razem Harry zawahał się tylko przez ułamek sekundy i odpisał:

— OK.

Strony dziennika zaczęły się szybko przewracać, jakby powiał na nie silny wiatr, i zatrzymały się na czerwcu. Harry'emu szczęka opadła, bo mały kwadrat oznaczający datę 13 czerwca zamienił się w coś w rodzaju maleńkiego ekranu telewizyjnego. Drżącymi rękami podniósł dziennik, żeby przycisnąć oko do tego okienka i zanim zorientował się, co się dzieje, coś go pociągnęło do przodu, okienko rozszerzyło się, poczuł, jak jego ciało odrywa się od łóżka i nagle został wciągnięty głową naprzód w wir barw i cieni.

Wylądował na czymś twardym. Stał, dygocąc na całym ciele, a zamazane kształty wokół niego nagle zyskały ostrość.

Natychmiast poznał, gdzie się znajduje. Ten okrągły pokój ze śpiącymi portretami na ścianach to przecież gabinet Dumbledore'a... ale to nie Dumbledore siedział za biurkiem. Był to pomarszczony, wątły staruszek, prawie całkowicie łysy, z paroma kępkami siwych włosów. Czytał jakiś list przy świecy. Harry nigdy wcześniej go nie widział.

— Przepraszam — wybąkał. — Nie chciałem tak nagle wpadać...

Ale stary czarodziej nawet nie podniósł głowy. Dalej czytał list, marszcząc czoło. Harry przysunął się bliżej i wyjąkał:

— Ee... mam już sobie iść, tak?

Czarodziej nadal go ignorował. Sprawiał wrażenie, jakby go w ogóle nie słyszał. Myśląc, że może staruszek jest głuchy, Harry prawie krzyknął:

— Przepraszam, że przeszkodziłem, już sobie idę.

Czarodziej złożył list, westchnął, wstał i przeszedł obok

Harry'ego, nawet na niego nie spojrzawszy, a potem podszedł do okna i rozsunął kotary.

Harry zdążył zauważyć, że niebo miało rubinowy kolor; zapewne zachodziło słońce. Czarodziej wrócił do biurka, usiadł i zaczął kręcić młynka kciukami, wpatrzony w drzwi. Harry rozejrzał się po gabinecie. Nie dostrzegł nigdzie feniksa Fawkesa, nie było też wirujących srebrnych mechanizmów. To był Hogwart z czasów Riddle'a, a dyrektorem nie był Dumbledore, tylko ten zasuszony staruszek o nieznanym nazwisku, tymczasem on, Harry, był tylko fantomem, całkowicie niewidzialnym dla ludzi sprzed pięćdziesięciu lat.

Rozległo się pukanie do drzwi.

— Proszę wejść — powiedział staruszek słabym głosem.

Wszedł chłopiec w wieku około szesnastu lat, zdejmując spiczastą tiarę. Na jego piersi błyszczała srebrna odznaka prefekta. Był o wiele wyższy od Harry'ego, ale też miał kruczoczarne włosy.

— Ach, to ty, Riddle — powiedział dyrektor.

— Wzywał mnie pan, panie profesorze Dippet? — zapytał Riddle. Wyglądał na przestraszonego.

— Usiądź — rzekł Dippet. — Właśnie przeczytałem list, który mi przysłałeś.

— Aha — mruknął Riddle i usiadł, ściskając mocno dłonie.

— Mój drogi chłopcze — rzekł łagodnie Dippet — chyba nie będę mógł pozwolić ci zostać w szkole przez całe lato. Nie chcesz wrócić do domu na wakacje?

— Nie — odpowiedział szybko Riddle. — Na pewno wolę zostać w Hogwarcie, niż wrócić do tego... tego...

— O ile wiem, podczas wakacji mieszkasz w mugolskim sierocińcu, tak?

— Tak, panie profesorze — odpowiedział Riddle, czerwieniąc się lekko.

— Twoi rodzice byli mugolami?

— Pół na pół. Ojciec był mugolem, matka czarownicą.

— A rodzice...

— Matka umarła tuż po moim narodzeniu. W sierocińcu powiedzieli mi, że zdążyła nadać mi imiona: Tom po moim ojcu i Marvolo po moim dziadku.

Dippet zacmokał współczująco.

— Rzecz w tym, Tom — westchnął — że właściwie można by ci tu coś zorganizować, ale w obecnych okolicznościach...

— Ma pan na myśli te napaści, panie profesorze? — zapytał Riddle, a Harry'emu serce zabiło i przysunął się bliżej, nie chcąc uronić ani jednego słowa.

— Tak, właśnie to — odpowiedział dyrektor. — Mój drogi chłopcze, musisz zrozumieć, że byłbym głupcem, gdybym pozwolił ci pozostać w zamku po zakończeniu semestru. Zwłaszcza w świetle ostatniej tragedii... po śmierci tej biednej dziewczynki... W sierocińcu będziesz o wiele bezpieczniejszy. Prawdę mówiąc, Ministerstwo Magii rozważa nawet możliwość zamknięcia szkoły. Nie przybliżyliśmy się ani o włos do znalezienia... ee... źródła tych niemiłych...

Oczy Riddle'a rozszerzyły się gwałtownie.

— Panie profesorze... a gdyby ten ktoś został schwytany... gdyby to wszystko się skończyło...

— Co masz na myśli? — zapytał Dippet piskliwym głosem, prostując się w fotelu. — Riddle, czyżbyś coś wiedział o tych napaściach?

— Nie, panie profesorze — odpowiedział szybko Riddle.

Harry czuł jednak, że było to takie samo „nie" jak to, które on skierował do Dumbledore'a.

Dippet zgarbił się w fotelu, sprawiając wrażenie nieco zawiedzionego.

— Możesz odejść, Tom...

Riddle ześliznął się z fotela i wyszedł z pokoju. Harry ruszył za nim.

Zeszli spiralnymi schodami. Tuż obok chimery, u wylotu ciemnego korytarza, Riddle zatrzymał się, więc Harry zrobił to samo, obserwując go. Był pewny, że Riddle zastanawia się nad czymś głęboko, bo przygryzał wargi i marszczył czoło.

Po chwili, jakby nagle coś postanowił, cofnął się i szybko odszedł. Harry poszybował za nim. Nie spotkali nikogo po drodze aż do sali wejściowej, gdzie wysoki czarodziej z długimi kasztanowymi włosami zawołał do Riddle'a z marmurowych schodów:

— Co tutaj robisz o tak późnej porze, Tom?

Harry wytrzeszczył na niego oczy. To był Dumbledore, tyle że o pięćdziesiąt lat młodszy!

— Pan dyrektor mnie wezwał, panie profesorze.

— No dobrze, a teraz biegiem do łóżka — odrzekł Dumbledore, obdarzając Riddle'a tym samym badawczym spojrzeniem, które Harry tak dobrze znał. — Lepiej nie włóczyć się po korytarzach... od czasu...

Westchnął ciężko, powiedział Riddle'owi dobranoc i odszedł. Riddle odczekał, aż Dumbledore zniknie mu z oczu, a wtedy szybko wbiegł na kamienne schody wiodące do lochów. Harry ledwo za nim zdążył.

Ku zaskoczeniu Harry'ego, Riddle nie powiódł go jednak do jakiegoś ukrytego przejścia czy tajnego tunelu, tylko do piwnicy, w której obecnie Snape nauczał eliksirów. Pochodnie nie płonęły i kiedy Riddle pchnął przymknięte drzwi, Harry ledwo go widział. Stanął przy drzwiach, lekko je uchylił i zamarł bez ruchu, wpatrzony w mroczny korytarz.

Harry odniósł wrażenie, że stali tam z godzinę. Widział tylko nieruchomą jak posąg postać Riddle'a na tle ciemnych drzwi. I właśnie wówczas, kiedy Harry uspokoił się już i rozluźnił, a nawet zaczął tęsknić za powrotem do rzeczywistości, usłyszał, że coś się za drzwiami poruszyło.

Ktoś skradał się korytarzem. Ktoś minął drzwi, za którymi był ukryty Riddle. Po chwili Riddle wyjrzał przez nie i ruszył za oddalającymi się krokami. Harry pobiegł za nim na palcach, zapominając, że jest niewidzialny.

Szli tak z pięć minut, aż w końcu Riddle nagle się zatrzymał, wyciągając głowę w kierunku nowych odgłosów. Harry usłyszał skrzypienie otwieranych drzwi i czyjś ochrypły szept:

— No właź... musisz se pobiegać... no chodź... właź do pudła...

W tym głosie było coś znajomego.

Riddle nagle wyskoczył zza węgła. Harry poszybował za nim. Zobaczył ciemny zarys wielkiego chłopca, skulonego w otwartych drzwiach, a tuż obok niego sporą skrzynię.

— Dobry wieczór, Rubeusie — powiedział Riddle ostrym tonem.

Chłopiec zatrzasnął drzwi i wyprostował się.

— Co tutaj robisz, Tom?

Riddle podszedł bliżej.

— To już koniec — powiedział. — Zamierzam cię wydać, Rubeusie. Jeśli te napaści nie ustaną, zamkną szkołę.

— Co ty mi...

— Wiem, że nie chcesz nikogo zabić. Ale potwory nie

są domowymi zwierzątkami, które się trzyma dla przyjemności. Wypuszczasz go, żeby sobie pobiegał, a on...

— Nigdy nikogo nie zabiłem! — krzyknął wielki chłopiec, zasłaniając sobą drzwi.

Zza drzwi dobiegało jakieś dziwne skrobanie i mlaskanie.

— Daj spokój, Rubeusie — powiedział Riddle, podchodząc jeszcze bliżej. — Jutro przyjadą rodzice tej dziewczynki. Jedyne, co szkoła może zrobić, to upewnić się, że ten potwór nie zabije już nikogo...

— To nie on! — ryknął chłopiec, a jego głos odbił się echem po ciemnym korytarzu. — On by tego nie zrobił! Nie on!

— Odsuń się — rzekł Riddle, wyciągając różdżkę.

Jego zaklęcie rozjaśniło korytarz nagłym wybuchem płomienistego światła. Drzwi rozwarły się z taką siłą, że stojący przed nimi chłopiec runął na przeciwległą ścianę. A z ciemnego lochu za drzwiami wylazło coś tak strasznego, że Harry wydał z siebie długi, przenikliwy okrzyk, którego na szczęście nie usłyszał nikt prócz niego.

Ogromne owłosione cielsko i plątanina czarnych odnóży, blask wielu ślepi i para ostrych jak brzytwy szczypców... Riddle ponownie uniósł różdżkę, ale zrobił to za późno. Potwór powalił go na podłogę i pomknął w ciemność jak olbrzymi pająk z rozdętym tułowiem. Riddle dźwignął się na nogi, rozglądając się za nim, podniósł różdżkę, wycelował, ale wielki chłopak skoczył na niego, wyrwał mu ją i ponownie powalił go na podłogę, rycząc:

— NIEEEEEE!

Cała scena zawirowała, ciemność zgęstniała, Harry poczuł, że zapada się w nią i nagle spadł na plecy z rozłożonymi rękami i nogami na swoje łoże w dormitorium Gryffindoru. Na jego brzuchu leżał otwarty dziennik Riddle'a.

Zanim zdążył odzyskać oddech, drzwi się otworzyły i wszedł Ron.

— A, tu jesteś — powiedział.

Harry usiadł. Był zlany potem i dygotał.

— Co ci jest? — zapytał Ron, przyglądając mu się z niepokojem.

— Ron, to był Hagrid. To Hagrid otworzył Komnatę Tajemnic pięćdziesiąt lat temu.

ROZDZIAŁ CZTERNASTY

Korneliusz Knot

Harry, Ron i Hermiona od dawna wiedzieli, że Hagrid odczuwa niestety pociąg do wielkich i strasznych stworzeń. Podczas pierwszego roku ich pobytu w Hogwarcie próbował wyhodować smoka w swojej małej chatce, a z pewnością długo nie zapomną olbrzymiego trójgłowego psa, którego nazwał Puszkiem. Dla Harry'ego było oczywiste, że jeśli Hagrid jako chłopiec dowiedział się o uwięzionym gdzieś w podziemiach zamku potworze, to nie spoczął, póki go nie zobaczył. Prawdopodobnie uznał za nieludzkie trzymanie takiego uroczego stworzenia w zamknięciu i postanowił stworzyć mu możliwość rozprostowania tak wielu nóg. Harry potrafił bez trudu wyobrazić sobie trzynastoletniego Hagrida, jak próbuje dopasować potworowi obrożę i smycz. Był jednak pewny, że Hagrid nie zamierzał nikogo uśmiercić. Prawdę mówiąc, Harry zaczął żałować, że odkrył sekret dziennika Riddle'a. Ron i Hermiona wciąż i wciąż prosili go, żeby im jeszcze raz wszystko opowiedział, aż w końcu miał już tego dość, podobnie jak rozmowy, która się potem wywiązała.

— Riddle mógł złapać niewłaściwą osobę — powiedziała Hermiona. — Może jakiś inny potwór atakował ludzi...

— A ile, według ciebie, jest potworów w tym zamku? — zapytał Ron.

— Od dawna wiedzieliśmy, że Hagrida wyrzucono ze szkoły — tłumaczył im po raz któryś Harry. — No i te ataki musiały ustać, od kiedy go wylano. Bo gdyby nie ustały, Riddle nie dostałby nagrody.

Ron spróbował od innej strony.

— Ten Riddle bardzo przypomina Percy'ego... Kto go prosił, by wyszpiegował Hagrida i złapał go na gorącym uczynku?

— Ron, przecież ten potwór kogoś zabił — jęknęła Hermiona.

— No i gdyby zamknięto szkołę, Riddle miał wrócić do jakiegoś mugolskiego sierocińca — przypomniał Harry. — Wcale się nie dziwię, że chciał tu zostać...

Ron przygryzł wargi, a potem rzucił niedbałym tonem:

— Harry, spotkałeś Hagrida na ulicy Śmiertelnego Nokturnu, tak?

— Kupował jakiś środek na ślimaki zżerające mu sałatę — odpowiedział szybko Harry.

Przez jakiś czas wszyscy milczeli. Potem Hermiona zadała najbardziej dręczące ich pytanie:

— Nie sądzicie, że powinniśmy iść do Hagrida i zapytać go o to wszystko?

— To będą wesołe odwiedziny, nie ma co — zauważył Ron. — Cześć, Hagrid, powiedz nam, czy może widziałeś ostatnio coś okropnego i włochatego włóczącego się po zamku?

W końcu postanowili, że nie powiedzą nic Hagridowi,

chyba że dojdzie do kolejnej napaści, a kiedy mijał dzień po dniu i bezcielesny głos już się nie odzywał, zaczęli mieć nadzieję, że może nigdy nie będą musieli z nim rozmawiać na temat powodów wyrzucenia go ze szkoły. Minęły prawie cztery miesiące od spetryfikowania Justyna i Prawie Bezgłowego Nicka i niemal wszyscy uważali, że napastnik, kimkolwiek był, dał szkole spokój na dobre. Irytka znudziło w końcu podśpiewywanie „Potter, diabła kumoter", Ernie Macmillan pewnego dnia poprosił Harry'ego na zielarstwie, żeby podał mu cebrzyk ze skaczącymi muchomorami, a w marcu kilkanaście mandragor zaczęło wydzierać się ochryple w cieplarni numer trzy. Profesor Sprout była z siebie bardzo dumna.

— Od momentu, kiedy zaczną przeskakiwać do siebie z doniczki do doniczki, będziemy mieli pewność, że są już dojrzałe — powiedziała Harry'emu. — A wtedy będziemy w stanie przywrócić życie tym biedakom ze szpitalnego skrzydła.

Drugoklasiści mieli się nad czym zastanawiać podczas ferii wielkanocnych. Nadszedł czas wyboru przedmiotów, których będą się uczyć w trzeciej klasie, co Hermiona potraktowała bardzo poważnie.

— To może wpłynąć na całą naszą przyszłość — stwierdziła uroczyście, kiedy wraz z Harrym i Ronem przeglądali listę nowych przedmiotów, stawiając przy nich ptaszki.

— Ja po prostu mam dosyć eliksirów — oświadczył Harry.

— Tego nam nie wolno — powiedział ponuro Ron. — Musimy zachować stare przedmioty... oprócz obrony przed czarną magią, bo ja to olewam.

— Ale to jest bardzo ważne! — krzyknęła Hermiona, naprawdę wstrząśnięta.

— Mam to w nosie, dopóki uczy tego Lockhart — rzekł Ron. — Jak dotąd nauczył mnie tylko jednego: żeby nie wypuszczać chochlików.

Neville Longbottom dostał listy od wszystkich czarownic i czarodziejów ze swojej rodziny; każdy zawierał inne rady co do wyboru nowych przedmiotów. Zaniepokojony i oszołomiony, wciąż ślęczał nad listą przedmiotów i zadawał wszystkim dziwne pytania, na przykład, czy według nich numerologia jest trudniejsza od starożytnych runów. Dean Thomas, który, podobnie jak Harry, wychował się wśród mugoli, po długich namysłach zamknął oczy i zaczął dziabać różdżką w listę, wybierając te przedmioty, na których wylądował jej koniec. Hermiona nikogo nie prosiła o radę i po prostu wybrała wszystko.

Harry uśmiechał się posępnie w duchu na myśl, co by powiedzieli Dursleyowie, gdyby spróbował przedyskutować z nimi swoją karierę czarodzieja. Znalazł jednak doradcę: Percy Weasley był gotów podzielić się z nim swoim doświadczeniem.

— Wszystko zależy od tego, co chcesz osiągnąć, Harry, i gdzie zamierzasz żyć. Nigdy nie jest za wcześnie, żeby pomyśleć o przyszłości, więc doradzałbym ci wróżbiarstwo. Mówią, że mugoloznawstwo jest bezsensowne, ale ja osobiście uważam, że czarodzieje powinni bardzo dobrze znać społeczność mugoli, zwłaszcza jeśli zamierzają pracować w bliskim z nimi kontakcie. Na przykład mój ojciec... wciąż ma do czynienia z produktami mugoli. Mój brat Charlie zawsze wolał pracę w terenie, więc wybrał opiekę nad magicznymi stworzeniami. Przymierz się do swoich uzdolnień i możliwości, Harry.

Ale jedynym „przedmiotem", w którym Harry czuł się naprawdę dobry, był quidditch. W końcu wybrał te same nowe przedmioty, co Ron, czując, że jeśli będzie miał z nimi trudności, to przynajmniej w towarzystwie przyjaciela, który mu pomoże.

W następnym meczu Gryfoni mieli się zmierzyć z Puchonami. Wood uparł się przy codziennych treningach, a że odbywały się wieczorem, po kolacji, Harry nie miał czasu na nic innego poza quidditchem i pracą domową. Treningi stawały się jednak coraz przyjemniejsze, a przynajmniej coraz bardziej suche, i wieczorem przed sobotnim meczem, kiedy szedł do dormitorium, żeby zostawić tam swoją miotłę, był w dobrym nastroju, wierząc, że ich szanse na zdobycie pucharu nigdy nie były większe.

Dobry nastrój nie trwał jednak długo. Na szczycie schodów spotkał Neville'a Longbottoma, który wyglądał, jakby miał gorączkę.

— Harry... nie wiem, kto to zrobił. Ja po prostu wszedłem i...

I przyglądając się Harry'emu z lękiem, otworzył drzwi.

Zawartość kufra Harry'ego była porozrzucana po całym dormitorium. Jego peleryna leżała skłębiona na podłodze. Obok piętrzyła się w nieładzie pościel, a na materac wysypano zawartość szuflady z nocnej szafki.

Harry podszedł do łóżka, depcąc po wyrwanych stronicach *Podróży z trollami*.

Kiedy razem z Neville'em słali łóżko, weszli Ron, Dean i Seamus. Dean zaklął głośno.

— Harry, co się stało?

— Nie mam pojęcia.

Ron przyglądał się uważnie szatom Harry'ego. Wszystkie kieszenie były wywrócone na lewą stronę.

— Ktoś tu czegoś szukał — powiedział. — Zginęło ci coś?

Harry zaczął zbierać swoje rzeczy i wrzucać je do kufra. Dopiero kiedy wrzucił ostatni tom dzieł zebranych Lockharta, zdał sobie sprawę, czego brakuje.

— Nie ma dziennika Riddle'a — powiedział półgłosem Ronowi.

— Co?!

Harry w milczeniu wskazał głową drzwi i obaj wyszli z dormitorium. Pobiegli na dół, do pokoju wspólnego Gryffindoru, w którym było niewiele osób. Hermiona siedziała samotnie, czytając książkę pod tytułem *Starożytne runy wcale nie są trudne*.

Była przerażona, kiedy usłyszała, co się stało.

— Ale... tylko któryś z Gryfonów mógł to zrobić... przecież nikt inny nie zna naszego hasła...

— No właśnie — powiedział Harry.

Kiedy obudzili się następnego dnia, świeciło słońce i wiał lekki, odświeżający wietrzyk.

— Doskonałe warunki do quidditcha! — zawołał z entuzjazmem Wood przy stole Gryfonów, nakładając góry jajecznicy na talerze członków drużyny. — Harry, wsuwaj, musisz się dobrze najeść!

Harry spoglądał po twarzach zgromadzonych przy stole Gryfonów, zastanawiając się, czy nowy właściciel dziennika Riddle'a nie siedzi akurat naprzeciw niego. Hermiona nalegała, aby doniósł o rabunku, ale jemu ten pomysł nie bardzo się podobał. Musiałby opowiedzieć wszystko o dzienniku, co oznaczało, że cała szkoła dowiedziałaby się, dlaczego pięćdziesiąt lat temu wyrzucono Hagrida ze szkoły. Nie chciał być tym, który wywleka całą sprawę na nowo.

Kiedy razem z Ronem i Hermioną opuścił Wielką Salę, aby pójść po swój sprzęt do quidditcha, na rosnącej liście jego zmartwień przybyła kolejna pozycja. Właśnie postawił stopę na marmurowych schodach, kiedy usłyszał ponownie:

— *Tym razem zabić... rozedrzeć... rozerwać na strzępy...*

Krzyknął, a Ron i Hermiona odskoczyli od niego, przerażeni.

— Głos! — zawołał, oglądając się przez ramię. — Właśnie znowu go usłyszałem... a wy nie?

Ron potrząsnął głową; przyglądał się Harry'emu rozszerzonymi oczami. Hermiona klasnęła się dłonią w czoło.

— Harry... chyba coś zrozumiałam! Muszę iść do biblioteki!

I pobiegła po schodach.

— Co ona zrozumiała? — zapytał Harry, wciąż rozglądając się i próbując ustalić, skąd mógł dochodzić głos.

— W każdym razie więcej ode mnie — odpowiedział Ron, kręcąc głową.

— Ale dlaczego musiała polecieć do biblioteki?

— Bo ona zawsze to robi — powiedział Ron, wzruszając ramionami. — Nie pamiętasz? Kiedy masz jakieś wątpliwości, idź do biblioteki.

Harry stał niezdecydowany, nasłuchując, czy głos odezwie się jeszcze raz, ale za jego plecami wybuchł gwar, bo wszyscy opuszczali już Wielką Salę i wymieniali głośne uwagi na temat meczu.

— Lepiej się pospiesz — mruknął Ron. — Zbliża się jedenasta... Mecz.

Harry popędził na wieżę Gryffindoru, wziął swojego

Nimbusa Dwa Tysiące i wkrótce dołączył do wielkiego tłumu zdążającego łąkami w stronę stadionu, ale myślami wciąż był w zamku, a w uszach dźwięczał mu tamten głos.

Kiedy znalazł się w szatni i nałożył szkarłatną szatę, pocieszał się tylko tym, że teraz wszyscy będą na zewnątrz, by obserwować mecz.

Drużyny wkroczyły na boisko wśród ogłuszających okrzyków. Oliver Wood zrobił krótką rozgrzewkę, oblatując bramki, pani Hooch uwolniła piłki. Puchoni, ubrani na żółto, stali w zbitej gromadce, po raz ostatni omawiając taktykę.

Harry dosiadł już miotły, kiedy na boisko prawie wbiegła profesor McGonagall z ogromnym purpurowym megafonem.

Harry poczuł, że serce ciąży mu jak kamień.

— Mecz został odwołany! — zawołała profesor McGonagall przez megafon.

Widownia zawyła, rozległy się krzyki i gwizdy. Oliver Wood wylądował na trawie i biegł ku profesor McGonagall, nie zsiadając z miotły.

— Ale... pani profesor! — krzyknął. — Musimy zagrać... Puchar... *Gryffindor*...

Profesor McGonagall nie zwróciła na niego uwagi i nadal wołała przez megafon:

— Wszyscy uczniowie mają wrócić do swoich pokojów wspólnych, gdzie członkowie kierownictwa szkoły podadzą im kolejne informacje. Proszę to zrobić jak najszybciej!

Potem opuściła megafon i gestem przywołała do siebie Harry'ego.

— Potter, myślę, że będzie lepiej, jak pójdziesz ze mną...

Zastanawiając się, co tym razem go czeka i czego McGonagall mogła się dowiedzieć, Harry zobaczył, że Ron odrywa się od rozżalonego tłumu i biegnie w ich kierunku. Ruszyli w stronę zamku. Ku jego zdziwieniu, profesor McGonagall nie sprzeciwiła się, by Ron im towarzyszył.

— Tak, Weasley, ty też chodź z nami.

Niektórzy z otaczających ich uczniów nie kryli, co sądzą o odwołaniu meczu, inni wyglądali na przestraszonych. Profesor McGonagall zaprowadziła ich do zamku, a tam powiodła marmurowymi schodami na pierwsze piętro. Tym razem nie zabrała ich jednak do któregoś z gabinetów profesorskich.

— Uprzedzam, że to może być dla was wstrząsem — powiedziała zaskakująco łagodnym tonem, kiedy zbliżyli się do skrzydła szpitalnego. — Doszło do kolejnej napaści... do kolejnego podwójnego ataku.

Wnętrzności Harry'ego wykonały gwałtowne salto. Profesor McGonagall otworzyła drzwi. Weszli do środka.

Pani Pomfrey pochylała się nad wysoką dziewczyną z piątej klasy. Harry poznał ją: była to owa Krukonka z długimi, kręcącymi się włosami, którą przypadkowo zapytał o drogę do pokoju wspólnego Ślizgonów. A na sąsiednim łóżku...

— Hermiona! — jęknął Ron.

Hermiona leżała bez ruchu, oczy miała otwarte i szkliste.

— Znaleziono je w pobliżu biblioteki — powiedziała profesor McGonagall. — Może któryś z was potrafi mi to wyjaśnić? To leżało obok nich na podłodze...

Pokazała im małe okrągłe lusterko.

Harry i Ron pokręcili głowami, wciąż gapiąc się na Hermionę.

— Zaprowadzę was do waszej wieży — oznajmiła profesor McGonagall ponurym głosem. — Zresztą i tak muszę przemówić do uczniów.

— Od dzisiaj wszyscy uczniowie wracają do pokojów wspólnych w swoich domach przed szóstą wieczorem. Po tej godzinie nikomu nie wolno opuszczać domów. Na każdą lekcję będzie was prowadził nauczyciel. Z łazienki można korzystać tylko w obecności nauczyciela. Odwołuje się wszystkie treningi i mecze quidditcha. Nie będzie też żadnych zajęć wieczornych.

Stłoczeni w pokoju wspólnym Gryfoni wysłuchali słów profesor McGonagall w głębokiej ciszy. Zwinęła pergamin, z którego odczytywała zarządzenia, i dodała trochę zduszonym głosem:

— Chciałabym powiedzieć, że już dawno nie byłam tak przygnębiona i wstrząśnięta. Wszystko wskazuje na to, że zamkną szkołę, jeśli nie złapiemy tego, kto kryje się za tymi napaściami. Jeśli ktokolwiek z was wie coś na ten temat, to bardzo proszę, żeby mnie o tym poinformował.

I niezbyt zręcznie przeszła przez dziurę w portrecie, a pokój wspólny Gryfonów natychmiast wypełniły podniecone głosy.

— Policzmy ofiary. Mamy dwójkę Gryfonów, nie licząc ducha z Gryffindoru, jedną Krukonkę i jednego Puchona — powiedział przyjaciel bliźniaków Lee Jordan, licząc na palcach. — Czy żaden nauczyciel nie zauważył, że jakoś nic nie przytrafia się Ślizgonom? Czy nie jest oczywiste, że to wszystko wiąże się ze Slytherinem? Dziedzic Slytherina, potwór Slytherina... A może trzeba po prostu wywalić na zbity łeb wszystkich Ślizgonów? — ryknął, a wszyscy zaczęli kiwać głowami i pokrzykiwać.

Percy Weasley siedział za Jordanem, ale tym razem jakoś nie rwał się do wypowiedzenia swojej opinii. Był blady i lekko nieprzytomny.

— Percy jest w szoku — szepnął George. — Ta Krukonka... Penelopa Clearwater... jest prefektem. Do tej pory na pewno uważał, że potwór nie ośmieli się zaatakować prefekta.

Ale Harry prawie go nie słyszał. Wciąż miał przed oczami widok Hermiony leżącej na szpitalnym łóżku jak kamienny posąg i był pewien, że jeśli złoczyńca nie zostanie schwytany, czeka go dożywocie w domu Dursleyów. Tom Riddle wydał Hagrida, bo gdyby wtedy zamknięto szkołę, oddano by go z powrotem do mugolskiego sierocińca. Teraz Harry wiedział już dokładnie, co Riddle wówczas czuł.

— Co robimy? — rozległ się w jego uchu przyciszony głos Rona. — Myślisz, że podejrzewają Hagrida?

— Musimy z nim porozmawiać — odpowiedział Harry, zbierając myśli. — Nie wierzę, że to on, ale skoro wtedy wypuścił potwora, to na pewno wie, jak się dostać do Komnaty Tajemnic, a od tego musimy zacząć.

— Ale McGonagall powiedziała, że poza lekcjami nie wolno nam opuszczać wieży...

— Myślę — rzekł Harry jeszcze ciszej — że najwyższy czas, by znowu skorzystać ze starego płaszcza mojego taty.

Harry odziedziczył po ojcu tylko jedną rzecz: długą i srebrną pelerynę-niewidkę. Była to ich jedyna szansa wymknięcia się z zamku i odwiedzenia Hagrida tak, aby nikt się o tym nie dowiedział. Położyli się do łóżek o zwykłej porze, poczekali, aż Neville, Dean i Seamus przestaną rozprawiać o Komnacie Tajemnic i w końcu zasną, a wtedy wstali, ubrali się i zarzucili na siebie pelerynę.

Wędrówka przez ciemne i opustoszałe korytarze nie była przyjemna. Harry, który już nieraz włóczył się nocą po zamku, jeszcze nigdy nie widział takich tłumów po zachodzie słońca. Nauczyciele, prefekci i duchy krążyli parami po korytarzach, wypatrując czegokolwiek niezwykłego. Pod peleryną-niewidką nikt ich nie mógł zobaczyć, ale wciąż mógł usłyszeć; szczególnie niebezpieczny był moment, kiedy Ron potknął się o kilka metrów od stojącego na straży Snape'a. Na szczęście Snape kichnął prawie w tej samej chwili, kiedy Ron zaklął. Poczuli ulgę, kiedy dotarli do dębowych drzwi i otworzyli je, by wyjść z zamku.

Była jasna, gwiaździsta noc. Pobiegli ku oświetlonym oknom domku Hagrida i ściągnęli pelerynę dopiero tuż przed jego drzwiami.

Zastukali, a Hagrid natychmiast otworzył. Stał na progu z wycelowaną w nich kuszą i brytanem Kłem ujadającym głośno za jego plecami.

— Och — wysapał, opuszczając kuszę i wytrzeszczając na nich oczy. — Co wy tu robicie?

— A to na kogo? — zapytał Harry, wskazując na kuszę, kiedy Hagrid wpuścił ich do środka.

— Eee... to nic... nic... — mruknął Hagrid. — Czekałem... Nieważne... Siadajcie... zrobię herbatki...

Zachowywał się trochę nieprzytomnie. Prawie zagasił ogień, wylewając nań wodę z wiadra, a potem rozbił dzbanek do herbaty nerwowym ruchem twardej dłoni.

— Hagridzie, nic ci nie jest? — zapytał Harry. — Słyszałeś o Hermionie?

— Taaak... s-słyszałem... — odrzekł Hagrid, jąkając się lekko.

Wciąż zerkał niespokojnie w okna. Podał im po wielkim kubku wrzątku (zapomniał włożyć torebki z herbatą) i właśnie nakładał na talerz kawał placka z owocami, kiedy rozległo się głośne pukanie do drzwi.

Hagrid upuścił placek. Harry i Ron wymienili przerażone spojrzenia, narzucili na siebie pelerynę-niewidkę i schowali się w kącie. Hagrid sprawdził, czy ich nie widać, chwycił kuszę i jeszcze raz otworzył drzwi.

— Dobry wieczór, Hagridzie.

Był to Dumbledore. Wszedł ze śmiertelnie poważną miną, a za nim wkroczył ktoś jeszcze. Był to bardzo dziwny mężczyzna, niski, korpulentny, z rozczochranymi siwymi włosami i przerażonymi oczami. Ubrany był równie dziwacznie: miał na sobie garnitur w prążki, szkarłatny krawat, długi czarny płaszcz i spiczaste purpurowe buty. Pod pachą trzymał cytrynowozielony melonik.

— To jest szef taty! — szepnął zdumiony Ron. — Korneliusz Knot, minister magii!

Harry szturchnął go mocno łokciem, żeby siedział cicho.

Hagrid pobladł i oblał się potem. Opadł na jedno z krzeseł i spoglądał to na Dumbledore'a, to na Korneliusza Knota.

— Jest niedobrze, Hagridzie — powiedział Knot. — Bardzo niedobrze. Musiałem przyjść. Cztery napaści na urodzonych z mugoli. Sprawy zaszły za daleko. Ministerstwo musi coś z tym zrobić.

— Ja nigdy... — zaczął Hagrid, patrząc błagalnie na Dumbledore'a. — Pan mnie zna, panie psorze... pan wie, że ja nigdy...

— Chcę, żeby to było jasne, Korneliuszu, Hagrid cieszy się moim pełnym zaufaniem — rzekł Dumbledore, spoglądając surowo na Knota.

— Posłuchaj, Albusie, akta Hagrida świadczą przeciwko niemu. Ministerstwo musi coś zrobić... Rada nadzorcza nalega...

— Powtarzam ci jednak, Korneliuszu, że usunięcie Hagrida w niczym nie pomoże — oświadczył stanowczo

Dumbledore, a jego niebieskie oczy zapłonęły ogniem, jakiego Harry nigdy jeszcze nie widział.

— Spójrz na to z mojego punktu widzenia, Albusie — rzekł Knot, nerwowo mnąc swój melonik. — Jestem pod dużym naciskiem. Oczekuje się, że coś z tym zrobię. Jeśli się okaże, że to nie Hagrid, wróci do szkoły i po sprawie. Ale teraz muszę go zabrać. Muszę. To po prostu mój obowiązek...

— Zabrać mnie? — wybuchnął Hagrid, trzęsąc się jak osika na wietrze. — Dokąd?

— Nie na długo — powiedział Knot, nie patrząc mu w oczy. — To nie jest kara, Hagridzie, to tylko środek ostrożności. Jeśli schwytają kogoś innego, wypuścimy cię i przeprosimy...

— Ale... nie do Azkabanu? — zachrypiał Hagrid.

Zanim Knot zdążył mu odpowiedzieć, znowu rozległo się głośne pukanie do drzwi.

Dumbledore wstał, by otworzyć. Tym razem Harry dostał łokciem w żebra, bo wydał z siebie zduszony okrzyk.

Do chatki Hagrida wkroczył Lucjusz Malfoy, spowity w długi płaszcz podróżny, z zimnym i zadowolonym uśmiechem na twarzy. Kieł zaczął warczeć.

— Knot, ty już tutaj? — powiedział na powitanie. — Dobrze, bardzo dobrze...

— Czego tu chcesz? — ryknął ze złością Hagrid. — Wynocha z mojego domu!

— Mój poczciwy człowieku, wierz mi, przebywanie w twoim... ee.. jak mówisz... *domu*... nie sprawia mi najmniejszej przyjemności — powiedział Lucjusz Malfoy, rozglądając się po izbie z pogardą. — Po prostu powiedziano mi w szkole, że dyrektor jest tutaj.

— A czego właściwie ode mnie chcesz, Lucjuszu? —

zapytał Dumbledore uprzejmym tonem, ale w jego oczach wciąż płonął ogień.

— To okropne, Dumbledore — wycedził pan Malfoy, wyciągając długi zwój pergaminu — ale rada nadzorcza uznała, że najwyższy czas, aby cię zawiesić w wykonywaniu obowiązków dyrektora. Oto uchwała w tej sprawie... Znajdziesz pod nią wszystkie dwanaście podpisów. Obawiamy się, że straciłeś kontrolę nad tym, co tu się dzieje. Do ilu napaści już doszło? A dzisiaj rano dwie kolejne, prawda? Jak tak dalej pójdzie, w Hogwarcie nie zostanie ani jedna osoba mugolskiego pochodzenia, a wszyscy wiemy, jaka by to była straszna strata dla szkoły.

— Och... Lucjuszu... poczekaj... zaraz... — wyjąkał Knot, wyraźnie zaniepokojony. — Dumbledore zawieszony... nie, nie... tego by nam tylko brakowało...

— Mianowanie... odwołanie... albo zawieszenie... dyrektora szkoły należy do uprawnień rady nadzorczej, Knot — powiedział pan Malfoy spokojnie. — A ponieważ Dumbledore'owi nie udało się powstrzymać tych ataków...

— Ależ, Lucjuszu, jeśli Dumbledore nie jest w stanie ich powstrzymać — powiedział Knot, a szczęka pokryła mu się kroplami potu — to kto tego dokona?

— Nad tym się zastanowimy — odpowiedział pan Malfoy z obleśnym uśmiechem. — Skoro jednak dwanaście głosów padło za...

Hagrid zerwał się na nogi. Jego kudłata czarna czupryna zamiotła sufit.

— A ilu z nich zaszantażowałeś, albo im zagroziłeś, zanim się zgodzili, co? — ryknął.

— No, no, no... Hagridzie, wiesz, co ci powiem? Podobne zachowanie może ci w najbliższej przyszłości przysporzyć poważnych kłopotów. W każdym razie nie radziłbym ci tak wrzeszczeć na strażników Azkabanu. Im na pewno to się nie spodoba.

— Nie możecie zabrać Dumbledore'a! — krzyknął Hagrid takim głosem, że Kieł schował się do koszyka, skamląc cicho. — Jak go zabierzecie, urodzeni wśród mugoli nie będą tutaj mieli najmniejszej szansy! Dojdzie do nowych mordów!

— Uspokój się, Hagridzie — powiedział Dumbledore ostrym tonem, patrząc na Lucjusza Malfoya.

— Jeśli rada nadzorcza pragnie, bym się usunął, Lucjuszu, to oczywiście odejdę.

— Ale... — wyjąkał Knot.

— NIE! — ryknął Hagrid.

Dumbledore nie spuszczał swoich jasnych, niebieskich oczu z zimnych, szarych oczu Lucjusza Malfoya.

— Jednak przekonacie się — powiedział Dumbledore, bardzo powoli i bardzo wyraźnie, żeby dotarło do nich każde jego słowo — że naprawdę opuszczę szkołę tylko wtedy, kiedy już nikt w całym Hogwarcie nie pozostanie mi wierny. Przekonacie się również, że ci, którzy o pomoc poproszą, zawsze ją otrzymają.

— Godny podziwu sentyment — powiedział Malfoy, chyląc głowę. — Będzie nam brakować twoich... ee... wyjątkowo oryginalnych metod kierowania szkołą, Albusie, i mam tylko nadzieję, że twojemu następcy uda się zapobiec nowym... ee... mordom.

Podszedł do drzwi, otworzył je i skłonił się, wypraszając Dumbledore'a na zewnątrz. Knot, mnąc swój melonik, czekał, aż Hagrid wyjdzie przed nim, ale olbrzym nie ruszał się z miejsca. Po chwili wziął głęboki oddech i oświadczył:

— Jakby ktoś chciał znaleźć trochę tego paskudztwa, powinien iść za pająkami. One już go zaprowadzą! No i tyle.

Knot spojrzał na niego ze zdumieniem.

— Dobra, dobra, już idę — powiedział Hagrid, narzucając swoją pelerynę z krecich futerek. Kiedy był już przy drzwiach, zatrzymał się i dodał głośno:

— I ktoś musi karmić Kła, jak mnie nie będzie.

Drzwi trzasnęły i Ron ściągnął pelerynę-niewidkę.

— Teraz naprawdę wpadliśmy — powiedział ochrypłym głosem. — Nie ma Dumbledore'a. Już lepiej, gdyby zamknęli szkołę dziś wieczorem. Mówię ci, nie minie dzień bez niego, a dojdzie do kolejnej napaści.

Kieł zaczął wyć, wpatrzony w zamknięte drzwi.

ROZDZIAŁ PIĘTNASTY

Aragog

N a otaczające zamek łąki wpełzało lato: niebo i jezioro przybrało kolor kwiatów barwinka, a w cieplarniach wystrzeliły wielkie jak kapusty kwiaty. Bez Hagrida, krążącego po łąkach z Kłem przy nodze, zielona sceneria, na którą Harry patrzył z okien zamku, wydawała mu się jednak dziwnie nieprzyjemna i jakby niepełna. Nie lepiej było zresztą i wewnątrz zamku, gdzie coraz trudniej było wytrzymać.

Harry i Ron spróbowali odwiedzić Hermionę, ale teraz wszelkie odwiedziny w skrzydle szpitalnym zostały zakazane.

— Nie chcemy ryzykować — powiedziała pani Pomfrey przez szparę w szpitalnych drzwiach. — Nie, bardzo mi przykro, ale istnieje możliwość, że napastnik wróci, żeby wykończyć tych biedaków...

Po odejściu Dumbledore'a lęk ogarnął wszystkich. Gotyckie podwójne okna zamku zdawały się nie przepuszczać słońca ogrzewającego mury. Trudno było napotkać nie zasępioną twarz, a przypadkowy śmiech na korytarzu brzmiał nienaturalnie i natychmiast cichł, zduszony zalegającą wszędzie ponurością.

Harry wciąż powtarzał sobie w duchu ostatnie słowa Dumbledore'a. *Naprawdę opuszczę szkołę tylko wtedy, kiedy już nikt w całym Hogwarcie nie pozostanie mi wierny... Ci, którzy o pomoc poproszą, zawsze ją otrzymają.* Co z tego wynika? Kto ma poprosić o pomoc, skoro wszyscy są tak przerażeni i rozbici?

O wiele łatwiej było zrozumieć uwagę Hagrida o pająkach, tyle że teraz nigdzie nie było ani śladu tych pożytecznych stworzeń. Harry rozglądał się za nimi uważnie wszędzie, gdzie szedł, wspomagany (raczej niechętnie) przez Rona. Oczywiście, trudniej im było szukać, bo nie mogli chodzić po zamku samotnie, tylko w dużej grupie wszystkich Gryfonów. Większość ich kolegów wydawała się zadowolona z tego, że nauczyciele prowadzili ich od klasy do klasy, ale Harry'ego strasznie to denerwowało.

Był jednak ktoś, kto wyraźnie cieszył się z gęstej atmosfery podejrzeń i lęków. Draco Malfoy chodził po szkole dumny jak paw, jakby go właśnie mianowano naczelnym prefektem. Harry nie zdawał sobie sprawy, co go tak cieszy, aż do pewnej lekcji eliksirów, jakieś dwa tygodnie po odejściu Dumbledore'a i Hagrida, kiedy siedząc tuż za Malfoyem, podsłuchał, jak się chwali przed Crabbe'em i Goyle'em.

— Zawsze uważałem, że tylko mój ojciec może wykurzyć starego Dumbledore'a — powiedział, nie starając się nawet ściszyć głosu. — Mówiłem wam, że uważa Dumbledore'a za najgorszego dyrektora, jakiego szkoła kiedykolwiek miała. Może teraz dostaniemy wreszcie kogoś z klasą. Kogoś, kto dopilnuje, żeby nie zamknięto Komnaty Tajemnic. McGonagall też już długo nie pociągnie, zresztą tylko odwala papierkową robotę...

Obok Harry'ego przeszedł Snape, powstrzymując się od uwagi na temat pustego miejsca i kociołka Hermiony.

— Panie profesorze — powiedział głośno Malfoy. — Panie profesorze, dlaczego pan nie kandyduje na stanowisko dyrektora?

— No, no, Malfoy — odrzekł Snape, ale nie mógł powstrzymać bladego uśmiechu. — Profesor Dumbledore został jedynie zawieszony przez radę nadzorczą. Mam nadzieję, że wkrótce do nas wróci.

— Taaak, na pewno — powiedział Malfoy, chichocąc.

— Ale gdyby pan kandydował, to według mnie mógłby pan liczyć na głos mojego ojca. Powiem ojcu, że pan jest najlepszym nauczycielem, panie profesorze...

Snape również zachichotał, krążąc po lochu. Na szczęście nie zauważył Seamusa Finnigana, który udawał, że wymiotuje do kociołka.

— Dziwię się, że szlamy nie spakowały już swoich kufrów — ciągnął Malfoy. — Założę się o pięć galeonów, że wkrótce ktoś wykorkuje. Szkoda, że nie Granger...

Rozległ się dzwonek, co było szczęśliwym zbiegiem okoliczności, bo po ostatnich słowach Malfoya Ron zerwał się z taboretu, więc w ogólnym rozgardiaszu jego próba rzucenia się na Malfoya została niezauważona.

— Puśćcie mnie, muszę mu dołożyć — warczał, kiedy Harry i Dean uwiesili się na jego ramionach. — Mam wszystko gdzieś, nie potrzebuję różdżki, zabiję go gołymi rękami...

— Pospieszcie się, zaraz was zaprowadzę na zielarstwo! — pokrzykiwał Snape nad głowami uczniów.

Wyszli długim rzędem (Ron nazywał ten szyk „krokodylim"), z Harrym, Ronem i Deanem w ogonie. Ron wciąż usiłował się wyrwać z ich uścisków. Puścili go dopiero wtedy, gdy Snape wyprowadził ich z zamku i szli ścieżką wiodącą między grządkami warzyw w kierunku cieplarni.

Na zielarstwie wydarzenia ostatnich miesięcy najbardziej dawały o sobie znać: brakowało Justyna i Hermiony.

Profesor Sprout kazała im przycinać abisyńskie figi. W pewnym momencie Harry podszedł z naręczem łodyg do kupy kompostu i spotkał przy niej Erniego Macmillana. Ernie wziął głęboki oddech i powiedział bardzo formalnym tonem:

— Chcę ci tylko powiedzieć, Harry, że bardzo mi przykro, że podejrzewałem ciebie. Wiem, że nigdy byś nie napadł na Hermionę Granger i przepraszam za wszystkie świństwa, jakie o tobie powiedziałem. Jedziemy teraz na jednym wózku, więc...

Wyciągnął pulchną dłoń, a Harry ją uścisnął.

Ernie i jego przyjaciółka Hanna znaleźli się przy tej samej fidze, co Harry i Ron.

— Ten Draco Malfoy to niezłe ziółko — powiedział Ernie, odłamując martwe gałązki. — Zdaje się, że to wszystko bardzo go rajcuje, prawda? Wiecie co, według mnie to on jest dziedzicem Slytherina.

— Ale z ciebie mądrala — mruknął Ron, który nie zaakceptował Erniego tak szybko, jak Harry.

— A ty, Harry, myślisz, że to może być on? — zapytał Ernie.

— Nie — odpowiedział Harry tak stanowczo, że Ernie i Hanna wlepili w niego oczy.

Chwilę później Harry zobaczył coś, co sprawiło, że uderzył Rona sekatorem w rękę.

— Auuu! Co ty...

Harry wskazał na ziemię, kilka stóp od nich. Maszerowało po niej kilkanaście wielkich pająków.

— Ach, taaak — powiedział Ron, daremnie starając się zrobić ucieszoną minę. — Ale teraz nie możemy za nimi iść...

Ernie i Hanna słuchali tego z najwyższym zainteresowaniem.

Harry patrzył, jak pająki odalają się coraz bardziej.

— Wygląda na to, że zmierzają do Zakazanego Lasu...

Ron zrobił jeszcze bardziej nieszczęśliwą minę.

Po zielarstwie profesor Snape odprowadził ich na obronę przed czarną magią. Harry i Ron zostali w tyle, żeby spokojnie porozmawiać.

— Będziemy musieli znowu użyć peleryny-niewidki — powiedział Harry. — Możemy zabrać ze sobą Kła. Zawsze chodził po lesie z Hagridem, może okazać się pomocny.

— Dobra — odpowiedział Ron, wyczyniając jakieś dziwne rzeczy ze swoją różdżką. A kiedy zajęli swoje zwykłe miejsca w klasie Lockharta, dodał: — Ee... czy tam... no... czy w tym lesie nie ma wilkołaków?

Harry wolał pominąć to pytanie, więc powiedział:

— Niektóre leśne stworzenia są zupełnie w porządku. Na przykład centaury... jednorożce...

Ron jeszcze nigdy nie był w Zakazanym Lesie. Harry był tam tylko raz i wówczas miał głęboką nadzieję, że już nigdy do niego nie wróci.

Wkroczył Lockhart i wszystkie oczy zwróciły się na niego. Wszyscy inni nauczyciele mieli miny bardziej ponure niż zwykle, ale on wydawał się nie tracić pogody ducha.

— No, co jest, młodzieży? — zawołał, szczerząc zęby. — Co to za ponure miny?

Uczniowie spojrzeli po sobie ze złością, ale milczeli.

— Co, jeszcze do was nie dotarło — powiedział bardzo powoli, jakby miał do czynienia z gromadą półgłówków —

że niebezpieczeństwo już minęło? Głównego winowajcy już tu nie ma!

— To znaczy kogo? — zapytał głośno Dean Thomas.

— Drogi młodzieńcze, minister magii nie zabrałby stąd Hagrida, gdyby nie był na sto procent pewny, że to on — odpowiedział Lockhart takim tonem, jakby wyjaśniał Deanowi, że jeden plus jeden to dwa.

— Wcale nie był pewny — powiedział Ron, jeszcze głośniej niż Dean.

— Pochlebiam sobie, że wiem troszkę więcej o aresztowaniu Hagrida niż pan, panie Weasley — rzekł Lockhart, wyraźnie zachwycony sobą.

Ron już zaczynał odpowiadać, że jest akurat odwrotnie, ale urwał, kiedy Harry kopnął go z całej siły pod ławką.

— Nie było nas tam, zapomniałeś? — warknął półgębkiem Harry.

Ale obrzydliwa wesołkowatość Lockharta, jego aluzje, że od dawna wiedział, kto jest winowajcą, jego zarozumiała pewność, że wszystko się skończyło, rozwścieczyła Harry'ego tak, że sam powstrzymał się z trudem, by nie cisnąć *Włóczęg z ghulami* prosto w jego głupkowatą twarz. Zadowolił się wyskrobaniem krótkiej notki do Rona: „Zrobimy to dzisiaj wieczorem".

Ron przeczytał, przełknął ślinę i zerknął na puste miejsce, zwykle zajęte przez Hermionę. Ten widok musiał dodać mu odwagi, bo skinął głową.

W tych dniach pokój wspólny Gryfonów był zawsze pełny, bo po szóstej nie wolno im było opuszczać wieży i nie mieli co ze sobą zrobić. Było zresztą tyle spraw do omówienia, że w pokoju wspólnym robiło się pusto dopiero po północy.

Zaraz po kolacji Harry wyjął z kufra pelerynę-niewidkę i spędził cały wieczór, siedząc na niej i czekając, aż wszyscy pójdą spać. Fred i George wyzwali Harry'ego i Rona na kilka partii Eksplodującego Durnia, a Ginny przyglądała się grze, siedząc w fotelu zwykle zajmowanym przez Hermionę. Harry i Ron specjalnie przegrywali, starając się jak najszybciej skończyć grę, ale i tak minęła już północ, kiedy Fred i George w końcu poszli spać.

Harry i Ron nasłuchiwali, aż po raz ostatni trzasną drzwi obu dormitoriów, a wówczas chwycili pelerynę, narzucili ją na siebie i przeleźli przez dziurę w portrecie.

Czekała ich kolejna trudna wędrówka po zamku i omijanie wszystkich stojących na straży profesorów. W końcu dotarli do sali wejściowej, odsunęli zasuwę na drzwiach frontowych i prześliznęli się przez nie, starając się nie robić najmniejszego hałasu. Odetchnęli dopiero na zalanych światłem księżyca błoniach.

— Oczywiście trzeba przyjąć i taką możliwość — powiedział nagle Ron, kiedy szli przez czarną trawę — że w lesie nie znajdziemy żadnych śladów. Te pająki mogły tam wcale nie dojść. Wiem, że wyglądały, jakby szły w tamtym kierunku, ale...

Zawiesił głos, jakby miał wielką nadzieję, że w rzeczywistości wcale tam nie polazły.

Doszli do chatki Hagrida, sprawiającej bardzo smutne wrażenie z nieoświetlonymi oknami. Kiedy Harry otworzył drzwi, Kieł zwariował z radości na ich widok. Obawiając się, że obudzi cały zamek swoim głuchym, donośnym ujadaniem, nakarmili go pospiesznie krajanką z melasy, która skleiła mu szczęki.

Harry zostawił pelerynę-niewidkę na stole Hagrida. I tak nie będzie im potrzebna w ciemnym lesie.

— No, Kieł, idziemy na spacer — powiedział, klepiąc się po udzie, a rozradowany brytan wyskoczył za nimi z chatki, pomknął na skraj lasu i uniósł tylną nogę przy pniu wielkiej sykomory.

Harry wyjął różdżkę, mruknął: *Lumos!* i na jej końcu zapłonęło światełko, w sam raz, by widzieli ścieżkę, wypatrując na niej śladów pająków.

— Dobry pomysł — powiedział Ron. — Zapaliłbym i swoją, ale sam wiesz... mogłaby wybuchnąć albo coś w tym rodzaju...

Harry trącił Rona w ramię, wskazując na trawę. Dwa samotne pająki uciekały przed światłem w cień drzew.

— W porządku — westchnął Ron, godząc się z losem. — Jestem gotowy. Idziemy.

Tak więc weszli do lasu, a Kieł biegał wokół nich, obwąchując korzenie drzew i zeschłe liście. W świetle różdżki Harry'ego widzieli sznurek pająków posuwających się po ścieżce. Szli za nimi przez blisko dwadzieścia minut, nasłuchując w milczeniu jakichkolwiek innych odgłosów poza trzaskiem łamanych gałązek i szelestem liści. A potem, kiedy drzewa zgęstniały tak, że nad głowami nie było już widać gwiazd, a różdżka Harry'ego rzucała krąg bladego światła w oceanie ciemności, zobaczyli, że pająki schodzą ze ścieżki.

Harry zatrzymał się, żeby zobaczyć, dokąd pająki zmierzają, ale poza kręgiem światła roztaczała się nieprzenikniona ciemność. Poprzednim razem nie zawędrował tak daleko. Pamiętał, że Hagrid go ostrzegał, żeby nigdy nie zbaczał ze ścieżki. Ale teraz Hagrid był setki, a może tysiące mil stąd, najprawdopodobniej w jednej z cel Azkabanu, a przed odejściem wyraźnie im powiedział, żeby poszli za pająkami.

Coś mokrego dotknęło jego dłoni, i odskoczył, miażdżąc Ronowi stopę, ale był to tylko nos Kła.

— Co robimy? — zapytał szeptem Rona, widząc tylko jego oczy, w których odbijało się światełko różdżki.

— Zaszliśmy tak daleko... — odpowiedział Ron.

Weszli więc między drzewa za szybko poruszającymi się cieniami pająków. Teraz musieli zwolnić kroku, bo drogę zagradzały im korzenie drzew i spróchniałe pniaki, ledwo widoczne w ciemności. Harry czuł oddech Kła na swojej dłoni. Co jakiś czas przystawali, a Harry pochylał się, by odnaleźć pająki w bladym świetle różdżki.

Przedzierali się tak przez las z pół godziny, strzępiąc szaty na nisko zwieszających się gałęziach i sękach. Po chwili poczuli, że teren opada, choć drzewa nadal rosły tak samo gęsto jak uprzednio.

Nagle Kieł zaszczekał głośno, tak że podskoczyli ze strachu, a szczekanie odbiło się dalekim echem.

— Co jest? — wydyszał Ron, rozglądając się nerwowo i ściskając Harry'ego za łokieć.

— Tam się coś rusza — odpowiedział Harry zduszonym szeptem. — Posłuchaj... Chyba coś dużego.

Nasłuchiwali. Gdzieś na prawo coś wielkiego łamało gałęzie, przedzierając się przez las.

— O nieee — jęknął Ron. — O nie, nie, nie...

— Zamknij się — warknął Harry. — Usłyszy cię.

— Usłyszy *mnie*? — zapytał Ron nienaturalnie wysokim głosem. — Już usłyszało. Cicho, Kieł!

Ciemność zdawała się wciskać im gałki oczu do wnętrza czaszek, kiedy tak stali, zmartwiali z przerażenia. Coś dziwnie zadudniło i zrobiło się cicho.

— Jak myślisz, co ono teraz robi? — zapytał Harry.

— Myślę, że przygotowuje się do skoku — odpowiedział Ron.

Nasłuchiwali, nie śmiejąc się poruszyć.

— M-myślisz, że sobie poszło? — szepnął Harry.

— Nie wiem...

A potem z prawej strony buchnęło białe światło, tak przeraźliwie jaskrawe w tej ciemności, że obaj zasłonili oczy rękami. Kieł zaskomlał i rzucił się do ucieczki, ale uwiązł w jakimś kolczastym krzaku i skomlał jeszcze głośniej.

— Harry! — krzyknął Ron, a głos załamał mu się nagłą ulgą. — Harry, to nasz samochód!

— Co?

— Chodź!

Harry poszedł za nim ku światłu, potykając się i przewracając, i w chwilę później wyszli z lasu na polanę.

Auto pana Weasleya stało pośrodku polanki, tak małej, że gęste gałęzie drzew tworzyły nad nim dach. Reflektory tryskały światłem, a w środku nie było nikogo, lecz nagle auto ruszyło samo ku Ronowi, jak wielki, turkusowy pies witający swojego pana.

— Było tutaj przez cały czas! — zawołał uradowany Ron, obchodząc samochód. — Popatrz. Zupełnie zdziczało w tym lesie...

Skrzydła bagażnika były podrapane i umazane błotem: najwidoczniej samochód sam próbował wydostać się z puszczy. Kieł nie był zachwycony nowym towarzystwem, trzymał się tuż przy Harrym, który czuł, jak pies drży ze strachu. Harry powoli odzyskał oddech i schował różdżkę do kieszeni szaty.

— A myśmy się bali, że się na nas rzuci! — zawołał Ron, pochylając się nad maską i klepiąc ją pieszczotliwie.

— Nieraz sobie myślałem, co z nim się stało!

Harry rozglądał się po jasno oświetlonej ziemi w poszukiwaniu pająków, ale wszystkie pouciekały przed blaskiem reflektorów.

— Straciliśmy ślad — powiedział. — Chodź, musimy je odnaleźć.

Ron milczał. Nie poruszał się. Oczy miał utkwione w jakiś punkt znajdujący się z dziesięć stóp nad ziemią, tuż za Harrym. Na jego twarzy zastygł wyraz przerażenia. Harry nie zdążył nawet się obrócić. Rozległ się dziwny klekot i nagle poczuł, że coś długiego i włochatego chwyta go za pas i unosi, tak że zawisł głową w dół. Zaczął się wyrywać i wierzgać, ogarnięty śmiertelnym strachem, znowu usłyszał złowieszcze klikanie i zobaczył, jak nogi Rona również odrywają się od ziemi. W następnej chwili coś pociągnęło go w ciemność między drzewami. Kieł zaskomlał i zaszczekał rozpaczliwie.

Wisząc głową w dół, Harry spostrzegł, że to, co go wlokło w mroczny gąszcz, posuwało się na sześciu niezwykle długich, włochatych nogach, z których dwie przednie trzymały go mocno pod parą lśniących czarnych szczypców. Za sobą słyszał przedzierające się przez krzaki podobne stworzenie, niewątpliwie taszczące Rona. Potwory kierowały się ku samemu sercu lasu. Harry słyszał Kła, który usiłował się uwolnić z uścisku trzeciego potwora, warcząc i skamląc, ale sam nie był w stanie nawet pisnąć, bo wszystko wskazywało, że głos zostawił przy samochodzie na polance.

Nie miał pojęcia, jak długo znajdował się w uścisku włochatych odnóży. Wiedział tylko, że nagle ciemność nieco zbladła i że zasłane zeschłymi liśćmi podłoże lasu roi się od pająków. Wyciągając szyję to tu, to tam, zobaczył, że są na skraju olbrzymiej zapadliny wolnej od drzew. Wkrótce gwiazdy oświetliły najstraszniejszą scenę, jaką kiedykolwiek widział w życiu.

Pająki. Nie małe pajączki, jak te, które mrowiły się po liściach. Pająki wielkości koni pociągowych, z ośmioma ślepiami, ośmioma nogami, czarne, włochate, gigantyczne. Ten, który go niósł, wlazł do jaru i pomknął w dół zbocza, ku połyskującej mglisto tulei utkanej z pajęczyny. Zewsząd zbiegały się inne potwory, klekocąc szczypcami na widok jego zdobyczy.

Pająk puścił go i Harry wylądował na czworakach. Ron i Kieł upadli koło niego. Kieł już nie skamlał, skulił się tam, gdzie upadł. Ron wyglądał dokładnie tak, jak Harry się czuł. Usta miał otwarte, jakby krzyczał, a oczy wyłaziły mu z orbit.

Harry zdał sobie nagle sprawę, że pająk, który go tu przyniósł, coś mówi. Trudno go było zrozumieć, bo po każdym słowie klekotał szczypcami.

— Aragog! — zawołał. — Aragog!

Z tulejowatej mglistej sieci wyłonił się powoli pająk wielkości młodego słonia. Włosy na tułowiu i nogach przyprószone miał siwizną, a oczy mlecznobiałe. Był ślepy.

— Co to jest? — zapytał, klikając szybko szczypcami.

— Ludzie — odklekotał pająk, który przywlókł Harry'ego.

— Czy to Hagrid? — zapytał Aragog, zbliżając się i przewracając mlecznymi oczami.

— Obcy — odklikał pająk, który przyniósł Rona.

— Zabijcie ich — powiedział Aragog, wyraźnie rozdrażniony. — Spałem...

— Jesteśmy przyjaciółmi Hagrida! — krzyknął Harry. Serce uwięzło mu w gardle i tłukło się tam, jakby chciało odzyskać wolność.

Klik, klik, klik, zaklekotały szczypce pająków zgromadzonych na dnie dziury.

— Hagrid nigdy nie przysyłał nam tu ludzi — powiedział wolno Aragog.

— Hagrid ma kłopoty — rzekł Harry, z trudem łapiąc oddech. — Właśnie dlatego przyszliśmy.

— Kłopoty? — powtórzył sędziwy pająk i Harry dosłyszał troskę w klekocie jego szczypców. — Ale dlaczego przysłał was?

Harry pomyślał, że dobrze byłoby wstać, ale uznał, że lepiej nie próbować, bo nogi mogą odmówić mu posłuszeństwa. Przemówił więc z ziemi, tak spokojnie, jak potrafił:

— Tam, w szkole, myślą, że Hagrid wypuścił... e... e... coś na uczniów. Zabrali go do Azkabanu.

Aragog zaklikał wściekle szczypcami, co podchwyciły wszystkie pająki zgromadzone na dnie jamy; zabrzmiało to jak aplauz, tyle że aplauz zwykle nie sprawiał, że Harry'emu robiło się niedobrze ze strachu.

— Ale to było przed wieloma laty — powiedział Aragog. — Wiele lat temu. Dobrze to pamiętam. Dlatego wyrzucili go ze szkoły. Myśleli, że to ja jestem potworem mieszkającym w lochu, który nazywają Komnatą Tajemnic. Myśleli, że Hagrid otworzył Komnatę i uwolnił mnie.

— A ty... ty nie wyszedłeś z Komnaty Tajemnic? — zapytał Harry, który czuł, jak pot ścieka mu powoli po czole.

— Ja?! — zaklikał ze złością Aragog. — Ja nie urodziłem się w zamku. Pochodzę z dalekiego kraju. Pewien podróżnik dał mnie Hagridowi, kiedy byłem jajkiem. Hagrid był wtedy jeszcze chłopcem, ale dbał o mnie, ukrył mnie w komórce w zamku, żywił resztkami ze stołu. Hagrid to mój dobry przyjaciel, to dobry człowiek. Kiedy dowiedziano się o moim istnieniu i oskarżono o zabicie tej dziewczynki, Hagrid mnie ocalił. Odtąd zamieszkałem tutaj, w lesie, a Hagrid wciąż mnie odwiedza. Znalazł mi nawet żonę, Mosag, i sam widzisz, jak rozrosła się nasza rodzina... Dzięki dobroci Hagrida...

Harry zebrał w sobie resztki odwagi.

— Więc nigdy... nigdy nikogo nie zaatakowałeś?

— Nigdy. Byłoby to zgodne z moim instynktem, ale z szacunku do Hagrida nigdy nie zrobiłem krzywdy człowiekowi. Ciało tej dziewczynki znaleziono w łazience, a ja nigdy nie opuściłem komórki, w której wyrosłem. My, pająki, lubimy ciemność i spokój...

— Ale... Wiesz, kto zabił tę dziewczynkę? — zapytał Harry. — Bo cokolwiek to było, wróciło i znowu napada na ludzi...

Jego słowa utonęły w złowrogim klekocie mnóstwa nóg. Otoczyły go podniecone czarne kształty.

— To jest coś, co mieszka w zamku — rzekł Aragog. — Prastara istota, której my, pająki, boimy się najbardziej. Dobrze pamiętam, jak błagałem Hagrida, żeby pozwolił mi odejść, kiedy wyczułem obecność tej bestii w szkole.

— Co to jest?

Znowu rozległo się podniecone klekotanie i chrzęst chitynowych odnóży; pająki zbliżały się do Harry'ego coraz bardziej.

— My o tym nie mówimy! — krzyknął Aragog. — Nie nazywamy tego! Nawet Hagridowi nigdy nie wyjawiłem imienia tej strasznej istoty, choć prosił mnie o to wiele razy.

Harry nie chciał przeciągać struny, zwłaszcza wobec tłumu pająków otaczających go ze wszystkich stron. Aragog sprawiał wrażenie, jakby go zmęczyła ta rozmowa. Wycofywał się powoli w głąb sieci, natomiast jego krewniacy wciąż przysuwali się do Harry'ego i Rona.

— No to my już sobie pójdziemy! — zawołał Harry rozpaczliwie do Aragoga, słysząc za sobą szelest liści.

— Pójdziemy? — powtórzył powoli Aragog. — Nie sądzę...

— Ale... ale...

— Moi synowie i moje córki nigdy nie skrzywdzą Hagrida, bo taka jest moja wola. Nie mogę jednak zakazać im świeżego mięsa, kiedy samo włazi do naszej nory. Żegnajcie, przyjaciele Hagrida!

Harry odwrócił się gwałtownie. Tuż przed nim piętrzyła się zwarta ściana pająków, klekocących zawzięcie i błyskających ślepiami osadzonymi w obrzydliwych czarnych głowach...

Harry sięgnął po różdżkę, ale wiedział już, że to ich nie uratuje. Pająków było za dużo. Postanowił jednak powstać i umrzeć, walcząc. A kiedy to uczynił, rozległ się głośny warkot i jaskrawe światło omiotło skraj jamy.

Samochód pana Weasleya zjeżdżał na dno zapadliny, rycząc, dudniąc, wyjąc klaksonem i błyskając reflektorami, a przede wszystkim roztrącając pająki jak suche krzaki. Niektóre przewróciły się na grzbiety i leżały, wymachując długimi nogami w powietrzu. Samochód zatrzymał się przed Harrym i Ronem. Drzwi otworzyły się z rozmachem.

— Bierz Kła! — ryknął Harry, dając nurka na przednie siedzenie.

Ron złapał brytana wpół i wrzucił go, skamlącego, na tylne siedzenie. Drzwi zatrzasnęły się. Ron nawet nie dotknął pedału gazu, bo samochód wcale tego nie potrzebował: silnik zaryczał i ruszyli pod górę, roztrącając jeszcze więcej pająków. Wyjechali z zapadliny i wkrótce zaczęli się przedzierać przez gęsty las. Gałęzie łomotały w szyby, koła podskakiwały na korzeniach, kiedy samochód sprytnie omijał najgorsze wyrwy i najgrubsze pnie, posuwając się po szlaku, który najwidoczniej znał.

Harry zerknął z boku na Rona. Ron miał wciąż otwarte usta, ale oczy nie wyłaziły mu już orbit.

— Nic ci nie jest?

Ron wpatrywał się przed siebie, nie mogąc wykrztusić słowa.

Auto przedzierało się dzielnie przez poszycie, miażdżąc gałązki z głośnym trzaskiem, Kieł wył na tylnym siedzeniu, a Harry zobaczył, jak odpada boczne lusterko, kiedy o centymetry minęli gruby pień dębu. Po kilkunastu minutach hałaśliwej jazdy po dzikich wertepach i chaszczach las przerzedził się i znowu pojawiły się gwiazdy.

Samochód zatrzymał się tak raptownie, że mało brakowało, a wylecieliby przez przednią szybę. Znajdowali się na skraju lasu. Kieł rzucił się na okno, pragnąc za wszelką cenę uwolnić się z tego straszliwego pudła, a kiedy Harry otworzył drzwi, wyskoczył i z podkulonym ogonem pomknął prosto do chatki Hagrida. Harry również wysiadł, a po minucie albo dwóch Ron też odzyskał czucie w nogach i wytoczył się na zewnątrz. Harry poklepał pieszczotliwie karoserię, a auto cofnęło się do lasu i zniknęło im z oczu.

Harry wrócił do chatki Hagrida po pelerynę-niewidkę. Kieł wlazł do swojego koszyka i schował się pod koc, wciąż dygocąc ze strachu. Kiedy Harry wyszedł, znalazł Rona nękanego gwałtownymi mdłościami na grządce dyni.

— Idźcie za pająkami — wybełkotał Ron, ocierając usta rękawem. — Nigdy tego Hagridowi nie przebaczę. Mamy szczęście, że jeszcze żyjemy.

— Na pewno myślał, że Aragog nie zrobi krzywdy jego przyjaciołom — powiedział Harry.

— I to jest właśnie problem z tym Hagridem! — krzyknął Ron, bębniąc pięściami w ścianę chatki. — Zawsze mu się wydaje, że potwory nie są tak złe, jak wyglądają! I dokąd go to zaprowadziło? Do celi w Azkabanie! —

Teraz dygotał już na całym ciele. — I po co nas wysłał do tego lasu? Czego się tam dowiedzieliśmy?

— Że Hagrid nigdy nie otworzył Komnaty Tajemnic — powiedział Harry, zarzucając pelerynę na Rona i ciągnąc go za rękę. — Jest niewinny.

Ron prychnął głośno. Trzymanie Aragoga w komórce najwyraźniej nie mieściło się w jego rozumieniu niewinności.

Zbliżali się do zamku i Harry obciągnął pelerynę, żeby nie wystawały im spod niej stopy, a potem pchnął skrzypiące dębowe drzwi. Przeszli ostrożnie przez salę wejściową i wspięli się po marmurowych schodach, wstrzymując oddech, kiedy mijali korytarze, po których spacerowali czuwający w nocy wartownicy. W końcu znaleźli się w bezpiecznym pokoju wspólnym Gryffindoru, gdzie na kominku wciąż żarzył się ogień. Zdjęli pelerynę i krętymi schodami wspięli się do swojego dormitorium.

Ron padł na łóżko, nawet się nie rozbierając. Harry nie był jednak śpiący. Usiadł na skraju łóżka, rozmyślając nad tym, co powiedział mu Aragog.

W zamku nadal ukrywa się gdzieś potwór... potwór straszliwy jak sam Voldemort, skoro inne potwory nie chciały nawet wymówić jego imienia. Po tych wszystkich okropnych przygodach on i Ron nie zbliżyli się wcale do odkrycia, co to za potwór, gdzie mieszka i w jaki sposób petryfikuje swoje ofiary. Nawet Hagrid nigdy się nie dowiedział, kto mieszka w Komnacie Tajemnic.

Harry wyciągnął się na łóżku i oparł na poduszkach, obserwując księżyc, patrzący na niego przez wąskie okno wieży.

Nie miał pojęcia, co jeszcze mogą zrobić. Po raz kolejny znaleźli się w ślepym zaułku. Riddle schwytał niewłaściwą osobę, dziedzic Slytherina przyczaił się i nikt nie wiedział, czy to on, czy ktoś inny otworzył Komnatę tym razem. Nie było już kogo zapytać. Harry leżał, wciąż rozmyślając nad tym, co powiedział mu Aragog.

Ogarniała go już senność, kiedy nagle zaświtało mu w głowie coś, co wydało mu się ich ostatnią nadzieją. Usiadł gwałtownie na łóżku.

— Ron — syknął w ciemności. — Ron!

Ron zaskomlał zupełnie jak Kieł, otworzył oczy, rozejrzał się nieprzytomnie i zobaczył Harry'ego.

— Ron... ta dziewczyna, która zginęła. Aragog powiedział, że znaleziono ją w łazience — szeptał gorączkowo, nie zważając na niecierpliwe posapywanie Neville'a w kącie sypialni. — A jeśli ona nigdy nie opuściła łazienki? Może nadal tam jest?

Ron przetarł oczy, marszcząc czoło w świetle księżyca. I nagle do niego dotarło.

— Chyba nie myślisz, że... że to Jęcząca Marta?

ROZDZIAŁ SZESNASTY

Komnata Tajemnic

Tyle razy byliśmy w tej łazience, a ona siedziała zaledwie trzy kabiny dalej — powiedział z żalem Ron przy śniadaniu następnego dnia — i mogliśmy ją zapytać, a teraz...

I tak już było ciężko wymknąć się z zamku w pogoni za pająkami. Wymknięcie się spod opieki nauczycieli na tak długo, by wśliznąć się do łazienki, łazienki *dla dziewczyn*, w dodatku położonej tuż przy miejscu pierwszej napaści, wydawało im się prawie niemożliwe.

Podczas pierwszej lekcji, a była to transmutacja, wydarzyło się jednak coś, co kazało im zapomnieć o Komnacie Tajemnic po raz pierwszy od wielu tygodni. Po dziesięciu minutach lekcji profesor McGonagall oznajmiła im, że egzaminy rozpoczną się pierwszego czerwca — dokładnie za tydzień.

— Egzaminy? — jęknął Seamus Finnigan. — To jednak mamy mieć egzaminy?

Za Harrym coś okropnie huknęło. To różdżka Neville'a Longbottoma ześliznęła się z ławki, niszcząc jedną z jej nóg.

Profesor McGonagall odtworzyła ją jednym machnięciem swojej różdżki i zwróciła się do Seamusa, marszcząc czoło.

— Jeśli szkoła nie została dotąd zamknięta, to tylko z troski o waszą edukację — powiedziała surowym tonem.

— Dlatego egzaminy odbędą się tak jak zawsze i mam nadzieję, że wszyscy pilnie się do nich przygotowujecie.

Pilnie się przygotowujecie! Harry'emu nigdy nie przyszło do głowy, że w tym stanie rzeczy mogą się odbyć jakieś egzaminy. Rozległo się buntownicze szemranie, co wprawiło profesor McGonagall w jeszcze gorszy humor.

— Instrukcje profesora Dumbledore'a były jasne. Mamy się starać, żeby wszystko toczyło się normalnym trybem. I muszę wam wyraźnie przypomnieć, że oznacza to, między innymi, konieczność sprawdzenia, czego się nauczyliście w tym roku.

Harry spojrzał smętnie na parę białych królików, które miał zamienić w bambosze. Czego się nauczył w tym roku? Może i coś umiał, ale jakoś nie potrafił sobie przypomnieć niczego, co przydałoby mu się podczas egzaminów.

Ron wyglądał, jakby mu przed chwilą powiedziano, że od jutra ma zamieszkać w Zakazanym Lesie.

— Potrafisz sobie mnie wyobrazić, jak zdaję egzamin z *tym*? — zapytał Harry'ego, podnosząc swoją różdżkę, która zaczęła głośno gwizdać.

Trzy dni przed pierwszym egzaminem profesor McGonagall zabrała ponownie głos podczas śniadania.

— Mam dobrą wiadomość — oznajmiła, a Wielka Sala, zamiast ucichnąć, wybuchła podnieconymi okrzykami.

— Dumbledore wraca! — ryknęło kilkanaście uradowanych głosów.

— Dziedzic Slytherina schwytany! — pisnęła jedna z dziewczyn siedząca przy stole Krukonów.

— Mecze quidditcha przywrócone! — wrzasnął Wood.

Profesor McGonagall odczekała, aż wrzawa nieco ucichnie i powiedziała:

— Profesor Sprout poinformowała mnie, że mandragory są wreszcie gotowe do wycięcia. Dziś wieczorem ożywimy te osoby, które zostały spetryfikowane. A pragnę wam przypomnieć, że jedna z nich może nam powiedzieć, kto albo co kryje się za tymi atakami. Mam nadzieję, że ten okropny rok zakończy się schwytaniem złoczyńcy.

Rozległy się głośne wiwaty i oklaski. Harry spojrzał na stół Ślizgonów i nie zdziwił się, widząc, że Draco Malfoy nie cieszy się razem z innymi. Za to Ron wyraźnie poweselał.

— A więc nieważne, że nie zapytaliśmy Marty! — powiedział do Harry'ego. — Hermiona na pewno odpowie na wszystkie pytania, kiedy ją obudzą! Zwariuje, jak się dowie, że za trzy dni mamy egzaminy. Nic nie powtarzała. Może lepiej byłoby ją pozostawić w tym stanie do końca egzaminów?

W tym momencie pojawiła się Ginny Weasley i usiadła obok Rona. Wyglądała na bardzo poruszoną, a Harry zauważył, że wykręca sobie ręce złożone na podołku.

— Co jest? — zapytał Ron, nabierając nową porcję owsianki.

Ginny nie odpowiedziała, ale popatrzyła po stole Gryfonów z tak żałosną miną, że kogoś Harry'emu przypomniała, choć nie wiedział, kogo.

— Wyrzuć to z siebie — powiedział Ron, przyglądając się jej uważnie.

Harry nagle uświadomił sobie, kogo mu Ginny przypomina. Ginny kołysała się lekko do tyłu i do przodu zupełnie jak Zgredek, kiedy miał ujawnić jakąś zakazaną informację.

— Muszę wam coś powiedzieć — wybąkała Ginny, starając się nie patrzyć na Harry'ego.

— A co takiego? — zapytał Harry.

Ginny wyglądała, jakby jej zabrakło odpowiednich słów.

— No co? — zapytał Ron.

Ginny otworzyła usta, ale nie padło z nich ani jedno słowo. Harry nachylił się do niej i powiedział tak cicho, że tylko Ginny i Ron mogli go usłyszeć:

— Czy to ma coś wspólnego z Komnatą Tajemnic? Widziałaś coś? Coś, co się dziwnie zachowywało?

Ginny wzięła głęboki oddech, lecz w tym momencie pojawił się Percy Weasley, sprawiający wrażenie, jakby miał za chwilę paść ze zmęczenia.

— Jeśli już skończyłaś, to zajmę twoje miejsce, Ginny. Umieram z głodu, dopiero co skończyłem służbę patrolową.

Ginny podskoczyła, jakby jej krzesło zostało podłączone do prądu o wysokim napięciu, obrzuciła Percy'ego przerażonym wzrokiem i uciekła. Percy usiadł i przysunął sobie wielki dzbanek.

— Percy! — powiedział ze złością Ron. — Właśnie miała nam powiedzieć coś ważnego!

Percy zakrztusił się herbatą.

— A co? — zapytał, kaszląc.

— Właśnie zadałem jej pytanie, czy nie widziała czegoś dziwnego, a ona zaczęła...

— Och... to... to nie ma nic wspólnego z Komnatą Tajemnic — przerwał mu szybko Percy.

— A ty skąd wiesz, o co ją zapytaliśmy? — zdziwił się Ron, unosząc brwi.

— No... ee... jeśli już chcecie wiedzieć, to Ginny... ee...

wpadła na mnie tamtego dnia, kiedy... no... zresztą nieważne... chodzi o to, że zobaczyła, że coś robię i... no wiecie... poprosiłem ją, żeby o tym nikomu nie mówiła. Myślałem, że dotrzyma słowa. To nic ważnego, naprawdę, ja tylko... Harry jeszcze nigdy nie widział Percy'ego w takim stanie.

— A co ty robiłeś, Percy? — zapytał Ron, szczerząc zęby. — No powiedz, nie będziemy się z ciebie śmiali.

Percy nie był jednak skłonny ani do żartów, ani do zwierzeń.

— Podaj mi te naleśniki, Harry, konam z głodu.

Harry wiedział, że cała tajemnica może się rozwiązać już jutro bez ich udziału, ale nie potrafiłby zrezygnować z możliwości porozmawiania z Jęczącą Martą, gdyby tylko się pojawiła — i ku jego radości taka możliwość rzeczywiście się nadarzyła przed południem, kiedy Gilderoy Lockhart prowadził ich na historię magii.

Lockhart, który tak często ich zapewniał, że wszystkie zagrożenia już minęły, teraz, kiedy już niedługo miało się okazać, kto ma rację, był najwyraźniej całkowicie przekonany, że prowadzenie ich na lekcje przez profesorów jest bezsensowne. Był lekko rozczochrany, bo przez większość nocy patrolował czwarte piętro.

— Zapamiętajcie moje słowa — powiedział, wyprowadzając ich zza węgła. — Pierwsze słowa, które wyjdą z ust tych spetryfikowanych nieszczęśników, będą brzmiały: *To był Hagrid*. Szczerze mówiąc, bardzo mnie dziwi, że profesor McGonagall wciąż się upiera przy tych wszystkich środkach ostrożności.

— Zgadzam się, panie profesorze — powiedział Harry, co spowodowało, że Ronowi wyleciały z rąk książki.

— Dziękuję ci, Harry — rzekł Lockhart łaskawym tonem, kiedy czekali w długim rzędzie, żeby przepuścić Puchonów. — Chodzi mi o to, że my, nauczyciele, mamy zbyt dużo innych zajęć, żeby prowadzić uczniów do klas i stać na warcie przez całą noc...

— Słusznie — powiedział Ron, który połapał się już, o co chodzi. — Niech nas pan profesor już dalej nie prowadzi, mamy przejść jeszcze tylko jeden korytarz.

— Wiesz co, Weasley, to bardzo dobry pomysł — rzekł Lockhart. — Powinienem pójść przygotować się do mojej następnej lekcji.

I odszedł szybkim krokiem.

— Przygotować się do lekcji — prychnął za nim Ron.

— Raczej zakręcić sobie loki.

Pozwolili, by reszta Gryfonów ruszyła do przodu, dali nurka w boczny korytarz i pobiegli do łazienki Jęczącej Marty. I kiedy gratulowali sobie znakomitego pomysłu...

— Potter! Weasley! Co wy tu robicie?

Była to profesor McGonagall, a jej usta były najcieńszą z cienkich linii.

— My właśnie... no... — wyjąkał Ron — my chcieliśmy... zobaczyć...

— Hermionę — wpadł mu w słowo Harry.

Ron i profesor McGonagall spojrzeli na niego.

— Nie widzieliśmy jej od wieków, pani profesor — ciągnął Harry, następując Ronowi na stopę — i pomyśleliśmy sobie, że przemkniemy się do skrzydła szpitalnego i... i powiemy jej, że mandragory są już prawie gotowe i... ee... że nie musi się już martwić.

Profesor McGonagall utkwiła w nim spojrzenie i Harry pomyślał, że za chwilę wybuchnie, ale kiedy przemówiła, jej głos był dziwnie wilgotny i ochrypły.

— Oczywiście — powiedziała, a Harry ze zdumieniem zobaczył, że w jej oku zalśniła łza. — Oczywiście, zdaję sobie sprawę, że to wszystko jest bardzo ciężkie dla przyjaciół tych, którzy zostali... Bardzo dobrze to rozumiem. Tak, Potter, możecie odwiedzić pannę Granger. Poinformuję profesora Binnsa, dokąd poszliście. Powiedzcie pani Pomfrey, że macie moje pozwolenie.

Harry i Ron odeszli, nie mogąc uwierzyć, że uniknęli szlabanu. Kiedy zniknęli za rogiem korytarza, usłyszeli, jak profesor McGonagall hałaśliwie wydmuchuje nos.

— To najlepszy kit, jaki kiedykolwiek wstawiłeś, Harry — powiedział zachwycony Ron.

Teraz nie mieli już wyboru i poszli prosto do skrzydła szpitalnego, żeby powiedzieć pani Pomfrey, że mają pozwolenie profesor McGonagall na odwiedzenie Hermiony.

Pani Pomfrey wpuściła ich, choć zrobiła to niechętnie.

— Przemawianie do osoby spetryfikowanej nie ma najmniejszego sensu — oświadczyła, a oni musieli przyznać jej rację, kiedy usiedli przy Hermionie.

Było oczywiste, iż Hermiona nie ma zielonego pojęcia, że ma gości. Z równym powodzeniem mogliby tłumaczyć stojącej przy jej łóżku szafce nocnej, żeby się nie martwiła.

— Ciekawe, czy zobaczyła napastnika, prawda? — powiedział Ron, spoglądając ponuro na nieruchomą twarz Hermiony. — Bo jeśli zakradł się i napadł na każdego z nich znienacka, to nigdy się nie dowiemy...

Ale Harry nie patrzył na twarz Hermiony. Bardziej go interesowała jej prawa ręka. Zaciśnięta dłoń spoczywała na okrywającym ją prześcieradle, a kiedy pochylił się niżej, zobaczył, że z tej dłoni wystaje kawałek papieru.

Upewniwszy się, że pani Pomfrey nie ma w pobliżu, wskazał to Ronowi.

— Spróbuj to wyciągnąć — szepnął Ron, przesuwając krzesło, żeby go zasłonić.

Nie było to łatwe. Dłoń Hermiony zaciśnięta była tak mocno, że Harry bał się podrzeć kartkę. Ron pilnował, czy pani Pomfrey nie idzie, a on męczył się w pocie czoła, aż w końcu, po kilku minutach okropnego napięcia, udało mu się kartkę wyciągnąć. Była to stronica wydarta z bardzo starej książki. Harry wygładził ją gorączkowo, a Ron pochylił się, by odczytać ją razem z nim.

Wśród wielu wzbudzających lęk bestii i potworów, które lęgną się w naszym kraju, nie ma dziwniejszego i bardziej złowrogiego stworzenia od bazyliszka, nazywanego również „Królem Węży". Wąż ów, który może osiągać olbrzymie rozmiary i żyć wiele setek lat, rodzi się z kurzego jajka podłożonego ropusze. Zadziwiające są jego sposoby uśmiercania ofiar, bo prócz jadowitych kłów, bazyliszek dysponuje śmiertelnym spojrzeniem, a ten, w kim utkwi swoje złowrogie ślepia, pada natychmiast trupem. Bazyliszek jest śmiertelnym wrogiem pająków, które uciekają przed nim w popłochu, a on sam lęka się jedynie piania koguta, które jest dla niego zgubne.

Pod tym tekstem dopisano jedno słowo, a Harry natychmiast rozpoznał charakter pisma Hermiony. *Rury.*

Poczuł się tak, jakby ktoś nagle zapalił światło w jego mózgu.

— Ron — szepnął — to jest to. To jest odpowiedź. Potwór z Komnaty Tajemnic to bazyliszek... olbrzymi wąż! Dlatego wciąż słyszałem ten głos, a nikt inny go nie słyszał. Ja przecież znam mowę węży...

Spojrzał na sąsiednie łóżka.

— Bazyliszek zabija ludzi swoim spojrzeniem. Ale nikt nie umarł... bo nikt nie spojrzał mu prosto w oczy. Colin zobaczył go w wizjerze swojego aparatu. Bazyliszek spalił film w kamerze, ale Colin został tylko spetryfikowany. Justyn... Justyn musiał zobaczyć bazyliszka przez Prawie Bezgłowego Nicka! Nick przyjął najgorsze uderzenie morderczego spojrzenia, ale przecież nie mógł umrzeć po raz drugi... A przy Hermionie i tej Krukonce znaleziono lusterko. Hermiona dopiero co odkryła, że ten potwór to bazyliszek. Założę się, o co chcesz, że ostrzegła pierwszą osobę, którą spotkała, żeby zanim minie róg korytarza, obejrzała dalszą drogę w lusterku! No i ta dziewczyna wyjęła lusterko... i...

Ronowi opadła szczęka.

— A Pani Norris? — wyszeptał podniecony.

Harry zastanowił się, wyobrażając sobie scenę, jaka się rozegrała w Noc Duchów.

— Woda... — powiedział powoli. — Woda z łazienki Jęczącej Marty. Założę się, że Pani Norris zobaczyła tylko odbicie w kałuży...

Znowu wpatrzył się w kartkę, przebiegając ją gorączkowo wzrokiem. Im dłużej się przyglądał, tym bardziej nabierał przekonania, że tak właśnie było.

— *Pianie koguta... jest dla niego zgubne!* — przeczytał na głos. — Padły wszystkie koguty Hagrida! Dziedzic Slytherina nie chciał, żeby któryś z nich znalazł się w pobliżu zamku, kiedy już Komnata Tajemnic zostanie otwarta! Pająki... *uciekają przed nim w popłochu!* Wszystko pasuje!

— Ale jak ten bazyliszek łazi po zamku? — zapytał Ron. — Olbrzymi gad... Przecież ktoś by go zobaczył...

Harry wskazał na słowo dopisane ręką Hermiony u dołu strony.

— Rury... Rury... Ron, ten gad wykorzystuje kanalizację. Ten głos dochodził jakby ze ściany...

Ron nagle złapał Harry'ego za ramię.

— Wejście do Komnaty Tajemnic! — powiedział ochrypłym szeptem. — A jeśli to łazienka? Jeśli to...

— ...łazienka Jęczącej Marty — dokończył za niego Harry.

Siedzieli, dysząc z podniecenia, ledwo mogąc uwierzyć w to wszystko.

— A to znaczy — powiedział Harry — że ja nie jestem jedyną osobą w szkole znającą mowę wężów. Dziedzic Slytherina też ją zna. W ten sposób panuje nad bazyliszkiem.

— Co teraz zrobimy? — zapytał Ron, a oczy mu płonęły. — Pójdziemy prosto do McGonagall?

— Idziemy do pokoju nauczycielskiego — rzekł Harry, zrywając się na nogi. — Będzie tam za dziesięć minut, zbliża się przerwa.

Zbiegli po schodach. Nie chcąc, by ktoś ich nakrył, jak szwendają się po korytarzu, weszli od razu do pokoju nauczycielskiego. Był to duży, wyłożony boazerią pokój pełen drewnianych krzeseł z poręczami. Harry i Ron obeszli go wokoło, zbyt podekscytowani, żeby usiąść.

Nie doczekali się jednak dzwonka na przerwę.

Zamiast niego usłyszeli głos profesor McGonagall, magicznie zwielokrotniony, odbijający się echem po korytarzach:

— *Wszyscy uczniowie mają natychmiast wrócić do swoich dormitoriów. Natychmiast.*

Harry okręcił się w miejscu, żeby spojrzeć na Rona.

— Chyba to nie kolejny atak? Nie teraz...

— Co robimy? Wracamy do dormitorium?

— Nie — odpowiedział Harry, rozglądając się gorączkowo. Po lewej stronie zobaczył wnękę pełną płaszczy nauczycieli. — Włazimy tutaj. Podsłuchamy, o co chodzi. Potem możemy im powiedzieć, co odkryliśmy.

Ukryli się w między płaszczami, nasłuchując tupotu setek nóg nad głowami i trzaskania drzwi od pokoju nauczycielskiego. Przez szpary między zatęchłymi płaszczami obserwowali nauczycieli wchodzących do pokoju. Niektórzy wyglądali na zaskoczonych, inni na przerażonych. Na końcu pojawiła się profesor McGonagall. W pokoju zaległa cisza.

— Stało się — oznajmiła. — Potwór porwał uczennicę. Zawlókł ją do samej Komnaty.

Profesor Flitwick pisnął. Profesor Sprout zakryła usta dłońmi. Snape zacisnął ręce na oparciu krzesła i zapytał:

— Skąd pewność, że tak się stało?

— Dziedzic Slytherina — odpowiedziała profesor McGonagall blada jak ściana — pozostawił wiadomość. Dokładnie pod pierwszą. *Jej szkielet będzie spoczywać w Komnacie na wieki.*

Profesor Flitwick wybuchnął płaczem.

— Kto to jest? — zapytała pani Hooch, opadając na krzesło. — Czyja uczennica?

— Ginny Weasley — odpowiedziała profesor McGonagall.

Harry poczuł, że Ron osuwa się cicho na podłogę.

— Będziemy musieli jutro wysłać wszystkich uczniów do domu — oświadczyła profesor McGonagall. — To koniec Hogwartu. Dumbledore zawsze mówił...

Drzwi do pokoju nauczycielskiego otworzyły się z hukiem. Przez chwilę Harry był pewien, że to Dumbledore. Ale nie, wszedł Lockhart, jak zwykle bardzo z siebie zadowolony.

— Tak mi przykro... Co mnie ominęło?

Zdawał się nie dostrzegać, że reszta nauczycieli patrzy na

niego z wyraźną niechęcią. Snape zrobił kilka kroków w jego stronę.

— Oto nasz człowiek — powiedział. — Właściwy człowiek. Potwór porwał dziewczynkę. Zawlókł ją do samej Komnaty Tajemnic. Nadeszła chwila, abyś zaczął działać, Lockhart.

Lockhart zbladł.

— Tak, Gilderoy — zaszczebiotała profesor Sprout.

— Czy to nie ty mówiłeś wczoraj wieczorem, że doskonale wiesz, gdzie jest wejście do Komnaty Tajemnic?

— Ja... tego... ja... — wybąkał Lockhart.

— Tak, czy nie mówiłeś mi, że dobrze wiesz, co jest w tej Komnacie? — pisnął profesor Flitwick.

— J-ja? Naprawdę... nie pamiętam...

— Ale ja bardzo dobrze pamiętam, jak mówiłeś, że żałujesz, że nie rozwaliłeś tego potwora, zanim aresztowano Hagrida — powiedział Snape. — Nie mówiłeś, że wszystko spartaczono i że od samego początku powinni ci dać wolną rękę w rozprawieniu się z potworem?

Lockhart wytrzeszczył oczy na kamienne twarze swoich kolegów.

— Ja... ja naprawdę nigdy... Musiałem zostać źle zrozumiany...

— A więc teraz masz wolną rękę, Gilderoy — oświadczyła profesor McGonagall. — Dziś wieczorem nadarza się świetna okazja, aby to uczynić. Zadbamy, aby nikt nie wchodził ci w drogę. Będziesz mógł robić z potworem, co ci się spodoba. Masz pełną swobodę działania.

Lockhart rozejrzał się rozpaczliwie, ale nikt nie kwapił się, by mu pomóc. Nie był już owym przystojnym, pewnym siebie mężczyzną z wiecznym szerokim uśmiechem na twarzy. Wargi mu drżały, szczęka opadła, ramiona obwisły.

— N-n-no dobrze — wyjąkał. — B-b-będę w swoim gabinecie, muszę się przygotować...

I wyszedł.

— Świetnie — powiedziała profesor McGonagall, której nozdrza drgały groźnie. — Przynajmniej zszedł nam z oczu. I sprzed naszych butów. Opiekunowie domów pójdą poinformować uczniów, co się stało. Powiedzcie im, że jutro rano wsiądą do ekspresu Hogwart-Londyn. Reszta niech zadba o to, żeby żaden uczeń czy uczennica nie wystawili nosa spoza swojego dormitorium.

Nauczyciele powstali i jeden po drugim opuścili pokój.

Był to chyba najgorszy dzień w życiu Harry'ego. On, Ron, Fred i George siedzieli razem w kącie pokoju wspólnego Gryffindoru, niezdolni do rozmowy. Percy'ego z nimi nie było. Poszedł wysłać sowę do państwa Weasleyów, a potem zamknął się w swoim dormitorium.

Żadne popołudnie nie ciągnęło się tak długo jak to i jeszcze nigdy wieża Gryffindoru nie była tak zatłoczona, a jednak cicha. Fred i George poszli spać o zachodzie słońca, nie mogąc dłużej tak siedzieć.

— Ona się czegoś dowiedziała — powiedział Ron, odzywając się po raz pierwszy od czasu, gdy ukryli się między płaszczami w pokoju nauczycielskim. — Dlatego ją porwano. I nie były to żadne głupoty o Percym. Wykryła coś, co wiąże się z Komnatą Tajemnic. To dlatego została... — potarł szybko oczy. — Przecież ona jest czystej krwi. Nie było innego powodu.

Harry patrzył przez okno na krwawoczerwone słońce, zachodzące za linię horyzontu. Jeszcze nigdy nie czuł się tak okropnie. Gdyby tylko było coś, co można by zrobić. Nic.

— Harry — powiedział Ron — czy myślisz, że w ogóle są jakieś szanse, że ona nie... no wiesz...

Harry nie wiedział, co powiedzieć. Trudno mu było założyć, że Ginny nadal żyje.

— Wiesz co? — powiedział Ron. — Myślę, że powinniśmy porozmawiać z Lockhartem. Powiemy mu, co wiemy. Zamierza spróbować dostać się do tej Komnaty. Możemy mu powiedzieć o bazyliszku i o tym, gdzie, według nas, trzeba jej szukać.

Harry nie był w stanie wymyślić nic innego, a sam bardzo chciał coś zrobić, więc się zgodził. Reszta Gryfonów wokół nich była w tak żałosnym stanie i tak współczuła Weasleyom, że nikt nie próbował ich zatrzymywać, kiedy wstali, przeszli przez pokój i opuścili go przez dziurę w portrecie.

Kiedy szli do gabinetu Lockharta, zapadała już ciemność. Zatrzymali się pod drzwiami, zza których dochodziły dziwne odgłosy: jakieś szurania, dudnienia, trzaski i pospieszne kroki.

Harry zapukał i nagle wszystko ucichło. Po chwili drzwi się uchyliły i zobaczyli jedno oko Lockharta łypiące na nich przez bardzo wąską szparę.

— Och... pan Potter... pan Weasley... — wybąkał, uchylając drzwi nieco szerzej. — Jestem akurat trochę zajęty. Gdybyście mogli się streszczać...

— Panie profesorze, mamy dla pana pewne informacje — powiedział Harry. — Sądzimy, że mogą panu pomóc.

— Ee... no... to nie jest aż tak... — Przynajmniej na tej stronie twarzy Lockharta, którą widzieli przez szparę, było widać ogromne zmieszanie. — To znaczy... no... dobrze.

Otworzył drzwi i weszli do środka.

Jego gabinet został prawie całkowicie ogołocony. Na podłodze stały dwa wielkie kufry. Do jednego wrzucono w nieładzie ciemnozielone, jasnoróżowe, śliwkowe i granatowe szaty, w drugim znajdowały się byle jak ułożone książki. Fotografie, które zwykle wisiały na ścianach, teraz leżały w pudełkach na biurku.

— Wybiera się pan gdzieś? — zapytał Harry.

— Eee... no... tak — odpowiedział Lockhart, zdzierając z drzwi plakat ze swoim zdjęciem naturalnej wielkości i zwijając go w rulon. — Pilne wezwanie... nie mogę odmówić... muszę jechać...

— A co z moją siostrą? — zapytał ostro Ron.

— No... jeśli chodzi o to... niesłychanie mi przykro... — odpowiedział Lockhart, unikając ich spojrzeń i wysuwając szufladę, której zawartość zaczął przekładać do torby. — Chyba nikomu nie jest tak żal, jak mnie...

— Jest pan nauczycielem obrony przed czarną magią! — zawołał Harry. — Nie może pan teraz odejść! Tutaj się dzieją straszne rzeczy!

— No cóż, muszę powiedzieć... kiedy przyjmowałem to stanowisko... — mruknął Lockhart, układając stertę skarpetek na swoich barwnych szatach — zakres obowiązków nie wskazywał... nie mogłem się spodziewać, że...

— Czy to znaczy, że pan po prostu daje nogę? — zapytał z niedowierzaniem Harry. — Po tym wszystkim, co pan opisywał w swoich książkach?

— Książki można źle zrozumieć — powiedział łagodnie Lockhart.

— Przecież to pan je napisał! — krzyknął Harry.

— Mój drogi chłopcze — rzekł Lockhart, prostując się i marszcząc czoło. — Skorzystaj ze swojego zdrowego rozsądku. Moje książki nie sprzedawałyby się tak dobrze, gdyby ludzie nie sądzili, że to właśnie *ja* dokonałem tego wszystkiego. Nikt nie zechce czytać o jakimś szpetnym armeńskim czarowniku, nawet jeśli uwolni wioskę od wilkołaków. Wyglądałby okropnie na okładce. Bez smaku, stylu, źle ubrany i w ogóle. A czarownica, która przepędziła zjawę z Bandon, miała zajęczą wargę. Chodzi mi o to, że...

— To znaczy, że pan przypisuje sobie czyny, których dokonali inni? — zapytał Harry z niedowierzaniem.

— Harry, Harry — powiedział Lockhart, kręcąc niecierpliwie głową — to nie jest takie proste, jak ci się wydaje. Włożyłem w to mnóstwo pracy. Musiałem tych ludzi odnaleźć. Zapytać ich, jak im się udało tego dokonać. Rzucić na nich Zaklęcie Zapomnienia, żeby nie pamiętali, że coś takiego zrobili. Z czego jak z czego, ale z moich zaklęć pamięci jestem naprawdę dumny. Ciężko na to wszystko zapracowałem, Harry. Tu nie chodzi o jakieś tam rozdawanie autografów czy robienie sobie zdjęć. Jeśli chcesz być sławny, musisz być przygotowany na długą, ciężką orkę.

Zatrzasnął wieka kufrów i zamknął je na klucz.

— Rozejrzyjmy się — powiedział. — Chyba już wszystko. Tak. Pozostało tylko jedno.

Wyciągnął różdżkę i odwrócił się do nich.

— Okropnie mi przykro, chłopcy, ale muszę na was rzucić moje Zaklęcie Zapomnienia. Nie mogę pozwolić, żebyście łazili po zamku i zdradzali wszystkim moje sekrety. Nie sprzedałbym kolejnej książki...

Harry zdążył wyciągnąć swoją różdżkę. Lockhart już podnosił swoją, kiedy Harry ryknął:

— *Expelliarmus!*

Lockharta odrzuciło do tyłu; upadł, przewracając się o swoje kufry. Jego różdżka wyleciała w powietrze; Ron złapał ją i wyrzucił przez otwarte okno.

— Nie trzeba było pozwolić, żeby Snape nauczył nas tego zaklęcia — powiedział Harry ze złością, odsuwając kopniakiem kufer. Lockhart patrzył na niego z podłogi, znowu żałosny i jakby sflaczały. Harry wciąż celował w niego różdżką.

— Czego ode mnie chcecie? — jęknął Lockhart. — Nie wiem, gdzie jest ta Komnata. Nic wam nie pomogę.

— Ma pan szczęście — rzekł Harry, zmuszając go końcem różdżki do powstania. — Tak się składa, że my wiemy, gdzie ona jest. I co jest w środku. Idziemy.

Wyprowadzili Lockharta z gabinetu i zeszli po najbliższych schodach, a potem, idąc ciemnym korytarzem z magicznymi napisami, doszli do drzwi łazienki Jęczącej Marty. Kazali Lockhartowi wejść pierwszemu. Wszedł, dygocąc na całym ciele, co Harry'emu sprawiło dziwną satysfakcję.

Jęcząca Marta siedziała na rezerwuarze w ostatniej kabinie.

— Ach, to ty — powiedziała, kiedy zobaczyła Harry'ego. — Czego chcesz tym razem?

— Zapytać cię, jak umarłaś — odpowiedział Harry.

Marta nagle całkowicie się zmieniła. Sprawiała wrażenie zachwyconej tym pytaniem, które najwyraźniej połechtało jej próżność.

— Oooooch, to było straszne — powiedziała z rozkoszą. — To stało się właśnie tutaj. Umarłam w tej oto kabinie. Pamiętam to dobrze. Schowałam się tutaj, bo Oliwia Hornby dokuczała mi z powodu moich okularów. Drzwi były zamknięte, ja ryczałam i nagle usłyszałam, że ktoś wchodzi. Wchodzi i mówi coś dziwnego. Chyba w jakimś obcym języku. W każdym razie, wydawało mi się, że to mówi chłopiec. Więc otworzyłam drzwi, żeby mu powiedzieć, że to toaleta dla dziewczyn, i wtedy...

— Marta zrobiła ważną minę, twarz jej zajaśniała — wtedy *umarłam*.

— Jak? — zapytał Harry.

— Nie mam pojęcia — odpowiedziała Marta przyciszonym głosem. — Pamiętam tylko, że zobaczyłam parę wielkich żółtych oczu. Poczułam, jakby mi zdrętwiało całe ciało, a potem... potem już szybowałam w powietrzu, odlatywałam... — Spojrzała na Harry'ego rozmarzonym wzrokiem. — A potem wróciłam. Postanowiłam nastraszyć Oliwię Hornby. Och, bardzo żałowała, że wyśmiewała się z moich okularów.

— Gdzie dokładnie zobaczyłaś te oczy? — zapytał Harry.

— Gdzieś tu — odpowiedziała Marta, machając ręką w stronę umywalki.

Harry i Ron podbiegli do umywalki. Lockhart stał nieruchomo, z twarzą zastygłą w przerażeniu.

Umywalka wyglądała zupełnie zwyczajnie. Zbadali ją dokładnie, cal po calu, wewnątrz i na zewnątrz, łącznie z rurami pod spodem. I nagle Harry to zobaczył: na boku jednego z mosiężnych kranów wydrapany był maleńki wąż.

— Ten kran nigdy nie działał — powiedziała beztrosko Marta, kiedy próbował go odkręcić.

— Harry — szepnął Ron — powiedz coś. W języku wężów.

— Ale... — Harry zaczął myśleć gorączkowo.

Do tej pory udawało mu się mówić tym językiem tylko wtedy, gdy miał do czynienia z prawdziwym wężem. Wpatrywał się w maleńki rysunek, starając się wyobrazić sobie, że to żywy wąż.

— Otwórz się — powiedział.

Spojrzał na Rona, który potrząsnął głową i powiedział:

— Po angielsku.

Harry znowu popatrzył na węża, całą siłą woli zmuszając

się do uwierzenia, że to żywy wąż. Kiedy poruszył głową, blask świecy wywołał wrażenie, jakby wąż drgnął.

— Otwórz się — powtórzył.

Tym razem nie usłyszał własnych słów, ale dziwny syk, a kran natychmiast rozjarzył się białym blaskiem i zaczął się obracać. W następnej sekundzie poruszyła się cała umywalka. I nagle znikła, ukazując wylot olbrzymiej rury, tak szerokiej, że mógłby się do niej wślizgnąć człowiek.

Harry usłyszał zduszony okrzyk Rona. Podniósł głowę i spojrzał na niego. Już wiedział, co teraz zrobi.

— Schodzę tam — powiedział.

Nie mógł tego nie zrobić, teraz, kiedy wreszcie znalazł wejście do Komnaty Tajemnic, nawet gdyby nie było choć najmniejszej, najbardziej nieprawdopodobnej szansy, że Ginny może jeszcze żyć.

— Ja też — powiedział Ron.

Zapanowało krótkie milczenie.

— No... chyba już mnie nie potrzebujecie — rzekł Lockhart, a na jego pobladłej twarzy pojawił się cień jego dawnego uśmiechu. — Więc ja po prostu...

Położył rękę na klamce, ale i Ron, i Harry wycelowali w niego różdżki.

— Wejdziesz tam pierwszy — warknął Ron.

Lockhart, biały jak kreda, pozbawiony swojej różdżki, zbliżył się do otworu.

— Chłopcy... — wybąkał słabym głosem — chłopcy, co nam to da?

Harry dźgnął go w plecy końcem różdżki. Lockhart włożył nogi do rury.

— Naprawdę nie sądzę... — zaczął, ale Ron popchnął go i Lockhart zniknął im z oczu.

Harry szybko wskoczył za nim.

Poczuł się tak, jakby ze straszliwą szybkością pomknął nie kończącą się, śliską, krętą i ciemną zjeżdżalnią w parku wodnym. Raz po raz migały po bokach wyloty innych rur, ale już nie tak szerokich jak ta, którą spadał coraz niżej i niżej, głębiej niż lochy pod zamkiem. Za sobą słyszał Rona, obijającego się na zakrętach.

A potem, kiedy już zaczął się niepokoić, co będzie, jeżeli w końcu wypadnie, rura zmieniła kierunek na prawie poziomy i wyleciał z niej z mokrym plaśnięciem na dno ciemnego tunelu, dość wysokiego, by w nim stanąć. Tuż obok Lockhart dźwigał się na nogi, cały okryty szlamem i blady jak duch. Harry odsunął się, bo usłyszał wylatującego z rury Rona.

— Musimy być chyba parę mil pod szkołą — powiedział Harry, a jego głos odbił się głuchym echem po tunelu.

— Może pod jeziorem — dodał Ron, przyglądając się ciemnym, obślizgłym ścianom.

Wszyscy trzej wpatrzyli się w ciemność przed nimi.

— *Lumos!* — mruknął Harry do swojej różdżki, a ta natychmiast zapłonęła bladym światłem. — Idziemy — rzekł do Rona i Lockharta.

Ruszyli przed siebie, chlupocąc nogami po mokrej posadzce.

Tunel był tak ciemny, że niewiele widzieli przed sobą. Ich cienie na wilgotnych ścianach poruszały się jak mroczne widma.

— Pamiętajcie — powiedział cicho Harry — kiedy tylko usłyszycie lub zobaczycie jakiś ruch, natychmiast zamknijcie oczy...

Ale w tunelu było cicho jak w grobie, a pierwszym nieoczekiwanym odgłosem, jaki usłyszeli, było donośne chrupnięcie, kiedy Ron nadepnął na coś, co okazało się czaszką szczura. Harry opuścił różdżkę, żeby przyjrzeć się posadzce i zobaczył, że jest zasłana kośćmi małych zwierząt.

Starając się nie myśleć o tym, jak będzie wyglądać Ginny, kiedy ją odnajdą, prowadził ich ciemnym tunelem, który zakręcał teraz łagodnie.

— Harry, tam coś jest... — rozległ się ochrypły głos Rona, a potem poczuł jego uścisk na ramieniu.

Zamarli, wbijając oczy w ciemność. Harry dostrzegł zarys czegoś wielkiego i poskręcanego, co leżało przed nimi w tunelu. Nie poruszało się.

— Może śpi — wydyszał, odwracając się, żeby spojrzeć na Rona i Lockharta.

Lockhart przyciskał dłonie do oczu. Harry znowu odwrócił głowę w kierunku tego czegoś, a serce biło mu tak szybko, że aż bolało.

Powoli, mrużąc oczy tak, że ledwo widział przez wąskie szparki powiek, ruszył naprzód, wyciągając przed sobą różdżkę.

Jej światło ześlizneło się po olbrzymiej, jadowicie zielonej skórze węża, spoczywającej w splotach na podłodze tunelu. Potwór, który ją zrzucił, musiał mieć przynajmniej dwadzieścia stóp.

— O rany... — szepnął Ron.

Nagle coś się za nimi poruszyło. Gilderoyowi Lockhartowi kolana odmówiły posłuszeństwa.

— Wstawaj — powiedział ostro Ron, celując w niego różdżką.

Lockhart wstał... a potem rzucił się na Rona, zwalając go z nóg.

Harry skoczył do przodu, ale zrobił to za późno. Lockhart zdążył się wyprostować. Dyszał ciężko, ale uśmiech wrócił na jego twarz. W ręku trzymał różdżkę Rona.

— Koniec przygody, chłopcy! — powiedział swoim dawnym tonem. — Wezmę kawałek tej skóry, powiem im, że było za późno, żeby uratować tę dziewczynkę, a wy dwaj w tragiczny sposób postradaliście rozum na widok jej poszarpanego ciała. Pożegnajcie się ze swoimi wspomnieniami! Uniósł oklejoną taśmą różdżkę Rona i ryknął:

— *Obliviate!*

Różdżka eksplodowała z siłą małej bomby. Harry złapał się za głowę i rzucił się do przodu. Ślizgając się na skórze węża, zdążył umknąć przed wielkimi kawałami sufitu, które waliły się na podłogę. W następnej chwili stał samotnie, wpatrując się w piętrzącą się przed nim ścianę gruzu.

— Ron! — krzyknął. — Nic ci nie jest? Ron!

— Jestem tutaj! — dobiegł go zduszony głos Rona spoza zwaliska gruzu. — Nic mi się nie stało. Ale ten parszywiec... chyba go rozsadziło.

Rozległ się głuchy łomot, a potem głośne „auu!" Sprawiało to wrażenie, jakby Ron z całej siły kopnął Lockharta w goleń.

— Co teraz? — rozległ się głos Rona, brzmiący raczej rozpaczliwie. — Nie przejdziemy. Potrwa całe wieki, zanim się przekopiemy.

Harry spojrzał na sklepienie tunelu. Pojawiły się na nim szerokie szczeliny. Jeszcze nigdy nie próbował rozwalić za pomocą magii czegoś tak solidnego, jak to zwalisko, a ta chwila wcale nie wydawała się najodpowiedniejsza do prób. A jeśli cały tunel się zawali?

Spoza ściany gruzu rozległo się kolejne głuche łupnięcie i jeszcze jedno „auu!" Tracili czas. Ginny już od wielu godzin jest w Komnacie Tajemnic. Harry zrozumiał, że ma tylko jedno wyjście.

— Poczekaj tutaj! — zawołał do Rona. — Czekaj tu

z Lockhartem. Ja idę dalej. Jeśli nie wrócę w ciągu godziny... — zawiesił głos.

— Spróbuję usunąć trochę tego gruzu — odezwał się Ron, starając się, żeby jego głos brzmiał spokojnie. — Więc będziesz mógł... będziesz mógł wrócić. I... Harry...

— Niedługo się zobaczymy — powiedział Harry, starając się, żeby zabrzmiało to przekonująco.

I ruszył samotnie naprzód, mijając skórę olbrzymiego węża.

Wkrótce umilkł hałas, jaki robił Ron, starając się poszerzyć wyłom w ścianie gruzu. Tunel wciąż zmieniał kierunek. Każdy nerw w ciele Harry'ego był boleśnie napięty. Bardzo chciał, żeby tunel już się skończył, a jednocześnie bardzo się bał, co spotka na końcu. I wreszcie, kiedy minął jeszcze jeden zakręt, zobaczył przed sobą solidny mur, na którym wyrzeźbione były dwa splecione ze sobą węże z oczami z wielkich, połyskujących szmaragdów.

Harry podszedł do ściany, czując dziwną suchość w gardle. Nie było potrzeby udawać, że kamienne węże są żywe, bo ich oczy naprawdę wyglądały jak żywe.

Domyślił się, co powinien zrobić. Odchrząknął i wydało mu się, że szmaragdowe oczy drgnęły.

— *Otwórz się* — rozkazał cichym sykiem.

Węże rozdzieliły się, pojawiła się szczelina i dwie połowy muru rozsunęły się gładko, ginąc w ścianie. Harry, dygocąc od stóp do głów, wszedł do środka.

ROZDZIAŁ SIEDEMNASTY

Dziedzic Slytherina

Stał na końcu bardzo długiej komnaty wypełnionej dziwną zielonkawą poświatą. Wysokie kamienne kolumny, ozdobione takimi samymi splecionymi wężami, wspierały sklepienie ginące w mroku, rzucając długie czarne cienie.

Serce biło mu mocno, kiedy tak stał wsłuchany w przejmującą dreszczem ciszę. Może bazyliszek czai się gdzieś w mrocznym kącie albo za filarem? I gdzie jest Ginny?

Wyciągnął różdżkę i zaczął iść między wężowymi kolumnami. Każdy ostrożny krok rozbrzmiewał głośnym echem odbijającym się od pogrążonych w cieniu ścian. Oczy miał zwężone, gotów zacisnąć powieki, gdy tylko spostrzeże jakikolwiek ruch lub usłyszy dźwięk. Puste oczodoły kamiennych węży zdawały się go śledzić, a kilka razy serce podskoczyło mu do gardła, bo był pewny, że któreś oko poruszyło się.

A potem, kiedy doszedł do ostatniej pary kolumn, ujrzał na tle ściany posąg wysoki jak sama komnata.

Musiał odchylić głowę, żeby spojrzeć na olbrzymią twarz, osadzoną gdzieś pod sklepieniem Komnaty: była bardzo stara, podobna do małpiej, z długą rzadką brodą, która opadała prawie do skraju pofałdowanej kamiennej szaty czarodzieja, gdzie dwie ogromne stopy spoczywały na gładkiej posadzce komnaty. A pomiędzy stopami, twarzą w dół, leżała mała postać w czarnej szacie, z płomienistymi rudymi włosami.

— Ginny! — wymamrotał Harry, podbiegając do niej i padając na kolana. — Ginny! Nie bądź martwa! Błagam cię, nie bądź martwa!

Odrzucił różdżkę, chwycił Ginny za ramiona i przewrócił ją na plecy. Twarz była biała jak marmur i tak jak marmur zimna, ale oczy miała zamknięte, więc nie była spetryfikowana. A skoro nie, to musi być...

— Ginny, obudź się, proszę — powtarzał, potrząsając nią rozpaczliwie.

Jej głowa miotała się bezwładnie to w jedną, to w drugą stronę.

— Ona się nie obudzi — powiedział cichy głos.

Harry wzdrygnął się i obrócił na kolanach.

O najbliższą kolumnę opierał się wysoki, czarnowłosy chłopiec. Kontury jego postaci były dziwnie zamazane, jakby Harry patrzył na niego przez zamgloną szybę. Ale nie mógł się mylić.

— Tom... Tom Riddle?

Riddle pokiwał głową, nie spuszczając oczu z twarzy Harry'ego.

— Co to znaczy, że ona się nie obudzi? — zapytał z rozpaczą Harry. — Czy ona... czy ona jest...

— Ona wciąż żyje — odpowiedział Riddle. — Ale ledwo żyje.

Harry wpatrywał się w niego uważnie. Tom Riddle był w Hogwarcie pięćdziesiąt lat temu, a oto stał przed nim jako szesnastoletni chłopak, spowity dziwną mglistą poświatą.

— Jesteś duchem? — zapytał niepewnie.

— Wspomnieniem — odrzekł spokojnie Riddle. — Wspomnieniem zachowanym w dzienniku przez pięćdziesiąt lat.

Wskazał na posadzkę przy olbrzymich stopach posągu. Leżał tam mały czarny notes, który Harry znalazł w łazience Jęczącej Marty. Przez chwilę Harry zastanawiał się, skąd się wziął tutaj ten dziennik — ale teraz miał ważniejsze sprawy na głowie.

— Musisz mi pomóc, Tom — powiedział Harry, unosząc głowę Ginny. — Musimy ją stąd zabrać. Ten bazyliszek... Nie wiem, gdzie jest, ale może się pojawić w każdej chwili. Błagam cię, pomóż mi...

Riddle nie drgnął. Harry, zlany potem, podciągnął Ginny za ramiona i schylił się po swoją różdżkę.

Ale różdżka zniknęła.

— Może widziałeś...

Spojrzał w górę. Riddle wciąż go obserwował... turlając różdżkę Harry'ego między swoimi długimi palcami.

— Dzięki — powiedział Harry, wyciągając rękę.

Na ustach Riddle'a błąkał się lekki uśmiech. Wciąż wpatrywał się w Harry'ego, bawiąc się leniwie różdżką.

— Słuchaj — powiedział Harry naglącym tonem, czując jak kolana mdleją mu pod ciężarem Ginny — musimy iść! Jeśli nadejdzie bazyliszek...

— Nie przyjdzie, dopóki nie zostanie wezwany — oznajmił spokojnie Riddle.

Harry złożył z powrotem Ginny na posadzce, bo nie był w stanie dłużej jej utrzymać.

— Co chcesz przez to powiedzieć? Słuchaj, Tom, oddaj mi różdżkę, mogę jej potrzebować.

Riddle uśmiechnął się.

— Nie będzie ci potrzebna.

Harry wytrzeszczył na niego oczy.

— Nie będzie mi... Co to znaczy?

— Długo czekałem na tę chwilę, Harry Potterze — powiedział Riddle. — Na możliwość spotkania się z tobą. Porozmawiania z tobą.

— Posłuchaj — powiedział Harry, tracąc cierpliwość — chyba nie zdajesz sobie sprawy z sytuacji. Jesteśmy w Komnacie Tajemnic. Możemy porozmawiać później.

— Porozmawiamy teraz — rzekł Riddle, wciąż szeroko uśmiechnięty, i schował różdżkę Harry'ego do kieszeni.

Harry wpatrywał się w niego, nie mogąc pojąć, co to za dziwna gra.

— Co się stało z Ginny? — zapytał powoli.

— Cóż, to bardzo interesujące pytanie — odparł uprzejmie Riddle. — I dość długa opowieść. Przypuszczam, że prawdziwą przyczyną stanu, w jakim znalazła się Ginny, była jej naiwność i nieostrożność. Otworzyła swe serce i wyjawiła wszystkie sekrety niewidzialnemu obcemu.

— O czym ty mówisz? — zapytał Harry.

— O dzienniku. O moim dzienniku. Mała Ginny pisała w nim całymi miesiącami, zdradzając mi swoje wszystkie lęki i żale: jak dręczyli ją bracia, jak musiała pójść do szkoły z używanymi szatami i książkami, jak... — oczy mu rozbłysły — jak słynny, dobry, wielki Harry Potter nie zwracał na nią najmniejszej uwagi, ba, chyba jej nie lubił...

Przez cały czas Riddle nie spuszczał oczu z twarzy Harry'ego. Był w nich jakiś dziwny głód.

— To było bardzo nudne, wysłuchiwać tych wszystkich śmiesznych żalów jedenastoletniej dziewczynki. Byłem jednak cierpliwy. Odpisywałem jej, współczułem, byłem uprzejmy. Ginny mnie uwielbiała. *Nikt nie rozumie mnie tak jak ty, Tom... Tak się cieszę, że mam ten dziennik, że mogę mu zaufać... To tak, jakbym miała przyjaciela, którego mogę nosić ze sobą w kieszeni...*

Riddle roześmiał się. Był to piskliwy, zimny śmiech, który w ogóle do niego nie pasował. Harry poczuł, że włosy mu sztywnieją i dreszcz przebiega po karku.

— Nie wstydzę się przyznać, Harry, że zawsze potrafiłem oczarować ludzi, którzy mi byli potrzebni. Ginny obnażyła przede mną swą duszę, a jej dusza okazała się akurat tym, czego potrzebowałem. Żywiłem się jej najgłębszymi lękami, najbardziej skrytymi tajemnicami i stawałem się coraz silniejszy. Stawałem się coraz potężniejszy, Harry, o wiele potężniejszy od małej panny Weasley. Na tyle potężny, że zacząłem karmić pannę Weasley *moimi* sekretami, że zacząłem przelewać *swoją* duszę w *jej* duszę...

— Co masz na myśli? — zapytał Harry, któremu zaschło w ustach.

— Jeszcze się nie domyślasz, Harry Potterze? — zapytał łagodnie Riddle. — To Ginny Weasley otworzyła Komnatę Tajemnic. To ona wydusiła szkolne koguty i nabazgrała te groźne napisy na ścianach. To ona poszczuła Węża Slytherina na szlamy i na kota tego charłaka.

— Nie — wyszeptał Harry.

— Tak — powiedział spokojnie Riddle. — Oczywiście z początku nie wiedziała, co robi. To było bardzo zabawne. Żebyś zobaczył jej ostatnie zapisy w dzienniku... Teraz są o wiele ciekawsze... *Kochany Tomie* — wyrecytował, obserwując przerażoną twarz Harry'ego — *wydaje mi się, że tracę pamięć. Na mojej szacie znalazłam pełno koguciego pierza i nie mam pojęcia, skąd się wzięło. Kochany Tomie, nie mogę sobie przypomnieć, co robiłam w Noc Duchów, ale ktoś napadł na kota, a ja byłam w pobliżu, cała umazana czerwoną farbą.*

Kochany Tomie, Percy wciąż mi mówi, że jestem blada i dziwnie się zachowuję. Myślę, że mnie podejrzewa... Dzisiaj doszło do kolejnej napaści, a ja nie wiem, gdzie byłam. Tom, co mam robić? Wydaje mi się, że wariuję... Wydaje mi się, że to ja napadam na każdego... Tom!

Harry zaciskał pięści tak mocno, że paznokcie wbiły mu się w dłonie.

— Długo trwało, zanim ta głupia Ginny przestała ufać swojemu dziennikowi — rzekł Riddle. — W końcu zaczęła coś podejrzewać i próbowała pozbyć się go. I właśnie wtedy ty wkroczyłeś na scenę, Harry. Ty znalazłeś mój dziennik, a mnie bardzo to odpowiadało. Och, jak bardzo, Harry... Każdy mógł się na niego natknąć, ale to byłeś *ty*, osoba, którą tak bardzo chciałem spotkać...

— A dlaczego chciałeś się ze mną spotkać? — zapytał Harry. Kipiał w nim gniew i trudno mu było opanować głos.

— Bo, widzisz, Ginny wszystko mi o tobie opowiedziała, Harry. Twoją całą fascynującą historię. — Omiótł spojrzeniem bliznę na czole Harry'ego, a głód w jego oczach stał się jeszcze bardziej przerażający. — Wiedziałem, że muszę się o tobie dowiedzieć więcej, muszę z tobą porozmawiać, spotkać się z tobą, jeśli tylko zdołam. Więc aby zdobyć twoje zaufanie, postanowiłem ci pokazać, jak wyprowadziłem w pole tego kretyna Hagrida.

— Hagrid jest moim przyjacielem — powiedział Harry drżącym głosem. — A ty go wykorzystałeś, tak? Myślałem, że popełniłeś omyłkę, a...

Riddle znowu wybuchnął piskliwym śmiechem.

— Moje słowo przeciw słowu Hagrida, Harry. Chyba rozumiesz, jak to musiało wyglądać w oczach starego Armanda Dippeta. Po jednej stronie Tom Riddle, biedny, ale taki zdolny, sierota, ale taki dzielny, prefekt szkoły, ideał ucznia; z drugiej strony wielki, nierozgarnięty Hagrid, co tydzień wpadający w kłopoty, próbujący hodować szczenięta wilkołaka pod łóżkiem, wymykający się do Zakazanego Lasu, żeby siłować się z trollami. Muszę jednak przyznać, że sam byłem zaskoczony, jak bezbłędnie działał ten plan. Obawiałem się, że ktoś musi w końcu zrozumieć, iż Hagrid nie może być dziedzicem Slytherina. Mnie zajęło aż pięć lat odkrycie prawdy o Komnacie Tajemnic i odnalezienie tajnego wejścia do niej... a przecież Hagrid był półgłówkiem, pozbawionym czarodziejskiej mocy! Jeden Dumbledore, nauczyciel transmutacji, był przekonany, że Hagrid jest niewinny. Zdołał przekonać Dippeta, żeby pozostawił Hagrida w Hogwarcie jako gajowego. Tak, myślę, że Dumbledore coś podejrzewał. Byłem ulubieńcem wszystkich nauczycieli, tylko on jeden nigdy mnie nie lubił...

— Założę się, że cię przejrzał — powiedział Harry, zgrzytając zębami.

— No, rzeczywiście, po wyrzuceniu Hagrida przyglądał mi się bardzo uważnie — powiedział beztrosko Riddle. — Wiedziałem, że nie byłoby bezpiecznie otwierać Komnatę ponownie, zanim opuszczę szkołę. Nie zamierzałem jednak marnować tych lat, które spędziłem na jej poszukiwaniu. Postanowiłem pozostawić ten dziennik, w którym utrwaliłem swoją szesnastoletnią tożsamość, tak aby pewnego dnia, przy odrobinie szczęścia, poprowadzić kogoś innego moimi śladami i zakończyć szlachetne dzieło Slytherina.

— No i go nie zakończyłeś — powiedział Harry triumfalnym tonem. — Tym razem nie zginął nikt, nawet kot. Za kilka godzin dojrzeją mandragory i wszyscy spetryfikowani odzyskają zdrowie.

— Czy już ci nie mówiłem — powiedział spokojnie Riddle — że uśmiercanie szlam już mnie nie interesuje?

Od wielu miesięcy mam nowy cel, a jest nim... jesteś nim *ty*...

Harry wytrzeszczył na niego oczy.

— Możesz sobie wyobrazić, jak byłem wściekły, kiedy dziennik wpadł w ręce Ginny i to ona do mnie pisała, a nie ty. Potem zobaczyła ciebie z dziennikiem i wpadła w panikę. A jeśli odkryjesz, jak on działa, a ja powtórzę ci wszystkie jej sekrety? A jeśli, co gorsza, powiem ci, kto wydusił koguty? No i ta głupia smarkula poczekała, aż w waszym dormitorium nie będzie nikogo i wykradła dziennik. Ale ja wiedziałem, co mam zrobić. Było jasne, że jesteś na tropie dziedzica Slytherina. Z tego, co mi Ginny o tobie opowiedziała, wynikało, że zrobisz wszystko, by wyjaśnić tę tajemnicę... zwłaszcza kiedy została napadnięta tak droga ci przyjaciółka. A Ginny powiedziała mi, że w całej szkole aż huczy, bo ty potrafisz mówić językiem węży... Nakłoniłem więc Ginny, żeby napisała na ścianie swoje pożegnanie i ściągnąłem ją tutaj na dół, żeby na ciebie czekać. Wyrywała się i wrzeszczała... prawdę mówiąc, zrobiła się bardzo męcząca... Nie pozostało w niej jednak wiele życia: zbyt dużo przelała w mój dziennik, we mnie. Wystarczyło, bym wreszcie mógł opuścić jego stronice. Wiedziałem, że przyjdziesz. Mam do ciebie wiele pytań, Harry Potterze.

— Na przykład? — warknął Harry, wciąż zaciskając pięści.

— Na przykład — odrzekł Riddle, uśmiechając się z wdziękiem — jak to się stało, że nie obdarzonemu szczególną czarodziejską mocą niemowlęciu udało się pokonać największego czarodzieja wszystkich czasów? W jaki sposób ocalałeś, z jedną zaledwie blizną, podczas gdy wielki Lord Voldemort utracił swą moc?

W jego wygłodniałych oczach pojawił się dziwny czerwony blask.

— Dlaczego tak cię obchodzi, jak ocalałem? — zapytał powoli Harry. — Voldemort był dawno po tobie.

— Voldemort — powiedział cicho Riddle — jest moją przeszłością, teraźniejszością i przyszłością, Harry Potterze...

Wyciągnął z kieszeni różdżkę Harry'ego i zaczął nią wywijać w powietrzu, wypisując świetliste litery:

TOM MARVOLO RIDDLE

Potem ponownie machnął różdżką, a litery pozmieniały miejsca:

I AM LORD VOLDEMORT

— Widzisz? — wyszeptał. — Tego nazwiska używałem już w Hogwarcie, oczywiście wobec moich najbardziej zaufanych przyjaciół. Myślisz, że będę wiecznie używać nazwiska mojego ojca, nędznego mugola? Ja, w którego żyłach płynie krew samego Salazara Slytherina poprzez linię mojej matki? Ja mam nosić nazwisko zwykłego plugawego mugola, który porzucił mnie, zanim się narodziłem, bo się dowiedział, że jego żona jest czarownicą? Nie, Harry. Zaprojektowałem sobie nowe nazwisko i wiedziałem, że będą się je bali wymawiać wszyscy czarodzieje, kiedy stanę się największym czarownikiem na świecie!

Harry czuł się tak, jakby mózg zamienił mu się w mrożoną galaretkę. Wpatrywał się tępo w Riddle'a, chłopca z sierocińca, który dorósł, by zamordować rodziców Harry'ego i tylu innych... W końcu przełamał niemoc i powiedział z nienawiścią:

— Nie jesteś.

— Czym nie jestem? — prychnął Riddle.

— Nie jesteś największym czarownikiem na świecie — rzekł Harry, oddychając szybko. — Przykro mi, że muszę cię rozczarować, ale największym czarodziejem na świecie jest Albus Dumbledore. Każdy ci to powie. Nawet kiedy byłeś silny, nie próbowałeś opanować Hogwartu. Dumbledore przejrzał cię, kiedy byłeś w szkole i nadal go się boisz, gdziekolwiek się dzisiaj ukrywasz.

Uśmiech spełzł z twarzy Riddle'a, ustępując plugawej wściekłości.

— Wystarczyło moje *wspomnienie*, żeby Dumbledore został usunięty z zamku — syknął.

— Nie odszedł na zawsze, jak ci się wydaje! — krzyknął Harry.

Chciał zranić Ridle'a, chciał mu dopiec do żywego, choć sam już nie wierzył w to, co mówi.

Riddle otworzył usta, lecz nagle zamarł.

Skądś napłynęła muzyka. Riddle obrócił się błyskawicznie, by spojrzeć na pustą komnatę. Muzyka rozbrzmiewała coraz głośniej. Była to dziwna, budząca dreszcze, nieziemska muzyka; Harry'emu włosy zjeżyły się na głowie, serce mu nabrzmiało, tłukąc się w piersi. I kiedy muzyka osiągnęła taką moc, że czuł ją pod żebrami, na szczycie najbliższego filaru buchnęły płomienie.

Pojawił się szkarłatny ptak wielkości łabędzia — to on wyśpiewywał tę dziwną melodię ku pogrążonemu w mroku sklepieniu. Miał połyskujący złoty ogon, długi jak ogon pawia, i złote szpony, w których trzymał jakiś łachman.

W chwilę później ptak poszybował prosto ku Harry'emu. Upuścił szmatę u jego stóp, a potem usiadł ciężko na jego ramieniu. Kiedy złożył swoje wielkie skrzydła, Harry zerknął w górę i zobaczył, że ptak ma długi, ostry, złoty dziób i oczy jak czarne paciorki.

Ptak przestał śpiewać. Siedział cicho, wpatrując się w Riddle'a. Harry czuł jego ciepło na policzku.

— To jest feniks... — powiedział Riddle, przyglądając mu się bystro.

— Fawkes? — szepnął Harry i poczuł, jak złote pazury ptaka zaciskają się delikatnie na jego ramieniu.

— A to... — rzekł Riddle, patrząc teraz na szmatę, którą Fawkes upuścił — to jest stara szkolna Tiara Przydziału.

Tak było. Połatana, postrzępiona i wyświechtana, leżała u stóp Harry'ego.

Riddle wybuchnął śmiechem. Śmiał się tak głośno, że cała komnata dźwięczała tym śmiechem, jakby śmiało się z dziesięciu Riddle'ów naraz.

— A więc *to* Dumbledore przysyła swojemu obrońcy! Śpiewającego ptaka i stary kapelusz! Czujesz się dzielniejszy, Harry Potterze? Czujesz się teraz bezpieczniejszy?

Harry nie odpowiedział. Nie miał pojęcia, jaki może być pożytek z Fawkesa czy Tiary Przydziału, ale nie był już sam i z rosnącą otuchą w sercu czekał, aż Riddle przestanie się śmiać.

— Do rzeczy, Harry — powiedział Riddle, wciąż uśmiechnięty. — Spotkaliśmy się dwukrotnie: w *twojej* przeszłości, w *mojej* przyszłości. I dwukrotnie nie udało mi się ciebie zabić. W jaki sposób przeżyłeś? Powiedz mi wszystko. Im dłużej rozmawiamy — dodał łagodnie — tym dłużej żyjesz.

Harry myślał gorączkowo, obliczając szanse. Riddle miał różdżkę. On, Harry, miał Fawkesa i Tiarę Przydziału. W pojedynku niewiele mogli mu pomóc. Jego sytuacja nie przedstawiała się najlepiej. Im dłużej jednak Riddle mówił, tym więcej życia uchodziło z Ginny... a... sam Riddle... tak, Harry nagle to dostrzegł... kontury jego postaci robiły się coraz wyraźniejsze, coraz bardziej *realne*. Jeśli ma dojść do walki, lepiej żeby doszło do niej jak najprędzej.

— Nikt nie wie, dlaczego utraciłeś swą moc, kiedy mnie zaatakowałeś — powiedział. — Ja sam też tego nie wiem. Wiem jednak, dlaczego nie mogłeś mnie zabić. A nie mogłeś mnie zabić, bo moja matka oddała za mnie życie. Moja zwykła, urodzona w mugolskiej rodzinie matka — dodał, dygocąc z wściekłości. — To ona powstrzymała cię od odebrania mi życia. A ja widziałem prawdziwego ciebie, zobaczyłem cię w ubiegłym roku. Jesteś wrakiem. Jesteś prawie trupem. Ukrywasz się w cudzej skórze. Jesteś szpetny, plugawy!

Twarz Riddle'a wykrzywił ohydny grymas, lecz po chwili zmusił się do strasznego uśmiechu.

— A więc to tak. Twoja matka umarła, aby cię ocalić. Tak, to jest potężne przeciwzaklęcie. Teraz rozumiem... W tobie nie ma nic szczególnego, Harry. Długo się nad tym zastanawiałem. Bo... widzisz, Harry, między nami jest dziwne podobieństwo. Nawet ty musiałeś to zauważyć. Obaj jesteśmy półkrwi czarodziejami, sierotami wychowanymi przez mugoli. Obaj znamy mowę węży, chyba jako jedyni w dziejach Hogwartu od czasów samego wielkiego Slytherina. Nawet wyglądamy trochę podobnie... I oto okazuje się, że uratował cię tylko szczęśliwy przypadek. To wszystko, co chciałem wiedzieć.

Harry stał, cały napięty, czekając, aż Riddle uniesie różdżkę. Ale Riddle znowu uśmiechnął się szeroko.

— A teraz, Harry, udzielę ci małej lekcji. Niech zmierzy się moc Lorda Voldemorta, Dziedzica Salazara Slytherina, z mocą Harry'ego Pottera, wyposażonego w najlepszy oręż, na jaki było stać starego Dumbledore'a.

Rzucił rozbawione spojrzenie na Fawkesa i Tiarę Przydziału, po czym odszedł. Harry, czując strach paraliżujący mu nogi, patrzył, jak Riddle zatrzymuje się między wysokimi kolumnami i spogląda w kamienną twarz Slytherina, piętrzącą się nad nim w półmroku. Otworzył szeroko usta i zasyczał — lecz Harry zrozumiał, co mówi.

— *Przemów do mnie, Slytherinie, największy z Czwórki Hogwartu.*

Harry obrócił się, żeby spojrzeć na posąg; Fawkes zakołysał się na jego ramieniu.

Kamienna twarz posągu drgnęła. Usta otwierały się coraz szerzej i szerzej, tworząc olbrzymią dziurę.

Coś się kłębiło wewnątrz tych ust. Coś wyślizgiwało się z czarnej czeluści.

Harry cofał się powoli, aż uderzył plecami w ścianę Komnaty, a kiedy zacisnął powieki, poczuł, że skrzydło Fawkesa muska mu policzek, jakby ptak zamierzał odlecieć. Miał ochotę zawołać: „Nie zostawiaj mnie!"... ale cóż za szansę ma feniks w walce z królem węży?

Coś wielkiego spadło na kamienną posadzkę: Harry poczuł, jak zadrżała. Wiedział, co się dzieje, wyczuwał to, prawie widział olbrzymiego gada wysuwającego się z ust Slytherina. A potem usłyszał syk Riddle'a:

— *Zabij go.*

Bazyliszek zbliżał się powoli. Harry słyszał złowrogi szelest łusek na zakurzonej posadzce. Zaczął uciekać na oślep, nie otwierając oczu, wyciągając przed siebie ręce jak ślepiec, macając nimi bezradnie. Riddle śmiał się przeraźliwie...

Harry potknął się. Upadł na kamienną posadzkę i poczuł smak krwi. Wąż był już blisko, słyszał go, czuł.

Gdzieś w górze, nieco na prawo od niego, rozległo się nagle donośne plaśnięcie i coś ciężkiego ugodziło Harry'ego z taką siłą, że rzuciło go na ścianę. Czekając na kły, które zatopią się w jego ciele, usłyszał rozwścieczony syk i głuchy łoskot cielska walącego raz po raz w kamienne filary. Nie mógł już dłużej wytrzymać. Rozchylił powieki na tyle, by rzucić okiem na to, co się dzieje.

Olbrzymi, jadowicie zielony wąż, gruby jak pień dębu, sprężył pionowo górną część cielska, tak że jego wielki łeb kołysał się między kolumnami. Drżąc ze strachu, gotów natychmiast zacisnąć powieki, Harry dostrzegł wreszcie, co odciągnęło uwagę węża od niego.

Nad potwornym łbem krążył Fawkes, a bazyliszek atakował go wściekle, usiłując dosięgnąć kłami długimi i ostrymi jak szable.

Fawkes zanurkował. Jego długi złoty dziób nagle zniknął, a po chwili na podłogę lunął strumień czarnej krwi. Ogon gada przeleciał ze świstem tuż obok Harry'ego, uderzając w posadzkę. Zanim zdążył zamknąć oczy, potwór zwrócił ku niemu łeb. Harry ujrzał, że wypukłe żółte oczy bazyliszka są przekłute przez feniksa; krew tryskała z nich na posadzkę, a wąż pluł jadem w bezsilnej wściekłości.

— *Nie!* — krzyknął Riddle. — *Zostaw ptaka! Zostaw ptaka! Za tobą jest chłopiec! Możesz go wyczuć węchem! Zabij go!*

Oślepiony wąż zakołysał się, wciąż śmiertelnie groźny. Fawkes krążył nad jego łbem, wyśpiewując swoją dziwną pieśń i raz za razem zadając mu potężne ciosy złotym dziobem.

— Pomocy, pomocy — bełkotał Harry nieprzytomnie. — Niech mi ktoś pomoże... ktokolwiek!

Ogon węża ponownie omiótł posadzkę. Harry zrobił unik. Coś miękkiego uderzyło go w twarz.

Bazyliszek zagarnął ogonem Tiarę Przydziału i przypadkowo cisnął ją w ramiona Harry'ego. Harry złapał ją. To wszystko, co mu pozostało, jego ostatnia szansa. Włożył ją na głowę i rozpłaszczył się na podłodze, kiedy bazyliszek ponownie machnął ogonem.

Pomóż mi... pomóż mi... błagał w myślach Harry, zaciskając powieki wewnątrz tiary. *Pomóż mi!*

Nie usłyszał odpowiedzi, ale nagle tiara skurczyła się gwałtownie, jakby jakaś niewidzialna ręka ścisnęła ją z całej siły.

Coś bardzo twardego i ciężkiego ugodziło go w głowę, prawie zwalając z nóg. Widząc gwiazdy przed oczami, złapał koniec tiary, żeby ją ściągnąć z głowy, i wyczuł pod nią coś długiego i twardego.

Spod tiary wyłonił się błyszczący srebrny miecz, z rękojeścią wysadzaną rubinami wielkości kurzych jajek.

— *Zabij chłopca! Zostaw ptaka! Chłopiec jest za tobą! Węsz... wyczuj go węchem!*

Harry stał już na rozkraczonych nogach, gotów do walki. Łeb bazyliszka opadał powoli, a potworne cielsko zwijało się w sploty. Widział olbrzymie, krwawiące oczodoły, widział rozwarty szeroko pysk, dość szeroki, by go połknąć w całości, widział rząd kłów długich jak jego miecz, cienkich, połyskujących, jadowitych...

Łeb wystrzelił ku niemu na oślep. Harry cofnął się i uderzył plecami w ścianę. Bazyliszek zaatakował po raz drugi, a rozwidlony język chlasnął Harry'ego w bok. Zacisnął mocno obie dłonie na rękojeści miecza i wzniósł go nad głowę.

Łeb bazyliszka opadł ponownie i tym razem wycelował dobrze, lecz gdy paszcza rozwarła się tuż nad Harrym, ten wbił miecz po rękojeść w czarne podniebienie gada.

Ciepła posoka zalała mu ramiona. Poczuł ostry ból tuż nad łokciem. Jeden długi, jadowity kieł ugodził go w ramię i zagłębiał się w nie coraz bardziej, aż w końcu pękł, gdy bazyliszek szarpnął łbem i padł w drgawkach na kamienną posadzkę

Harry osunął się po ścianie. Chwycił kieł, który sączył w niego jad, i wyrwał go z ramienia. Wiedział jednak, że jest już za późno. Po jego ciele rozchodził się powoli ostry, piekący ból. Upuścił kieł i patrzył, jak krew nasącza jego szaty, lecz widział wszystko jakby przez mgłę. Komnata rozpływała się w wirze mętnych barw.

Zobaczył śmigającą koło siebie plamę czerwieni.

— Fawkes — powiedział ochrypłym szeptem. — Byłeś wspaniały. Fawkes...

Poczuł, że ptak przyciska swoją cudowną głowę do miejsca, w które ugodził go wąż.

Usłyszał odgłos szybkich kroków i zobaczył przed sobą jakiś cień.

— Jesteś już martwy, Harry Potterze — rozległ się nad nim głos Riddle'a. — Martwy. Wie o tym nawet ptak Dumbledore'a. Wiesz, co on robi, Potter? Płacze.

Harry zamrugał powiekami. Głowa feniksa pojawiała się i znikała z pola widzenia. Po jedwabistych piórach toczyły się perłowe łzy.

— Będę tu siedział i patrzył na twoją śmierć, Harry. Mamy czas. Nigdzie się nie spieszę.

Harry'ego ogarnęła senność. Wszystko wokoło zdawało się wirować.

— I tak kończy słynny Harry Potter — usłyszał odległy głos Riddle'a. — Samotny w Komnacie Tajemnic, zapomniany przez przyjaciół, zwyciężony w końcu przez Czarnego Pana, którego tak nierozważnie wyzwał na pojedynek.

Wkrótce wrócisz do swojej szlamowatej matki, Harry... Kupiła ci dwanaście lat pożyczonego życia... ale Lord Voldemort w końcu cię dopadł. Przecież wiedziałeś, że tak się musi stać.

Jeśli to jest umieranie, pomyślał Harry, to wcale nie jest takie straszne. Nawet ból był już coraz słabszy... Ale czy to była śmierć? Komnata wcale nie rozpłynęła się w czerni, przeciwnie, widział ją coraz wyraźniej. Potrząsnął lekko głową i zobaczył Fawkesa, wciąż tulącego głowę do jego ramienia. Wokół rany jaśniała plama perłowych łez... tyle że... *nie było* żadnej rany...

— Uciekaj, ptaku! — rozległ się nagle głos Riddle'a.
— Zostaw go! Powiedziałem, uciekaj!

Harry podniósł głowę. Riddle celował różdżką w Fawkesa; huknęło, jakby ktoś wystrzelił, i feniks wzleciał w powietrze jak złoto-szkarłatny wir.

— Łzy feniksa... — powiedział cicho Riddle, wpatrując się w ramię Harry'ego. — Oczywiście... uzdrawiająca moc... zapomniałem... — Spojrzał Harry'emu w oczy. — Ale to niczego nie zmienia, Harry. Właściwie... może nawet lepiej. Tylko ty i ja, Harry Potterze... ty i ja...

Uniósł różdżkę.

I znowu załopotały skrzydła feniksa i coś upadło Harry'emu na podołek. Dziennik.

Przez ułamek sekundy obaj, Harry i Riddle, wpatrywali się w czarną książeczkę. Różdżka wciąż była wycelowana w Harry'ego. Potem, bez namysłu, bez wahania, jakby zamierzał to zrobić od dawna, Harry chwycił leżący obok niego kieł bazyliszka, uniósł rękę i z całej siły wbił go w czarny notes.

Rozległ się długi, straszny, przeszywający krzyk. Z dziennika chlusnęły strumienie atramentu, zalewając Harry'emu dłonie, ściekając na podłogę. Riddle skręcał się, zwijał i miotał, wrzeszcząc przeraźliwie... i nagle...

Zniknął. Różdżka Harry'ego upadła z trzaskiem na posadzkę i zapadła cisza, przerywana tylko równomiernym kapaniem atramentu wciąż ściekającego z dziennika. Jad bazyliszka wypalił w nim skwierczącą dziurę.

Dygocąc na całym ciele, Harry dźwignął się na nogi. W głowie mu wirowało, jakby odbył właśnie długą podróż po użyciu proszku Fiuu. Powoli sięgnął po swoją różdżkę i Tiarę Przydziału, a potem chwycił za rękojeść miecza i szarpnął mocno, wyciągając błyszczącą klingę z czarnego podniebienia bazyliszka.

Wtedy usłyszał słaby jęk dochodzący z końca Komnaty. Ginny poruszyła się. Harry podbiegł do niej, a ona usiadła. Otworzyła szeroko oczy i spojrzała na martwego bazyliszka, na Harry'ego w zakrwawionej szacie, potem na dziennik, który trzymał w ręku. Westchnęła głęboko i łzy zaczęły spływać jej po policzkach.

— Harry... och, Harry... próbowałam ci powiedzieć na ś-śniadaniu, ale n-nie mogłam tego zrobić przy Percym. Tak, to ja, Harry... ale... p-przysięgam, ja tego nie chciałam... to R-Riddle mnie do tego z-zmusił, on mnie opętał... i... jak ci się udało zabić to... to coś? G-gdzie jest Riddle? Ostatnie, co p-pamiętam, to jak wychodził z dziennika i...

— Uspokój się, już po wszystkim — powiedział Harry, podnosząc dziennik i pokazując jej dziurę. — Nie ma już Riddle'a. Popatrz! Jego i bazyliszka. Chodź, Ginny, musimy się stąd wydostać...

— Na pewno mnie wyrzucą! — zaszlochała Ginny, kiedy Harry pomógł jej stanąć na nogach. — Tak marzyłam o Hogwarcie, odkąd wrócił z niego B-Bill, a t-teraz mnie wyrzucą i... c-co powiedzą rodzice?

Fawkes czekał na nich w wejściu do Komnaty. Przeszli koło martwych splotów bazyliszka, między dwoma rzędami wężowych kolumn i wrócili do mrocznego tunelu. Kamienne drzwi zasunęły się za nimi z cichym sykiem.

Po kilku minutach wędrówki ciemnym tunelem Harry usłyszał odległy chrobot kamieni.

— Ron! — zawołał, przyspieszając kroku. — Ginny żyje! Mam ją tutaj!

Dobiegł go przytłumiony okrzyk radości Rona, a kiedy minęli następny zakręt korytarza, zobaczyli jego rozradowaną twarz wyglądającą przez dziurę, którą udało mu się wygrzebać w gruzowisku.

— Ginny! — Ron wyciągnął ręce przez dziurę, żeby wciągnąć ją pierwszą. — Żyjesz! Nie mogę w to uwierzyć! Co się stało?

Chciał ją przytulić, ale Ginny odepchnęła go lekko, łkając.

— No, ale żyjesz i jesteś zdrowa — powiedział Ron, uśmiechając się do niej. — Już po wszystkim, już... A skąd się wziął ten ptak?

Przez dziurę przeleciał Fawkes.

— To ptak Dumbledore'a — powiedział Harry, przełażąc do nich.

— I skąd masz ten miecz? — zdumiał się Ron, gapiąc się na błyszczący oręż w ręku Harry'ego.

— Wyjaśnię ci, kiedy stąd wyjdziemy — odrzekł Harry, zerkając z ukosa na Ginny.

— Ale...

— Później — uciął Harry. W obecności Ginny nie bardzo chciał mówić, kto otworzył Komnatę. — Gdzie jest Lockhart?

— Tam, z tyłu — rzekł Ron, szczerząc zęby i wskazując głową w kierunku, z którego tu przyszli. — Nie jest w najlepszym stanie. Zresztą sam zobaczysz.

Prowadzeni przez feniksa, którego szerokie szkarłatne skrzydła promieniowały złotą poświatą, wrócili do wylotu rury. Siedział tam Gilderoy Lockhart, nucąc coś pod nosem.

— Stracił pamięć — wyjaśnił Ron. — Jego Zaklęcie Zapomnienia zadziałało do tyłu. No, wiesz, korzystał z mojej różdżki... Walnęło w niego, zamiast w nas. Nie ma pojęcia, kim jest, gdzie jest i kim my jesteśmy. Powiedziałem mu, żeby tutaj poczekał. Może sobie zrobić krzywdę.

Lockhart spojrzał na nich dobrodusznie.

— Witajcie — powiedział. — To dziwne miejsce, prawda? Mieszkacie tutaj?

— Nie — odrzekł Ron, patrząc na Harry'ego i podnosząc brwi.

Harry pochylił się i zajrzał w czeluść rury.

— Zastanawiałeś się, w jaki sposób wrócimy na górę? — zapytał Rona.

Ron pokręcił głową, ale feniks Fawkes przemknął obok Harry'ego i unosił się teraz przed nimi; jego paciorkowate oczy migotały w ciemności. Nastroszył długie złote pióra w ogonie. Harry przyglądał mu się niepewnie.

— Sprawia wrażenie, jakby chciał, żebyś go schwycił za ogon... — powiedział Ron z zakłopotaną miną. — Ale przecież jesteś za ciężki, żeby taki ptak cię uciągnął.

— Fawkes — rzekł Harry — nie jest zwykłym ptakiem. — Odwrócił się szybko do pozostałych. — Każdy niech złapie mocno drugiego. Ginny, złap Rona za rękę. Profesorze Lockhart...

— Mówi do ciebie — powiedział ostro Ron do Lockharta.

— Proszę chwycić drugą rękę Ginny.

Harry włożył za pas miecz i Tiarę Przydziału, Ron uchwycił się jego szaty na plecach, a Harry wyciągnął rękę i zacisnął dłoń na dziwnie gorących piórach tworzących ogon feniksa.

Nagle poczuł się dziwnie lekki, a w następnej sekundzie świsnęło i wszyscy czworo pomknęli w górę czarnym tunelem rury. Harry słyszał gdzieś pod sobą stłumione okrzyki Lockharta: „Zdumiewające! Po prostu jak czary!" Zimne powietrze targało mu włosy i zanim zdążył nacieszyć się tą niesamowitą jazdą, już się skończyła — wszyscy czworo powypadali na mokrą podłogę łazienki Jęczącej Marty, a kiedy Lockhart prostował swoją tiarę, umywalka ukrywająca wylot rury zasuwała się już na swoje miejsce.

Marta zachichotała na ich widok.

— Żyjesz — bąknęła do Harry'ego.

— Nie widzę powodu do rozczarowania — odpowiedział ponuro, wycierając plamy krwi i śluzu z okularów.

— Och... Ja tylko... tak sobie myślałam... że jeśli umrzesz, to... będziesz mile widziany w mojej toalecie — powiedziała Marta, rumieniąc się na srebrno.

— Uau! — ucieszył się Ron, kiedy opuścili łazienkę i znaleźli się w ciemnym, opustoszałym korytarzu. — Harry! Coś mi się wydaje, że Marta się w tobie zakochała! Ginny, masz rywalkę!

Ale po policzkach Ginny wciąż spływały strumienie łez.

— Gdzie teraz? — zapytał Ron, patrząc z niepokojem na Harry'ego.

Harry wskazał ręką.

Fawkes ich prowadził, rozjaśniając korytarz złotym blaskiem. Poszli za nim, a w chwilę później znaleźli się przed gabinetem profesor McGonagall.

Harry zapukał i otworzył drzwi.

ROZDZIAŁ OSIEMNASTY

Nagroda Zgredka

Przez chwilę zaległa cisza, kiedy Harry, Ron, Ginny i Lockhart stanęli w drzwiach, pokryci brudem, szlamem i (w przypadku Harry'ego) krwią. Potem rozległ się krzyk:

— Ginny!

Była to pani Weasley, która siedziała przy kominku, płacząc. Zerwała się na nogi, za nią podskoczył pan Weasley i oboje rzucili się na swoją córkę.

Harry nie patrzył jednak na nich. Wsparty o okap kominka stał rozradowany Dumbledore, a obok profesor McGonagall, która oddychała głęboko, trzymając się za serce. Fawkes przeleciał Harry'emu tuż koło ucha i wylądował na ramieniu Dumbledore'a, a w chwilę później pani Weasley zagarnęła jego i Rona w swoje ramiona.

— Uratowaliście ją! Uratowaliście ją! Jak wam się to udało?

— Myślę, że wszyscy chcemy się tego dowiedzieć — powiedziała profesor McGonagall słabym głosem.

Pani Weasley wypuściła z objęć Harry'ego, który zawahał się przez chwilę, a potem podszedł do biurka i położył na nim Tiarę Przydziału, inkrustowany rubinami miecz i to, co pozostało z dziennika Riddle'a.

I zaczął opowiadać. Przez blisko kwadrans mówił w kompletnej ciszy: opowiedział im o bezcielesnym szepcie i o tym, jak Hermiona w końcu dociekła, że to głos bazyliszka wędrującego rurami kanalizacyjnymi; jak on i Ron wyruszyli za pająkami do puszczy, jak Aragog powiedział im, gdzie została uśmiercona ostatnia ofiara bazyliszka; jak odgadł, że ofiarą tą była Jęcząca Marta i że wejście do Komnaty Tajemnic może być w jej łazience...

— No dobrze — powiedziała profesor McGonagall, kiedy umilkł — więc znalazłeś to wejście... *notabene*, łamiąc po drodze ze sto punktów regulaminu szkolnego... ale, na miłość boską, Potter, jak wam się udało wyjść stamtąd żywymi?

Harry, który trochę już ochrypł, opowiedział im o pojawieniu się w krytycznym momencie Fawkesa i o Tiarze Przydziału, która podarowała mu miecz. Lecz kiedy to powiedział, zaciął się i nie miał pojęcia, co robić dalej. Jak dotąd nie wspomniał o dzienniku Riddle'a... i o Ginny. Stała z głową na ramieniu pani Weasley, a łzy wciąż spływały jej po policzkach. A jeśli ją wyrzucą? Dziennik Riddle'a już nie działał... Jak im udowodni, że to wszystko przez tę małą czarną książeczkę?

Spojrzał instynktownie na Dumbledore'a, który uśmiechał się lekko; płomienie kominka odbijały się w jego okularach.

— Mnie zaś interesuje najbardziej — powiedział łagodnie — jak Lordowi Voldemortowi udało się zaczarować Ginny, skoro moje źródła donoszą, że obecnie ukrywa się w puszczach Albanii.

Harry poczuł, jak ogarnia go ulga — ciepła, cudowna ulga.

— C-co? — zapytał pan Weasley zdumionym głosem. — Sami-Wiecie-Kto zaczarował Ginny? Ale przecież Ginny nie... Ginny nie została... prawda?

— To ten dziennik — powiedział szybko Harry, biorąc go do ręki i pokazując Dumbledore'owi. — Riddle zapisał go, kiedy miał szesnaście lat.

Dumbledore wziął dziennik i obejrzał uważnie nadpalone i wilgotne kartki.

— Wspaniałe — powiedział cicho. — No tak, ale on był naprawdę najlepszym uczniem, jakiego miał Hogwart. — Odwrócił się do Weasleyów, którzy sprawiali wrażenie kompletnie oszołomionych.

— Niewiele osób wiedziało, że Lord Voldemort nosił kiedyś inne nazwisko: Tom Riddle. Sam go uczyłem, pięćdziesiąt lat temu, tu, w Hogwarcie. Po ukończeniu szkoły przepadł bez wieści... odbywał dalekie podróże... studiował i praktykował czarną magię, przebywając w towarzystwie najgorszych typów, i przeszedł tyle niebezpiecznych transformacji, że kiedy w końcu ujawnił się jako Lord Voldemort, trudno było w nim rozpoznać Toma Riddle'a. Mało kto łączył Lorda Voldemorta z tym inteligentnym, ładnym chłopcem, który kiedyś był tutaj prefektem szkoły.

— Ale... Ginny — wyjąkała pani Weasley. — Co nasza Ginny miała... z... nim... wspólnego?

— Jego dz-dziennik! — zaszlochała Ginny. — Ja w n-nim pisałam... a on mi odpisywał p-przez cały rok...

— Ginny! — krzyknął wstrząśnięty pan Weasley. — Czy *niczego* cię nie nauczyłem? Co ja ci zawsze powtarzałem? Żebyś nigdy nie ufała niczemu i nikomu, *jeśli nie wiesz, gdzie jest jego mózg*. Dlaczego nie pokazałaś tego dziennika mnie albo matce? Taki podejrzany przedmiot... przecież od razu widać, że jest pełny czarnej magii!

— Ja n-nie wiedziałam... Znalazłam go wewnątrz używanej książki, którą mi kupiła mama. Ja m-myślałam, że ktoś go tam włożył i zapomniał, i...

— Panna Weasley powinna natychmiast udać się do skrzydła szpitalnego — przerwał jej stanowczym tonem Dumbledore. — To była dla niej bardzo ciężka próba. Nie zostanie ukarana. Lord Voldemort uwodził już czarownice i czarodziejów o wiele starszych i mądrzejszych od niej. — Podszedł do drzwi i otworzył je. — Ciepłe łóżko i duży, parujący kubek gorącej czekolady. Mnie to zawsze pomaga — dodał, mrugając do niej dobrodusznie. — Pani Pomfrey jeszcze nie śpi. Właśnie podaje sok z mandragory... Mam nadzieję, że ofiary bazyliszka przebudzą się lada moment...

— Więc Hermionie nic nie jest? — ucieszył się Ron.

— Żadnych trwałych urazów — odrzekł Dumbledore.

Pani Weasley wyprowadziła Ginny, a pan Weasley wyszedł za nimi, wciąż pogrążony w głębokim szoku.

— Wiesz co, Minerwo — powiedział z namysłem profesor Dumbledore do profesor McGonagall — myślę, że to wszystko trzeba uczcić. Mogłabyś obudzić kucharki?

— Słusznie — odpowiedziała profesor McGonagall, idąc ku drzwiom. — Zajmiesz się Potterem i Weasleyem, prawda?

— Oczywiście.

Wyszła, a Harry i Ron spojrzeli na Dumbledore'a niepewnie. Co właściwie miała McGonagall na myśli, używając słowa „zajmiesz się"? Chyba... chyba nie zostaną ukarani?

— Jeśli dobrze pamiętam, to powiedziałem wam, że jeśli któryś z was złamie jeszcze jeden punkt regulaminu szkolnego, to będę musiał wyrzucić go ze szkoły — powiedział Dumbledore.

Ron otworzył usta i wytrzeszczył oczy.

— Co dowodzi, że nawet najlepsi z nas powinni czasami liczyć się ze słowami — ciągnął Dumbledore z uśmiechem. — Obaj otrzymacie Specjalną Nagrodę za Zasługi dla Szkoły i... zaraz... tak, po dwieście punktów dla Gryffindoru.

Ron zrobił się różowy jak walentynkowe kwiatki Lockharta i zamknął usta.

— Ale jeden z tutaj obecnych wciąż milczy o swoim udziale w tej niebezpiecznej przygodzie — dodał Dumbledore. — Dlaczego jesteś taki skromny, Gilderoy?

Harry drgnął. Zupełnie zapomniał o Lockharcie. Odwrócił się i zobaczył go w kącie pokoju. Na ustach słynnego profesora wciąż błąkał się lekki uśmiech. Kiedy Dumbledore zwrócił się do niego, spojrzał przez ramię, żeby zobaczyć, kto do niego mówi.

— Panie profesorze — powiedział szybko Ron — w Komnacie Tajemnic doszło do pewnego... wypadku. Profesor Lockhart...

— Jestem profesorem? — zdziwił się nieco Lockhart. — Wielkie nieba, chyba musiałem być beznadziejny, co?

— Próbował rzucić Zaklęcie Zapomnienia, a różdżka wypaliła do tyłu — wyjaśnił cicho Ron Dumbledore'owi.

— A niech to! — powiedział Dumbledore, kręcąc głową, a jego długie srebrne wąsy dziwnie zadrgały. — Nadziałeś się na własny miecz, Gilderoy?

— Miecz? — zdziwił się Lockhart. — Nie mam żadnego miecza. Ale ten chłopiec ma. — Wskazał na Harry'ego. — Może ci pożyczyć.

— Czy mógłbyś zaprowadzić profesora Lockharta do

skrzydła szpitalnego? — zwrócił się Dumbledore do Rona. — Chciałbym jeszcze zamienić kilka słów z Harrym...
Lockhart wyszedł powolnym krokiem. Ron rzucił zaciekawione spojrzenie na Dumbledore'a i Harry'ego, westchnął z żalem i zamknął za sobą drzwi.

— Przede wszystkim, Harry, chciałem ci podziękować — rzekł Dumbledore, mrugając oczami. — Musiałeś okazać mi prawdziwą wierność... tam, w Komnacie Tajemnic. Bo tylko to mogło przywołać do ciebie Fawkesa.

Pogłaskał feniksa, który sfrunął mu na kolano. Harry uśmiechnął się z zakłopotaniem.

— A więc spotkałeś się z Tomem Riddle'em — powiedział powoli Dumbledore. — Wyobrażam sobie, że był bardzo tobą zainteresowany...

Nagle coś, co nękało Harry'ego od dawna, samo wyrwało mu się z ust.

— Panie profesorze... Riddle powiedział, że jestem do niego podobny. Powiedział, że to bardzo dziwne podobieństwo...

— Tak powiedział? — zapytał Dumbledore, patrząc uważnie na Harry'ego spod swoich srebrnych brwi. — A ty co o tym myślisz, Harry?

— Wiem, że na pewno go nie lubię! — odpowiedział Harry o wiele głośniej niż zamierzał. — To znaczy... ja jestem... ja jestem z *Gryffindoru*... ja...

I nagle urwał, czując nową falę wątpliwości.

— Panie profesorze — zaczął znowu po chwili — Tiara Przydziału powiedziała mi, że... że pasowałbym do Slytherinu. Przez jakiś czas wszyscy myśleli, że to ja jestem dziedzicem Slytherina... bo znam mowę wężów...

— Znasz mowę wężów, Harry — powiedział spokojnie Dumbledore — ponieważ zna ją Lord Voldemort...

który jest ostatnim żyjącym potomkiem Salazara Slytherina.... O ile się nie mylę, przekazał ci cząstkę swojej mocy...
w ową noc, kiedy pozostawił ci tę bliznę. Jestem pewny, że
na pewno nie chciał tego zrobić...

— Voldemort przekazał mi cząstkę samego siebie? —
zapytał Harry, głęboko wstrząśnięty.

— Na to właśnie wygląda.

— Więc rzeczywiście powinienem być w Slytherinie
— powiedział Harry, patrząc z rozpaczą na Dumbledore'a.

— Tiara Przydziału dostrzegła we mnie moc Slytherina i...

— I przydzieliła cię do Gryffindoru — przerwał mu
spokojnie Dumbledore. — Posłuchaj mnie, Harry. Tak
się zdarzyło, że masz wiele cech, które Salazar Slytherin cenił
u swoich wybranych uczniów. Jego własny rzadki dar, mowę wężów... zaradność... zdecydowanie... pewien... hm...
brak szacunku dla wszelkich reguł... — dodał, a wąsy
znowu mu się zatrzęsły. — A jednak Tiara Przydziału
umieściła cię w Gryffindorze. Wiesz, dlaczego tak się stało?
Pomyśl.

— Umieściła mnie w Gryffindorze tylko dlatego —
powiedział Harry zrezygnowanym tonem — bo ją poprosiłem, żeby mnie nie umieszczała w Slytherinie...

— Właśnie — przerwał mu rozradowany Dumbledore. — A to bardzo cię różni od Toma Riddle'a. Bo widzisz,
Harry, to nasze wybory ukazują, kim naprawdę jesteśmy,
o wiele bardziej niż nasze zdolności. — Harry siedział nieruchomo, słuchając tego ze zdumieniem. — Jeśli chcesz
dowodu, Harry, że naprawdę należysz do Gryffindoru, to
przyjrzyj się temu.

Dumbledore wziął z biurka profesor McGonagall srebrny miecz i wręczył Harry'emu. Ten chwycił pokrwawioną
klingę i spojrzał na migocące w świetle kominka rubiny na

rękojeści, nie wiedząc, o co właściwie chodzi. I nagle, tuż pod gardą, zobaczył wygrawerowane słowa.

Godryk Gryffindor.

— Tylko prawdziwy Gryfon mógł wyciągnąć ten miecz z tiary — rzekł profesor Dumbledore.

Przez blisko minutę obaj milczeli. Potem Dumbledore otworzył jedną z szuflad i wyjął pióro i kałamarz.

— Myślę, że powinieneś najeść się i wyspać, Harry. Radzę ci zejść na dół na ucztę, a ja napiszę do Azkabanu... żeby nam odesłali gajowego. Muszę też dać ogłoszenie do „Proroka Codziennego" — dodał po namyśle. — Będzie nam potrzebny nowy nauczyciel obrony przed czarną magią. No, ale tym razem trzeba dobrze wybadać kandydatów, prawda?

Harry wstał i poszedł do drzwi. Już dotykał klamki, kiedy otworzyły się z takim rozmachem, że rąbnęły o ścianę.

Na progu stał Lucjusz Malfoy z twarzą wykrzywioną wściekłością. A pod jego ramieniem kulił się... Zgredek. Był obandażowany w wielu miejscach.

— Dobry wieczór, Lucjuszu — przywitał go uprzejmie Dumbledore.

Pan Malfoy wpadł do środka, prawie zwalając Harry'ego z nóg. Zgredek wszedł za nim, trzymając się skraju jego szaty. Był wyraźnie przerażony.

— A więc to tak! — rzekł Lucjusz Malfoy, utkwiwszy zimne oczy w Dumbledorze. — Wróciłeś. Zostałeś zawieszony przez radę nadzorczą, a jednak uznałeś za stosowne wrócić do Hogwartu.

— Muszę ci wyznać, Lucjuszu — powiedział Dumbledore, uśmiechając się pogodnie — że dzisiaj otrzymałem listy od jedenastu członków rady nadzorczej. Mówię ci, to był prawdziwy deszcz sów! Usłyszeli, że zginęła córka

Artura Weasleya i zażądali, żebym natychmiast wrócił. Wygląda na to, że jednak uważają mnie za najlepszego człowieka na tym stanowisku. Dowiedziałem się też od nich bardzo dziwnych rzeczy. Podobno zagroziłeś ich rodzinom represjami, jeśli nie zgodzą się na zawieszenie mnie w obowiązkach dyrektora szkoły.

Pan Malfoy zrobił się jeszcze bardziej blady niż zwykle, ale jego oczy miotały iskry wściekłości.

— No i co... udało ci się już powstrzymać te napaści? — zapytał drwiącym tonem. Schwytałeś już złoczyńcę?

— Tak, dokonaliśmy tego — odrzekł z uśmiechem Dumbledore.

— Tak? — zapytał ostro pan Malfoy. — I kim on jest?

— To ta sama osoba, co ostatnio, Lucjuszu. Ale tym razem Lord Voldemort działał przez kogoś innego. Posłużył się tym dziennikiem.

Podniósł małą czarną książeczkę, z wypaloną w środku dziurą, obserwując Malfoya uważnie. Harry jednak obserwował Zgredka.

Skrzat wyczyniał dziwne rzeczy. Utkwił w Harrym swoje wielkie oczy, wybałuszył je znacząco i wciąż wskazywał to na dziennik, to na pana Malfoya, a jednocześnie grzmocił się pięścią po głowie.

— Ach tak... — powiedział wolno pan Malfoy.

— Sprytny plan — rzekł Dumbledore, wciąż patrząc panu Malfoyowi prosto w oczy. — Bo gdyby ten oto Harry... — pan Malfoy obrzucił Harry'ego krótkim, ostrym spojrzeniem — i jego przyjaciel Ron nie znaleźli książeczki... no cóż, cała wina spadłaby na biedną Ginny Weasley. Nikt nie zdołałby udowodnić, że nie działała z własnej woli.

Pan Malfoy milczał. Jego twarz przypominała teraz maskę.

— A wyobraź sobie — ciągnął Dumbledore — co mogłoby się wówczas stać... Weasleyowie należą do naszych najbardziej prominentnych rodzin czystej krwi. Łatwo sobie wyobrazić konsekwencje tego wszystkiego dla Artura Weasleya i jego Ustawy o Ochronie Mugoli, gdyby się okazało, że jego rodzona córka atakuje i uśmierca czarodziejów urodzonych w mugolskich rodzinach. Na szczęście dziennik znaleziono, a wspomnienia Riddle'a zostały z niego usunięte. Kto wie, do czego by mogło dojść, gdyby tak się nie stało...

Pan Malfoy zmusił się do wypowiedzenia dwóch słów.

— Wielkie szczęście — powiedział bezbarwnym głosem.

A schowany za nim Zgredek wciąż wskazywał to na dziennik, to na Lucjusza Malfoya, okładając się pięścią po głowie.

Harry nagle zrozumiał. Skinął na Zgredka, a ten cofnął się do kąta, gdzie zaczął się tarmosić za uszy.

— Nie chciałby nam pan powiedzieć, w jaki sposób ten dziennik trafił w ręce Ginny, panie Malfoy? — zapytał Harry.

Lucjusz Malfoy odwrócił się do niego.

— A niby skąd mam wiedzieć, gdzie go znalazła ta głupia dziewczyna? — warknął.

— Bo to pan go jej dał — powiedział Harry. — W Esach i Floresach. Wziął pan do ręki jej stary podręcznik transmutacji i wsunął do środka dziennik, prawda?

Białe dłonie pana Malfoya zacisnęły się, a następnie rozluźniły.

— Udowodnij to — syknął.

— Och, tego nikt nie jest w stanie udowodnić — rzekł Dumbledore, uśmiechając się do Harry'ego — skoro Riddle'a już nie ma w tej książeczce. Radziłbym ci jednak, Lucjuszu, żebyś już więcej nie rozdawał starych rzeczy Lorda Voldemorta. Gdyby coś jeszcze trafiło w niepowołane a niewinne ręce, to na przykład taki Artur Weasley na pewno by wyśledził ich źródło...

Lucjusz Malfoy zesztywniał, a Harry zobaczył, że prawa ręka drgnęła mu lekko, jakby chciał sięgnąć po różdżkę. Powstrzymał się jednak i odwrócił do swojego domowego skrzata.

— Idziemy, Zgredku!

Gwałtownym ruchem otworzył drzwi, a kiedy skrzat podbiegł, wyrzucił go przez nie kopniakiem. Jeszcze długo słyszeli żałosne piski Zgredka. Harry nie ruszał się z miejsca, myśląc nad czymś gorączkowo.

— Panie profesorze — powiedział w końcu — czy mógłbym oddać ten dziennik panu Malfoyowi?

— Oczywiście, Harry — odrzekł spokojnie Dumbledore. — Ale pospiesz się. Wyprawiamy dziś ucztę, pamiętasz?

Harry chwycił dziennik i wypadł z gabinetu. Zza rogu korytarza dobiegły go oddalające się piski Zgredka. Zastanawiając się, czy jego plan wypali, szybko zdjął jeden but, ściągnął obślizgłą, brudną skarpetkę i wepchnął do niej dziennik. Potem pobiegł korytarzem.

Dogonił ich na szczycie marmurowych schodów.

— Panie Malfoy — wydyszał, zatrzymując się w biegu. — Mam coś dla pana.

I wcisnął Malfoywi do ręki śmierdzącą skarpetkę.

— Co do...

Pan Malfoy zdarł skarpetkę z dziennika, odrzucił ją ze

wstrętem i przeniósł wściekłe spojrzenie ze zniszczonej książeczki na Harry'ego.

— Kiedyś skończysz tak nędznie, jak twoi rodzice, Harry Potterze — wycedził. — Oni też byli wścibskimi głupcami.

Odwrócił się, aby odejść.

— Zgredek! Idziemy! Powiedziałem, *idziemy*!

Ale Zgredek nie ruszył się z miejsca. Trzymał w ręku obrzydliwą, mokrą skarpetkę Harry'ego i wpatrywał się w nią, jakby była bezcennym skarbem.

— Mój pan dał Zgredkowi skarpetkę — powiedział zdumionym tonem. — Pan dał ją Zgredkowi.

— Co znowu? — warknął pan Malfoy. — Co powiedziałeś?

— Zgredek dostał skarpetkę — powtórzył skrzat z niedowierzaniem. — Mój pan ją rzucił, a Zgredek ją złapał. Zgredek jest... wolny.

Lucjusz Malfoy zamarł, wpatrując się w skrzata, po czym rzucił się na Harry'ego.

— Przez ciebie straciłem sługę, głupi chłopaku!

Ale Zgredek wrzasnął:

— Nie zrobisz krzywdy Harry'emu Potterowi!

Rozległ się głośny huk i pana Malfoya odrzuciło do tyłu. Potoczył się po schodach jak worek kartofli, lądując na samym dole. Wstał i natychmiast wyjął różdżkę, ale Zgredek znowu podniósł rękę, grożąc mu długim palcem.

— Teraz odejdziesz — powiedział, celując palec w pana Malfoya. — Nie tkniesz Harry'ego Pottera. A teraz odejdziesz.

Lucjusz Malfoy nie miał wyboru. Obrzucił ich jadowitym spojrzeniem, zamaszystym ruchem owinął się płaszczem i zniknął im z oczu.

— Harry Potter uwolnił Zgredka! — zawołał skrzat ochrypłym głosem, wpatrując się w Harry'ego ogromnymi oczami, w których odbijało się światło księżyca. — Harry Potter uwolnił Zgredka!

— To wszystko, co mogłem dla ciebie zrobić, Zgredku — powiedział Harry, uśmiechając się do niego. — Ale przyrzeknij mi, że już nigdy nie będziesz próbował ratować mi życia.

Brzydka, brązowa twarz skrzata rozciągnęła się nagle w szerokim uśmiechu.

— Mam tylko jeszcze jedno pytanie, Zgredku — rzekł Harry, kiedy skrzat trzęsącymi się rękami wciągnął na nogę jego skarpetkę. — Powiedziałeś mi, że to nie ma nic wspólnego z Tym, Którego Imienia Nie Wolno Wymawiać, pamiętasz? No więc...

— To była wskazówka, sir — przerwał mu Zgredek, otwierając jeszcze szerzej oczy, jakby to było oczywiste. — Zgredek dał szansę Harry'emu Potterowi. Dawne imię Czarnego Pana można było wymawiać, prawda?

— Nooo... tak — zgodził się Harry. — Ale na mnie już czas. Wyprawiają ucztę, a moja przyjaciółka Hermiona już się pewnie przebudziła...

Zgredek objął go serdecznie w pasie.

— Harry Potter jest o wiele większy, niż się Zgredkowi wydawało! — załkał. — Żegnaj, Harry Potterze!

Błysnęło, strzeliło i Zgredek rozpłynął się w powietrzu.

Harry brał już udział w kilku ucztach w Hogwarcie, ale jeszcze nigdy nie był na takiej jak ta. Wszyscy byli w piżamach, a zabawa trwała całą noc. W końcu nie wiedział już, co było w tym wszystkim najlepsze, czy Hermiona biegnąca ku niemu z krzykiem: „Rozwiązałeś to! Rozwiązałeś!", czy Justyn zrywający się od stołu Puchonów, żeby uścisnąć mu rękę i po raz któryś przepraszać za swoje podejrzenia, czy Hagrid, który zjawił się o pół do czwartej nad ranem i rąbnął po plecach jego i Rona tak mocno, że powpadali nosami w talerze z ciastem biszkoptowym z kremem i owocami, czy ogłoszenie wszem i wobec, że on i Ron zdobyli dla Gryffindoru czterysta punktów w rozgrywce o Puchar Domów, czy profesor McGonagall powstająca, by ogłosić, że odwołuje się wszystkie egzaminy („Och, nie!", krzyknęła Hermiona), czy Dumbledore oznajmiający „z wielkim żalem", że profesor Lockhart nie będzie mógł już ich uczyć, ponieważ musi wyjechać i odzyskać pamięć. Wśród wiwatujących po ogłoszeniu tej ostatniej nowiny nie brakowało nauczycieli.

— Szkoda — powiedział Ron, zabierając się do kolejnego pączka z konfiturą. — Już zacząłem go wychowywać.

Reszta semestru letniego minęła w cudownej mgiełce gorącego słońca. Wszystko znowu było tak samo, prócz paru drobiazgów: zniesiono lekcje obrony przed czarną magią („Nie martw się, przecież mieliśmy sporo ponadprogramowych ćwiczeń z tego przedmiotu", powiedział Ron rozczarowanej Hermionie), a Lucjusz Malfoy został odwołany z rady nadzorczej. Draco nie chodził już po szkole, patrząc na wszystkich z góry, jakby zamek był jego własnością. Przeciwnie, był przygaszony i pokorny. Natomiast Ginny Weasley odzyskała humor.

Wkrótce — może nawet za szybko — nadszedł czas ich powrotu do domów na letnie wakacje. Przyjechał ekspres Hogwart-Londyn, a Harry, Ron, Hermiona, George i Ginny zdobyli przedział tylko dla siebie. Wykorzystali skwapliwie ostatnie parę godzin, w których wolno im było używać czarów przed wakacjami. Grali w Eksplodującego Durnia, wystrzelili ostatnie z fajerwerków Filibustera i ćwiczyli na sobie rozbrajanie przeciwnika. Harry był najlepszy w tej konkurencji.

Dojeżdżali już do dworca King's Cross, kiedy Harry coś sobie przypomniał.

— Ginny... co właściwie robił Percy, kiedy go zobaczyłaś, a później nie chciałaś tego nikomu powiedzieć?

— Ach, to — powiedziała Ginny, chichocąc. — Bo... wiecie, Percy ma dziewczynę.

Fred upuścił stertę książek na głowę George'a.

— Co?

— Prefekt Krukonów, Penelopa Clearwater — oznajmiła Ginny. — To do niej pisał przez całe ubiegłe lato. A w szkole spotykał się z nią w tajemnicy. Wlazłam na nich, jak się całowali w pustej klasie. Był taki zrozpaczony, kiedy została... no wiecie... zaatakowana. Ale nie będziecie się z niego śmiać, co? — dodała z niepokojem.

— Nawet o tym nie marz — powiedział Fred, który miał minę, jakby zbliżały się jego urodziny.

— Absolutnie — dodał George i zarechotał.

Ekspres Hogwart-Londyn zwolnił i w końcu się zatrzymał.

Harry wyciągnął pióro i kawałek pergaminu i zwrócił się do Rona i Hermiony.

— To jest coś, co mugole nazywają „numerem telefonu” — powiedział Ronowi, wypisując dwukrotnie rząd cyfr, przedzierając pergamin i dając jedną część jemu, a drugą Hermionie. — W zeszłym roku powiedziałem waszemu ojcu, jak się korzysta z telefonu, będzie wiedział. Zadzwonicie do mnie do Dursleyów, dobrze? Nie wytrzymam dwóch miesięcy z samym Dudleyem...

— Twoja ciotka i wuj będą z ciebie dumni, prawda? — powiedziała Hermiona, kiedy wyszli z wagonu i przyłączyli się do tłumu zmierzającego ku zaczarowanej barierce. — Jak usłyszą, czego dokonałeś w tym roku...

— Dumni? Zwariowałaś? Tyle razy byłem bliski śmierci i przeżyłem? Będą wściekli...

I razem przeszli przez bramę do świata mugoli.

Książka o Harrym Potterze została przełożona z języka angielskiego i dzieje się w Anglii. Dlatego występują w niej pewne słowa, a zwłaszcza nazwy własne, które niewiele znaczą dla tych, którzy wolą uczyć się na pamięć różnych zaklęć niż przykładać się do angielskiego. Uważam jednak, że dobrze jest wiedzieć, że tak naprawdę jakiś profesor nazywa się Trzmiel, a prefekt to wcale nie ksiądz katecheta. Dla tych osób zamieszczam poniżej krótki słowniczek nazw i terminów, które coś po angielsku znaczą, które nie wiadomo co znaczą i skąd się wzięły albo które z takich czy innych powodów zostały przetłumaczone tak a nie inaczej. Zachęcam do własnych dalszych badań językowych, zwłaszcza jeśli ktoś będzie miał możliwość spotkać jakiegoś czarodzieja lub choćby zwykłego mugola z Anglii.

Polski czytelnik pierwszego tomu opowieści o Harrym Potterze (*Harry Potter i Kamień Filozoficzny*) zna już większość podanych niżej wyjaśnień. Powtórzyłem je jednak dla tych, którzy pierwszego tomu jeszcze nie przeczytali (a radzę to zrobić, bo wtedy o wiele lepiej rozumie się tę książkę), i dodałem nowe, dotyczące pewnych pojęć i postaci, które pojawiają się dopiero tutaj.

UWAGA! Po wydaniu dwóch pierwszych tomów wnikliwi czytelnicy zwrócili uwagę na pewną liczbę błędów lub niekonsekwencji w przekładzie, redakcji i korekcie. Różne były tego przyczyny; jedną z nich jest prawie na pewno zaklęcie Maltranslatora, które rzucił na oba teksty jakiś zażarty wróg Harry'ego Pottera, nie mogący się pogodzić z jego sławą i psocący w różnych tłumaczeniach, nie tylko w polskim. Wydawnictwo znalazło już jednak odpowiednie przeciwzaklęcie i mam nadzieję, że odtąd błędów będzie mniej, choć zdajemy sobie sprawę z tego, że wróg nadal działa. W tym NOWYM wydaniu uwzględniono większość poprawek. Tym wszystkim, którzy błędy odnaleźli, dziękuję w imieniu własnym i czytelników.

CAL — miara angielska (*inch*) równa 2,54 cm. Zob. STOPA.

CHARŁAK — ang. squib, czyli „satyra", „paszkwil", ale może też oznaczać „słabeusza", zwłaszcza cherlawe dziecko. W czarodziejskim świecie jest to osobnik urodzony w czarodziejskiej rodzinie, ale pozbawiony czarodziejskiej mocy, co czyni go postacią dość żałosną.

DOMY — ang. *houses*, to domy, w których mieszkają uczniowie angielskich szkół z internatem. Każdy dom ma swojego opiekuna — jednego z profesorów — i prefekta, czyli „starszego" lub „gospodarza". O życiu i zwyczajach w takich domach można przeczytać w powieści R. Kiplinga *Stalky i Spółka*. Zob. GRYFFINDOR, HUFFLEPUFF, RAVENCLAW, SLYTHERIN.

DORMITORIUM — po łacinie to po prostu „sypialnia", określenie to zachowało się nie tylko w klasztorach, ale i w starych angielskich szkołach z internatem.

DRACO — czytaj: *drako*, imię Malfoya, okropnego Ślizgona; warto wiedzieć, że *draco* to po łacinie „wąż" albo „smok", Drakon był wyjątkowo okrutnym tyranem (por. drakońskie prawa), a „draka" to już każdy wie, co znaczy. Nazwisko „Malfoy" też ma dość złowrogie znaczenie, bo *mal* znaczy „zły" (z łaciny poprzez starofrancuski), a *foy* „wiara", „słowo" (również ze starofrancuskiego); najbliższym polskim odpowiednikiem całego słowa byłby chyba przymiotnik „wiarołomny".

DUMBLEDORE — czytaj: *dambldo(r)*, nazwisko słynnego dyrektora Hogwartu; warto wiedzieć, że *dumbledore* to po angielsku „trzmiel".

FAWKES — czytaj: *feuks*, imię nadane przez Dumbledore'a jego ulubionemu feniksowi, zapewne na cześć Guya Fawkesa, znanego wszystkim dzieciom w Anglii żołnierza z XVI w., który wraz z innymi spiskowcami zamierzał wysadzić w powietrze gmach Parlamentu w odwecie za prześladowanie katolików w Anglii. Co roku 5 sierpnia obchodzi się w Anglii dzień Guya Fawkesa, w czasie którego pali się kukły spiskowca.

FILCH — czytaj: *fylcz*, nazwisko woźnego w Hogwarcie; uczniowie zapewne czerpali pewną przyjemność z faktu, że po angielsku *filch* to „zwędzić coś", „ściągnąć cichaczem".

GRYFFINDOR — 1. *Godryk Gryffindor*, jeden z czworga legendarnych założycieli Hogwartu; 2. nazwa jednego z czterech domów w Hogwarcie, pochodząca od nazwiska jego legendarnego założyciela. *Griffin* to gryf, czyli lew o głowie i skrzydłach orła, a końcówka *or* może mieć coś wspólnego ze złotem, ale i z wybrzeżem; zachęcam do dalszych studiów. Mieszkańców Gryffindoru nazywano potocznie Gryfonami.

HOGWART — nazwa zamku gdzieś w Szkocji, w którym mieści się Szkoła Magii i Czarodziejstwa; być może pochodzi od nazwiska pierwszego właściciela okolicznych gruntów albo od najpopularniejszego zajęcia najdawniejszych ich mieszkańców, czyli hodowli świń, bo pobliska wioska nosi nazwę Hogsmeade. Warto bowiem wiedzieć, że *hog* to po angielsku „wieprz", a *wart* to „kurzajka" lub „brodawka", ale w XIX wieku również „podoficer", a w gwarze uczniowskiej „kot", czyli uczeń pierwszego roku. (Co do odmiany, por. np. Harvard).

HOOCH — czytaj: *huucz,* nazwisko nauczycielki opiekującej się rozgrywkami quidditcha; po angielsku brzmi niezbyt przystojnie, bo *hooch* to „gorzałka" lub „bimber".

HUFFLEPUFF — czytaj: *haflpaf*, 1. *Helga Hufflepuff*, jedna z czworga legendarnych założycieli Hogwartu; 2. nazwa jednego z czterech domów w Hogwarcie, pochodząca od nazwiska jego legendarnej założycielki; nazwa przywodzi na myśl „chuch" i „pyk", cokolwiek to znaczy, a także „puch" i „puf".

IRYTEK POLTERGEIST — ang.: *Peeves Poltergeist*, od *peeve*, „irytować", „rozdrażniać"; *poltergeist* to termin oznaczający pewne dziwne zjawisko paranormalne, polegające na robieniu hałasów i przemieszczaniu różnych przedmiotów przez bliżej nie znane nam siły.

JĘCZĄCA MARTA — zamieszkujący nieczynną łazienkę dla dziewcząt duch dziewczynki, której oryginalne imię angielskie to *Myrtle*, czyli „mirt". Niestety, w języku polskim „mirt" jest rodzaju męskiego, więc zmieniłem to imię na „Marta". Warto wiedzieć, że w Anglii dziewczęta wiły z mitru wianki ślubne, a słowo *myrtle* odnoszono do brzydkich panienek, które nie mogły sobie znaleźć męża. W Polsce odpowiednikiem mirtu w tym znaczeniu była ruta.

KAFEL — jedna z czterech piłek do quidditcha. Nazwa polska pochodzi wprost z angielskiego *quaffle*, co kojarzy się ze słowem *quaff*, oznaczającym pić coś łapczywie, żłopać. Może kiedyś w Anglii po zdobyciu kaflem gola żłopano piwo? W każdym razie niemieccy gracze w quidditcha też używają tego angielskiego terminu w formie fonetycznej: *Der Quaffel*.

LONGBOTTOM — nazwisko Neville'a, po angielsku znaczy „Długozadek" albo „Chudozadek", o czym warto wiedzieć, żeby lepiej wczuć się w sytuację i tak już biednego, bo wciąż wplątującego się w różne niemiłe przygody chłopca.

MIOTŁY — ang. *broomsticks*, znany i u nas środek lokomocji, popularny zwłaszcza wśród czarownic. Nie wiadomo skąd, na Śląsku pojawiło się fonetyczne spolszczenie angielskiej nazwy w piosence „O północy na brumśtyku". Badania etymologiczne w toku.

MUGOLE — ang. *Muggles* (czytaj: *magls*), czyli zwykli, niemagiczni ludzie. Pochodzenie tego słowa nie jest jasne, jako że sam podział na mugoli i zwykłych ludzi ma bardzo prastary rodowód. Większość badaczy odrzuca związek z najbardziej popularnym znaczeniem angielskiego słowa *mug* — „kubek", „kufel"; inne, bardziej interesujące etymologów znaczenia słowa *muggles* to „frajerzy", „naiwniacy", „tumany". Od czasu polskiego przekładu dwóch pierwszych tomów powieści o Harrym Potterze termin ten stał się już tak popularny, że funkcjonuje jako nazwa pospolita, więc w tym nowym, poprawionym wydaniu piszemy go z małej litery.

NOC DUCHÓW — ang. *Halloween*, w Anglii i w Ameryce dzień 31 października, w którym dzieci (a czasem i dorośli) przebierają się za duchy i straszą, często używając do tego wydrążonej dyni ze świeczką w środku. Specjalnie nie zostawiłem nazwy angielskiej, bo uważam, że i tak już za dużo się w Polsce wprowadza nazw i zwyczajów angielskich mugoli.

NORA — ang. *the Burrow*, nazwa domu rodziny Weasleyów, wspaniałego miejsca, w którym nie trzeba wiecznie sprzątać, a na śniadanie można przychodzić w piżamie.

POTTER — nazwisko bohatera książki, dość popularne w Anglii, znaczące dosłownie „garncarz"; ciekawostką jest fakt, że *potter* to również czasownik, który może znaczyć „grzebać się", „dłubać", ale i „włóczyć się", „wałęsać".

PREFEKT — ang. *prefect* to nie ksiądz katecheta ani naczelnik policji w Paryżu, tylko wybrany spośród uczniów „starszy" internatu szkolnego, a więc ktoś w rodzaju naszego starosty czy gospodarza klasowego. Zob. DOMY.

PRIVET DRIVE — czytaj: *Prywyt Draiw*, nazwa uliczki, przy której stoi dom Dursleyów, dosłownie znaczy „Zaułek Ligustrowy". Ligustr to rodzaj krzewu ozdobnego, zwany u nas również kocierpką, ale nie przełożyłem tej nazwy, bo to tak, jakby Anglik nazwał warszawską ulicę Obozową *Camp Street*, a miasto Łódź *Boat City*.

PROSZEK FIUU — ang. *Floo Powder* (czytaj: *fluu pauder*), magiczny proszek, dzięki któremu można podróżować gdzie się chce, a w każdym razie wysiąść tam, gdzie jest jakiś kominek, trzeba tylko wyraźnie wymówić adres i natychmiast zamknąć usta, bo mogą nastąpić przykre niespodzianki.

PUDDING — to specjalność angielska (na szczęście), nie zawsze tożsama z naszym poczciwym budyniem, bo często słona (np. z mięsa lub szpinaku) i mająca postać wodnistej papki. Gotuje się to na parze. Pudding bożonarodzeniowy przyrządzany jest zwykle z dodatkiem rodzynek, suszonych śliwek, porzeczek i przypraw korzennych.

QUIDDITCH — czytaj: *kłyddycz*, gra czarodziejów, której zasady zostały w tej książce jasno wyłożone. Nawet w dziele *Quidditch przez wieki* nie opowiedziano się jednoznacznie, skąd nazwa gry pochodzi i co oznacza, podając wiele hipotez. Można sięgnąć do słownika łacińskiego, ale ostrzegam, poszukiwania będą żmudne. Pewną wskazówką może być fakt, że w języku angielskim istnieje pochodzące z łaciny słowo *quiddity*, które oznacza „sedno sprawy", „istotę rzeczy", ale także „wykręty" i „wybiegi". W Polsce, gdzie ta gra również jest popularna, przyjęła się nazwa angielska, podobnie jak w wypadku innych sportów, takich jak tenis, rugby czy boks. Bardziej swojskie brzmienie przybrały natomiast terminy występujące w tej grze. Zob. KAFEL, TŁUCZKI, ZNICZ.

RAVENCLAW — czytaj: *rewenkloo*, 1. *Rowena Ravenclaw*, jedna z czworga legendarnych założycieli Hogwartu; 2. nazwa jednego z czterech domów w Hogwarcie, pochodząca od nazwiska jego legendarnej założycielki; raven to „kruk", a claw to „szpon" lub „pazur"; może dlatego mieszkańców tego domu nazywano potocznie Krukonami.

RIDDLE — czytaj: *ridl*, Thomas Marvolo Riddle, bardzo zdolny były uczeń Hogwartu; warto wiedzieć, że jego nazwisko to po angielsku „zagadka", a drugie imię (*Marvolo*) może się kojarzyć z *marvel*, czyli „coś zdumiewającego".

SLYTHERIN — 1. *Salazar Slytherin*, jeden z czworga legendarnych założycieli Hogwartu; 2. nazwa jednego z czterech domów w Hogwarcie; pochodzi od nazwiska jego założyciela, ale samo znaczenie jest dość tajemnicze. Najbliższe skojarzenia to coś obślizgłego, śliskiego albo ślizgającego się (*slither*), ale też coś chytrego i cwaniackiego (*sly*). Mieszkańców tego domu nazywano w gwarze uczniowskiej Ślizgonami, co kierowałoby naszą uwagę ku pierwszemu skojarzeniu, zwłaszcza że godłem Slytherina był wąż.

SPROUT — nauczycielka zielarstwa o bardzo odpowiednim nazwisku, bo *sprout* to „kiełek", „pęd".

STOPA — miara angielska, równa 30,48 cm. Zachowałem tę oryginalną miarę, bo akcja książki dzieje się przecież w Anglii i to w dość tradycyjnej szkole, a tam nadal mierzą w calach, stopach, jardach i milach. Stopa to 12 cali. Bez specjalnej tabelki ani rusz! Zob. CAL.

SZLAMY — ang. *Mudbloods*, co można przetłumaczyć jako „osobnicy szlamowatej krwi", to ordynarne przezwisko, jakim wyjątkowo podłe typy obdarzały te czarownice i tych czarodziejów, którzy urodzili się w rodzinie mugoli.

TIARA — spiczaste nakrycie głowy dorosłych czarodziejów, a także uczniów Hogwartu. W oryginale *hat*, czyli dosłownie „kapelusz", ale po polsku kapelusz to zwykle nakrycie głowy z wypukłą główką i rondem, natomiast tiara to nakrycie głowy perskich magów (według tradycji Trzej Magowie — w Polsce zwani Królami — mieli na głowach właśnie tiary, podobnie jak do dziś prawdziwy, niekomercyjny święty Mikołaj).

TŁUCZKI — dwie z czterech piłek do quidditcha, niejako obdarzone własnym życiem; są bardzo złośliwe i starają się strącić graczy z mioteł. Cios zadany taką piłką przypomina walnięcie tłuczkiem, stąd zapewne polska nazwa, podobnie jak i angielska: *bludger*, co może pochodzić od słowa *bludgeon*, oznaczającego „pałkę" lub „maczugę". Na wschodzie Polski to słowo jest rodzaju żeńskiego (ta tłuczka), natomiast na Śląsku i Podhalu rodzaju męskiego (ten tłuczek).

TRANSMUTACJA — dziedzina magii polegająca na przemienianiu jednych rzeczy w drugie.

ULICA POKĄTNA — angielska *Diagon Alley*. Polski odpowiednik zachowuje coś z greckiego źródłosłowu *diagonios* (przekątna), a jednocześnie oddaje tajny charakter owej uliczki w świecie mugoli. W tym przypadku tłumaczy się nazwę ulicy, bo takie „pokątne" ulice czarodziejów bywają i w Polsce. Trzeba tylko wiedzieć, gdzie szukać, jak mówi Hagrid.

ULICA ŚMIERTELNEGO NOKTURNU — ang. *Knockturn*. Nie sposób przełożyć tej nazwy dosłownie, a przełożyć można i trzeba, bo to ulica w świecie czarodziejskim. Angielska nazwa to połączenie *knock*, czyli „zdzielić", „powalić" kogoś, z „nokturnem", czyli smętną pieśnią czy melodią, więc przełożyłem ją jak wyżej, biorąc pod uwagę złą sławę, jaką się cieszyła.

WIERZBA BIJĄCA — ang. *the Whoomping Willow*, nazwa specjalnej odmiany wierzby (por. „wierzba płacząca", „wierzba rosochata" itd.), która, kiedy zostanie uderzona, dość mocno oddaje. Niektórzy uważają, że tą cechą powinny być obdarzone wszystkie drzewa. Po głębokim namyśle zgadzam się z tym stanowiskiem.

WMIGUROK — ang. *Kwikspell*, korespondencyjny kurs czarodziejstwa. Nazwa angielska pragnie zasugerować, że przerabiając ten kurs, można się szybko (czyli „w mig") nauczyć rzucać zaklęcia (czyli „uroki"). Ostrożnie z wiarą we wszelkie reklamy!

ZGREDEK — ang. *Dobby*, imię domowego skrzata, po angielsku oznaczające zdziecinniałego staruszka. Biorąc pod uwagę jego dość wredny charakter, przełożyłem to, wykorzystując termin z gwary przestępczej, ale i szkolnej, oznaczający godnego pogardy wapniaka.

ZNICZ — ang. *snitch*, najważniejsza z czterech piłek do quidditcha, obdarzona srebrnymi skrzydełkami. Polska nazwa to fonetyczne zapożyczenie z angielskiego, jednak tam w języku potocznym znaczy coś zupełnie innego, a mianowicie „ukraść coś chyłkiem", „zwędzić", ale także „donosiciel", „kapuś" (gwara przestępcza) albo „człowiek, który lubi zmyślać różne rzeczy" (gwara uczniowska).

SPIS ROZDZIAŁÓW

ROZDZIAŁ PIERWSZY
Najgorsze urodziny
7

ROZDZIAŁ DRUGI
Ostrzeżenie Zgredka
18

ROZDZIAŁ TRZECI
Nora
31

ROZDZIAŁ CZWARTY
W księgarni Esy i Floresy
49

ROZDZIAŁ PIĄTY
Wierzba bijąca
73

ROZDZIAŁ SZÓSTY
Gilderoy Lockhart
94

ROZDZIAŁ SIÓDMY
Szlamy i szepty
112

ROZDZIAŁ ÓSMY
Przyjęcie w rocznicę śmierci
131

* 365 *

ROZDZIAŁ DZIEWIĄTY
Napis na ścianie
150

ROZDZIAŁ DZIESIĄTY
Złośliwy tłuczek
172

ROZDZIAŁ JEDENASTY
Klub pojedynków
193

ROZDZIAŁ DWUNASTY
Eliksir Wielosokowy
217

ROZDZIAŁ TRZYNASTY
Bardzo sekretny dziennik
239

ROZDZIAŁ CZTERNASTY
Korneliusz Knot
262

ROZDZIAŁ PIĘTNASTY
Aragog
279

ROZDZIAŁ SZESNASTY
Komnata Tajemnic
297

ROZDZIAŁ SIEDEMNASTY
Dziedzic Slytherina
320

ROZDZIAŁ OSIEMNASTY
Nagroda Zgredka
341

*

Kilka słów od tłumacza,
czyli krótki poradnik dla dociekliwych
357